35
ANOS

MOTIVOS E RAZÕES PARA MATAR E MORRER

REGINALDO PRANDI

Motivos e razões para matar e morrer

COMPANHIA DAS LETRAS

Copyright © 2022 by Reginaldo Prandi

Grafia atualizada segundo o Acordo Ortográfico da Língua Portuguesa de 1990, que entrou em vigor no Brasil em 2009.

Capa
Raul Loureiro

Foto de capa
Fazla Rabbi Fatiq/ Getty Images

Preparação
Márcia Copola

Revisão
Carmen T. S. Costa
Márcia Moura

Os personagens e as situações desta obra são reais apenas no universo da ficção; não se referem a pessoas e fatos concretos, e não emitem opinião sobre eles.

Dados Internacionais de Catalogação na Publicação (CIP)
(Câmara Brasileira do Livro, SP, Brasil)

Prandi, Reginaldo
    Motivos e razões para matar e morrer / Reginaldo Prandi. —
1ª ed. — São Paulo : Companhia das Letras, 2022.

    ISBN 978-65-5921-245-3

    1. Ficção brasileira I. Título.

21-90244   CDD-B869.3

Índice para catálogo sistemático:
1. Ficção : Literatura brasileira B869.3
Maria Alice Ferreira – Bibliotecária – CRB-8/7964

[2022]
Todos os direitos desta edição reservados à
EDITORA SCHWARCZ S.A.
Rua Bandeira Paulista, 702, cj. 32
04532-002 — São Paulo — SP
Telefone: (11) 3707-3500
www.companhiadasletras.com.br
www.blogdacompanhia.com.br
facebook.com/companhiadasletras
instagram.com/companhiadasletras
twitter.com/cialetras

MOTIVOS E RAZÕES
PARA MATAR E MORRER

1.

Era uma terça-feira como outra qualquer. A morte na tela do cinema era o faz de conta sabido e esperado. A morte na calçada, após a sessão, já seria coisa bem diferente, nunca imaginada. Às terças-feiras, Mateus e Heitor iam ao cinema, fosse qual fosse o filme, porque depois da fita principal eram exibidos dois curtos episódios de um seriado. Agora estavam passando a velha série *A aranha mortal*. Aquela era a noite dos dois últimos episódios. Para Mateus, assistir ao capítulo final era um dever sagrado. À tarde, seu amigo Heitor apareceu com a cara fechada e disse que não iria ao cinema porque não tinha dinheiro.

— Está doido? É o último dia!

— Eu sei, mas lá em casa teve um bafafá e ninguém vai pagar a entrada para mim, de jeito nenhum.

— Se eu arranjar o dinheiro, você vai?

— E onde você vai arranjar o dinheiro?

— Não sei ainda, me deixe pensar.

Lucas, o pai de Mateus, ouvia tudo e se adiantou:

— Minha prima Luísa adorava o circo. Um circo-teatro estava

na cidade. Iam levar naquela noite a peça *O ébrio*, de Gilda de Abreu. Uma peça antiga, que Luísa amava. Ela sabia de cor a música-tema, gravada por Vicente Celestino. Mas naquela hora minha prima não tinha dinheiro para pagar a entrada. Ninguém quis emprestar o valor do bilhete. Ela me contou que pensou até em tirar o dinheiro da caixa de esmolas da igreja, depois poderia repor. Era um empréstimo que pediria a Jesus, não estaria roubando. Mas, por precaução, foi pedir a autorização do padre, que era outro, não o de agora, e ele não só a proibiu de pegar o dinheiro na caixa de esmolas, como a expulsou da irmandade das Filhas de Maria.

— Mas ela foi ou não foi ao circo? — perguntou Mateus ao pai.

— Não foi. Eu tinha o dinheiro, mas também não emprestei, não sei por quê. Ela perdeu *O ébrio*, e eu ganhei um sentimento de culpa que carrego até hoje. Ela morreu logo depois, de epilepsia, magoada com todos nós e arrependida de ter confiado no padre, e eu não quero morrer sem reparar meu erro.

Nisso, enfiou a mão no bolso, tirou dali a carteira e disse a Heitor, o amigo de seu filho:

— Nunca que eu permitiria que você perdesse o fim do seriado, Heitor. Pegue o dinheiro aqui. Não é empréstimo, estou lhe dando.

— Ainda bem que não precisamos da autorização do padre, papai. Obrigado pelo Heitor e por mim. E pela prima Luísa também.

— Seu Lucas, o senhor me ganhou para sempre. Obrigado, viu?

Ele riu e deixou os garotos festejando.

Em *A aranha mortal*, a mulher bandida, de codinome Sombra, espiã enviada aos Estados Unidos para roubar o segredo da bomba atômica, se disfarçava de cartomante e matava suas vítimas usando um dispositivo existente no encosto da cadeira em que elas sentavam ao consultar-se em seu escritório. Um pedal sob a mesa acionava o dispositivo: uma aranha metálica saía de uma portinhola no alto da cadeira, feito um passarinho de relógio cuco, e um ferrão envenenado picava a nuca da vítima. O criminologista, representado pelo ator Bruce Edwards, descobriu tudo no último episódio, trocou de lugar as cadeiras, que no formato eram iguais, e a bandida morreu de seu próprio veneno. Na terça-feira seguinte começaria *O Homem Atômico contra o Super-Homem*, com Kirk Alyn, e eles não perderiam nenhum episódio, por nada.

Saíram do cinema num empurra-empurra, estava uma confusão, uma gritaria. Alguma coisa prendia os cinéfilos à porta da sala de exibição. O delegado-substituto Bel e todo o seu efetivo, formado por um cabo e dois soldados, isolavam o trecho da calçada bem em frente ao Cine Santa Clara. Os dois amigos conseguiram chegar mais perto, se enfiando entre safanões e xingamentos, e viram, estarrecidos, um corpo inerte no chão coberto de sangue.

Bel espantava todo mundo, mandando para casa o povaréu que saía do cinema e os que vinham da praça, procurando manter intocada a cena do crime, ameaçada de invasão pela curiosidade popular. Era a maior novidade da cidade, desde o dia em que um cavalo desembestado entrou na igreja na hora da missa e atropelou meia dúzia de devotas que tentavam proteger a integridade física do padre.

Afastados do local, grupos se reuniam, discutiam e espalhavam a notícia.

— Mataram a Izildinha a facadas.

— Aquela que canta a música da Verônica na procissão do encontro, na Semana Santa?

— Gente, mataram uma santa!

— Que santa o quê. Não se fala mal de morto, *mortuus est bonum*, aprendemos na igreja, mas a mulher era uma galinha, ia acabar virando puta.

— Para mim era uma santa, adorava quando ela cantava na procissão.

A mulher tinha voz de soprano e seguia descalça atrás do andor de Jesus carregando a cruz. Atrás dela ia uma menina, pagadora de promessa, levando uma cadeira. Em cada esquina, Izildinha, que fazia o papel da Verônica, subia na cadeira e cantava, desenrolando e enrolando uma tela, conclamando todo mundo a sentir pena de Jesus.

— O que ela cantava, mesmo?

— Ela ia desenrolando um pano onde a face de Jesus flagelado e coroado de espinhos ficou impressa com seu próprio sangue quando a Verônica limpou seu rosto, enquanto cantava:

O vos omnes
qui transitis per viam
attendite et videte
si est dolor similis sicut dolor meus.

— E isso quer dizer:

Oh, vós todos
que passais por esta via
vinde e olhai
se existe dor como a minha.

— Palavras de uma santa, não falei?

— Santa? Ela apenas canta o que a cerimônia exige. Depois, na procissão do enterro do Senhor Morto, essa morta de hoje seguia, sim, atrás do caixão, na última fileira, reservada para as putas, mulheres infiéis e outras desgraçadas. Todas descalças, de preto e véu na cara. Ela sabia o seu lugar.

— Então não entendo nada. Se era puta, por que o padre deixava ela cantar para Jesus, que sofre carregando a cruz, açoitado pelos soldados romanos?

— Porque ela era dona da voz mais bonita da cidade, ninguém cantava como ela.

— Vocês dois, pelo amor de Deus, parem com essa xaropada. Afinal, quem matou a moça e por quê?

— Bem, foi um tal de Borboleta, que foi noivo da Izildinha e continuava apaixonado. Mas ela não queria mais saber dele e passou a andar com a Graúna. Entendeu?

— O João da Casa Parma contou que, de tarde, o assassino esteve no armazém deles e comprou uma faca para usar numa pescaria. Que pescaria o quê. Deu facada na moça até quebrar a lâmina da faca. Morreu na hora, estripada, ali na calçada.

— Prenderam o homem?

— Ele matou, se entregou e ficou gritando: "Eu te amei, eu te matei", e chorava.

— Ainda bem que se entregou, porque, se dependesse do Bel, a esta hora estava no hotel Catanzaro roncando.

— No hotel?

— Era de fora, se hospedava no hotel do Bel.

— E fazia o quê, aqui?

— Vai saber.

A cidade foi dormir tarde naquela noite. Nunca se gastou tanto em velas e querosene para os lampiões e lamparinas. Quando a eletricidade foi interrompida, às onze horas, como acontecia diariamente, a maioria das casas continuou iluminada, ainda que a luz que escapava das janelas exibisse um bruxuleio moribundo.

Naquela noite Mateus teria que dormir na casa dos avós: seu pai acompanhara a mãe, professora, numa viagem para uma reunião sobre assuntos da escola pública, e só voltariam no dia seguinte. Por mais que ela reclamasse, não conseguiu ser dispensada da reunião na sede da Delegacia Regional da Educação. A mãe não gostava que o filho dormisse na casa dos avós, que considerava pessoas atrasadas, capazes de más influências, mas Mateus adorava. Heitor teve permissão de sua mãe para fazer companhia a Mateus e dormir na casa de Artur e Madalena. As duas famílias eram amigas. Os dois poderiam conversar a noite inteira.

Antes de irem para a cama, Madalena, Artur, Mateus e Heitor ficaram um tempo na cozinha, comendo bolo de mandioca com café bem fraco para ninguém perder o sono.

A cozinha era grande, com o fogão a lenha e um fogão Dako a querosene, usado para fazer café ou algo rápido quando o outro estava apagado. A mesa tinha lugar para oito pessoas, lembrando que a família já fora numerosa. Chamava atenção uma antiga cristaleira de vidros e espelhos bisotados de dois corpos, unidos por um grande espelho no fundo do móvel, que ia de cima a baixo, até a altura de uma prateleira de mármore, a meio metro do chão, onde o gato dormia em dias de calor intenso. Era mais decorativa do que peça de utilidade: guardava copos e cálices de bom cristal e objetos de porcelana e de prata, remanescentes de uma herança de quem já conheceu o melhor. De uma bateria presa à parede pendiam utensílios de alumínio polidos de causar inveja a muitas donas de casa. Um guarda-comida de madeira com tela nas portas de cima dava conta do resto. No quartinho que servia de passagem entre a cozinha e os demais cômodos, reinava soberana uma Frigidaire novinha em folha, orgulho da família, ligada a um dispositivo que, na falta de eletricidade que vinha da rua, passava automaticamente a fornecer à geladeira energia do acumulador, uma grande invenção, com certeza, pois assim nada se perdia e a qualquer momento o gelo podia ser utilizado. Era uma chateação ter que levar o acumulador de vez em quando ao bazar do seu Adal para recarregar as baterias, mas pior seria ficar sem refrigerador ou depender da compra de gelo em bloco para manter baixa a temperatura da geladeira nessas horas.

Não havia pia na cozinha, uma vez que a casa não dispunha de água encanada, mas, na varandinha anexa, uma bancada com bacias e baldes era usada para lavar a louça e manipular os mantimentos, carnes e verduras. Nela estava fixado o moedor de café torrado. Sob o teto da varanda ficava o poço, com seu murinho circular, munido de sarilho, corda e caçamba, e mais ao fundo dois quartinhos. Um deles servia de despensa; o outro, para banhos, dispondo de um chuveiro-balde que era baixado para ser abastecido e depois era subido de novo, movido por meio de corda e carretilha. A água quente vinha da cozinha, é claro. Com o chuveiro cheio e amarrado no alto, era só puxar uma cordinha e, em etapas, se molhar, se ensaboar e esfregar e, por fim, se enxaguar. "Cuidado para a água não acabar antes de terminar o banho", gritava a avó a Mateus, quando ele demorava demais no banheiro.

Duas lamparinas a querosene tentavam iluminar a cozinha, que, por alguma razão, tinha naquela noite um ar fantasmagórico. Seu Artur não quis café: temia uma azia àquela hora e disse que não tinham sal de fruta nem Sonrisal em casa. Dona Madalena preparou para ele, no Dako, um chá de erva-cidreira, que Mateus detestava e se recusava a tomar, embora a avó insistisse que a bebida ajudaria a acalmar os ânimos e a trazer um sono despreocupado. Heitor aceitou uma xícara, mas com bastante açúcar. O assunto ainda era, evidentemente, o assassinato da Verônica, isto é, da Izildinha.

— Parece até que o diabo passou por aqui, que crime horrível! — lamentou dona Madalena.

— Ele sempre esteve aqui — afirmou seu Artur.

— Cruz-credo! — Dona Madalena se benzeu.

— Eu não me lembro de ter acontecido aqui nenhum outro assassinato antes desse — disse Artur.

— E esse nem conta. O tal Borboleta não é daqui e não mora aqui — disse dona Madalena.

— Mas foi aqui que o Borboleta matou, vovó.

— Matou aqui e depois se entregou — disse Heitor.

— Pois é, mas esse assassino não é gente nossa, não tem a nossa alma, o que ele faz não é debitado na nossa conta — explicou dona Madalena.

— Então tudo o que temos é um assassinato somente? A mulher foi morta na calçada, em frente ao cinema, todo mundo viu, o criminoso confessou e se entregou, não tem como esconder. E os assassinatos que ninguém sabe que aconteceram, aqueles que foram escondidos, esses não contam?

— Não temos desses na nossa cidade, Mateus. Graças a Deus — disse a avó.

— Não mesmo — disse o avô, sem muita segurança. — Felizmente.

— Então vamos dormir — disse Madalena, levantando-se.

Quando, na madrugada avançada, a cidade enfim dormiu, Borboleta não perdeu tempo. Pela grade da cela podia ver que nada acordaria o cabo de plantão encarregado de guardar o assassino enjaulado, o único preso na única cela, mas que em vez disso roncava, profundamente adormecido, certamente bêbado.

O prisioneiro esvaziou num canto da cela a sujeira fedorenta da lata de banha de porco de vinte litros, que, uma vez vazia de sua mercadoria, servia para os detentos satisfazerem suas necessidades fisiológicas. Batendo com uma das extremidades da lata, conseguiu arrancar o reboco de um pedaço da parede e, em seguida, soltar um tijolo, depois outro, e outro. Passou pelo buraco aberto e saiu no quintal da casa que era usada como delegacia e prisão. E caiu no mundo.

O delegado foi acordado com a notícia da fuga. Nem tinha dormido direito ainda.

— E você não ouviu nada, cabo?

— Bulhufas, delegado Bel. Ô sujeitinho liso.

— E os vizinhos?

— Também não. De um lado os velhos Simas, surdos feito uma porta; do outro lado, casa vazia para alugar. Mas a gente pega o assassino, pode confiar.

— Pega nada. Alguém roubou um cavalo na saída da cidade, na chácara do Abel, que até já veio reclamar. Ele se picou de vez, não tem domicílio conhecido, quem é que sabe de onde veio e para onde vai? A única que poderia saber está morta. Ninguém nunca mais vai ver nem o assassino nem o cavalo roubado — sentenciou o delegado-substituto, que logo deixou a casa e foi verificar se o fugitivo pelo menos tinha pagado a conta do seu hotel.

Aquela noite tinha sido muito desgastante. À tarde ele precisava passar no velório da moça. Afinal, era uma das autoridades locais. A morta andara por um caminho meio torto, mas a família dela era de gente boa, ainda que pobre. O padre até rezaria missa de corpo presente, por causa da Verônica, é claro. Subindo a avenida em seu Ford v8, ouviu a "Ave Maria" de Bach-Gounod, que Mario Lanza cantara no filme *O grande Caruso*, tocada pelo serviço de alto-falantes da cidade, que, fora do horário das seis da tarde, na *Hora da Ave Maria*, servia de prefixo musical para anúncios fúnebres. Era o convite para o velório e a missa pela alma da morta. Bel bocejou, se benzeu e seguiu em frente.

2.

Mateus cuidava de seu passarinho e sua gaiola como se fossem o último tesouro da Terra. Era tudo dele, o amarelo do canário-do-reino e seu canto que saía da gaiola de arame. As grades impediam o passarinho de voar, mas o faziam cantar melhor do que se estivesse voando livre por aí, dizia o avô dele, e seu pai concordava. A mãe não gostava, dizia que o canto do canarinho lhe dava dor de cabeça, mas ele achava que a dor de cabeça da mãe tinha origem nas brigas dela com o pai. E não ligava quando ela reclamava. O passarinho e a gaiola eram as únicas coisas de que o garoto era dono e senhor.

Naquela manhã, quando Mateus foi limpar a gaiola e pôr água e alpiste, viu que o passarinho estava morto. Ele chorou, um choro convulso, nem sentiu vergonha de chorar. Dava dó.

A mãe não se mostrou chateada e disse a ele que jogasse o passarinho morto no lixo. Mateus achava que talvez sua mãe fosse uma mulher má. Quem sabe todas as mães fossem más, vai ver que a maldade era uma condição imposta pela maternidade. Afinal, elas tinham que criar seus rebentos, que não faziam a menor distinção entre o bem e o mal, e que só aprendiam na base de surras e castigos.

Ele se lembrava bem de conversas que ouvira entre a mãe e uma vizinha, casada com o coletor estadual, mulher culta, formada na universidade da capital, que lia livros em francês, segundo diziam, e que às vezes vinha, à tarde, tomar café em sua casa. Nos momentos em que se sentia sozinho e triste, como então, com seu passarinho morto, costumava recordar o que elas diziam, talvez com outras palavras. Coisas assim: "É falsa a tal inocência das crianças: onde só tem crianças, parece que a maldade não se aproxima. Mentira! O mal está sempre por perto, e uma história de crianças pode ser tão crua e violenta quanto as de adultos", ah, como ele se lembrava!

Mateus abriu a portinhola da gaiola, retirou o corpinho morto e o embalou num lenço de linho com seu monograma bordado em ponto cheio, que ganhou da avó no aniversário e que não tinha tido até ali a menor serventia.

Chamou seus amigos mais próximos para o funeral do passarinho, de tarde, depois da escola. Zito disse que não iria: brincadeira sem graça enterrar bicho morto. Mas só não foi porque as coisas em casa não iam bem para ele: tinha dito a uma colega de língua comprida que uma professora deles era uma tarada e o tinha agarrado. Os pais foram chamados na escola, e ele, bitelo a ponto de parecer homem-feito, levou uns tabefes do pai, e foi proibido pela mãe de sair de casa por uma semana; sair, só para a escola e para ajudar o pai no trabalho. *Que vergonha, um pinguela de um metro e oitenta de castigo*, pensou Mateus. Dona Cleonice queria pelo menos o filho caçula bem-educado e não um ignorantão como ela, que nunca foi à escola porque o pai, italiano bronco, achava que mulher que aprendia a ler e escrever, depois não cuidava direito do marido e dos filhos, contava ela, com rancor. Pena que os outros dois filhos e as duas filhas só puderam fazer até o terceiro ano primário, porque escola na roça parava aí, e era na roça que então eles moravam. Com Zito seria diferente, era seu maior desejo.

O fundo do quintal da casa da avó de Mateus, que morava no outro lado da rua, bem em frente à casa do garoto, era ligado a um terreno de frente murada que dava para a rua transversal. Nele havia algumas mangueiras, abacateiros, bananeiras e outras árvores frutíferas, além de uma viçosa trepadeira de maracujá, mato e objetos descartados. Os troncos das bananeiras tinham furos a meia altura, fruto de uma prática proibida mas gostosa, que os moleques aprenderam com um colega de escola vindo da roça mas que logo abandonaram com medo, porque, segundo eles, depois o pinto ficava ardendo.

Eles entravam por um portãozinho para brincar. Sem ninguém para xeretar, desfrutavam ali, entre outras coisas, da chegada da idade que traz um pecado que o padre tinha por obsessão combater, e os adultos donos da moral, compulsão para reprimir. Os que se diziam tementes a Deus ameaçavam suas punhetas com o fogo do inferno e o abandono do anjo da guarda, e os menos católicos, com a paralisia das mãos, a anemia profunda, a cegueira e até a loucura.

O problema é que, quando o sexo desperta, ele ganha autonomia. Na escola, o professor de inglês, que sabia disso, vivia de olho nos garotos e, quando percebia um deles em estado de excitação, ordenava que ficasse de pé para responder a alguma pergunta sobre a aula. O coitado levantava, tentava se ajeitar, se contorcia, procurando se esconder dentro das calças cáqui pregueadas, enquanto o professor expunha a vítima, "de circo armado", à chacota dos demais colegas, embora as meninas fizessem de conta que não viam nada.

O padre dizia para rezar e tomar banhos frios. Os males mais terríveis eram atribuídos à prática do que era chamado de vício solitário até por publicações que pretendiam oferecer orientação científica sobre uma vida saudável, caso exemplar do *Almanaque saúde familiar*. Para os jovens, contudo, algo tão prazeroso era impossível evitar. Era só fazer escondido e depois se confessar e rezar o padre-nosso e as dez ave-marias da penitência. Mas moleques, quando brincam juntos, fazem essas coisas naturalmente, sem esconder uns dos outros, e o que era proibido acabava, lá mesmo no quintal da avó ou em outro lugar retirado, em alegres e competitivos campeonatos de masturbação. Felicidade mais tarde superada pela atração irresistível da casa das putas.

Naquela tarde, ali, debaixo de uma goiabeira que só dava goiaba branca bichada, o menino e seus amigos abriram uma pequena cova e enterraram o passarinho morto, envolto em sua mortalha de linho.

— Fazemos uma cruz?

— Ele não era católico, não precisa.

— Nem uma reza?

— Também não. Ele só entendia o que os outros passarinhos cantam.

Heitor, o mais velho dentre eles, penugens arruinando a falsa inocência de sua cara de garoto loiro e espichado, contou que o avô dele, também avô do Henrique, seu irmão caçula, o levou um dia ao cemitério e mijou na cova da avó. E que depois mandou ele mijar também. "Por quê, vovô?", ele tinha perguntado, e o avô respondera: "O mijo tem nosso cheiro. Sua avó vai saber que estivemos aqui e vai gostar". O menino fizera cara de dúvida e o avô tratara de explicar: "O mijo desce solo abaixo, e ela vai saber de nós dois aqui. Nossa presença é uma homenagem, ela sabe disso e ficará feliz". A dúvida persistira: "Mas como sabe que somos nós?", e o avô de Heitor continuara: "Cada mijo tem o cheiro do dono, não sabia, não? Nenhum de nós tem o cheiro do outro, meu garoto, os animais sabem disso melhor que nós. Eles se reconhecem pelo cheiro. Mas nós nos envergonhamos do que somos de verdade e tentamos apagar nosso cheiro com banhos e perfumes".

Em seguida, Heitor abaixou o calção e mijou na cova do passarinho, fazendo no montinho de terra fofa uma coroa de espuma amarelada.

— Agora vocês. Ele vai saber que estamos todos aqui — disse.

Mateus, que, afinal, era o dono do morto e gostava de superar o que os amigos propunham, queria para seu amado passarinho uma homenagem maior que aquela do avô do Heitor à mulher dele. Queria derramar seu sangue sobre a cova do bichinho, mas não tinha coragem para tanto, nem sabia se era mesmo o que devia ser feito e menos ainda como fazer. Um pacto de sangue entre vivos, ele conhecia, vira no cinema. Mas entre vivos e mortos, não tinha ideia. O professor de biologia explicara que o sangue mantinha a vida, circulando pelo corpo, levando alimento a todos os órgãos, mas quem reproduzia a vida era o sêmen, quando se juntava com o óvulo. O espermatozoide se encontrava com o óvulo e, juntos, formavam um novo ser, ele ensinara, fazendo muitos rodeios, tentando disfarçar o quanto lhe custava dar aquela aula.

A verdadeira identidade de um ser humano é formada pelo óvulo da mulher e pelo espermatozoide do homem, que o sêmen carrega, sêmen ou esperma, como se lia nos livros, *mas que a gente chama mesmo de porra, de leite de pica*, pensava Mateus. A porra, tão desprezada quanto o mijo e o suor, era a chave da continuação da vida. O sangue circulava dentro do corpo, o esperma juntava um corpo a outro corpo. Mais uma coisa: o sangue era derramado com dor; já o sêmen, com prazer, gozo, satisfação.

Nem o amor se completava sem derramamento de esperma, ele tinha aprendido nos livros que lia escondido, livros que ensinavam como praticar o sexo sadio, que a Secretaria da Educação mandara um dia mas que a escola nunca deixava ninguém ler. Mateus sabia exatamente onde os encontrar: ocultos atrás de outros livros, nas estantes da biblioteca da escola. A biblioteca, com poucos volumes, era de uma pobreza franciscana, e ainda assim escondiam livros. *Puta que pariu*, refletiu ele. Pensando nisso, ocorreu a Mateus trocar o mijo pela porra na cerimônia para o passarinho adorado.

— Vamos fazer uma homenagem do nosso jeito — ele disse. Abriu a frente da calça e começou a se masturbar. Os outros o imitaram. Tudo era sério, uma cerimônia fúnebre, mas no final viria o gozo, e esse prazer extremo Mateus também queria oferecer ao passarinho, uma coisa boa demais, que vinha de dentro deles.

O ato deveria ser de consternação, cada um se voltando para dentro de si, mas moleques juntos dificilmente escapam a uma competição, cada um querendo chegar na frente, cada um querendo ir mais longe, cada um querendo tornar tudo maior e mais invejável.

Na hora H, alguém gritou:

— Viva o passarinho!

E os demais passaram a repetir, quase como uma das leis da turma, cada um por sua vez:

— Viva o passarinho!

Turco, que disse nunca ter provado uma experiência tão definitiva, de repente começou a gemer e ejaculou. O jato tímido e quase transparente por pouco não atingiu a perna do Heitor, que deu um safanão no amigo, feliz demais para sentir o tranco. Ele pulava feito um boneco de mola, festejando a proeza da primeira vez e sua nova condição entre os amigos.

— Olhem, viram? Fiquei homem!

— Primeiro milagre do passarinho — proclamou solenemente Heitor.

— Não enche — reagiu Turquinho, sem saber onde limpar a meleca que sobrou em sua mão.

— Não lambe que dá a doença-ruim — alguém advertiu. Saíram dali rindo, correndo. *O passarinho deve ter ficado feliz*, pensou Mateus. A vida é festa, apaga a dor da morte.

Enquanto os garotos enterravam o passarinho, os avós de Mateus tomavam café na cozinha e falavam sobre o que estariam eles aprontando lá no terreno dos fundos. A avó achava que coisa boa não era; o avô tinha certeza de que estava tudo bem.

— Devem estar fumando, fazem isso escondido — reclamou a avó. — Estou cansada de dizer que, além da sujeira, do cheiro na roupa e no cabelo, do dinheiro jogado fora, fumar dá tosse, rouquidão. Além disso tudo, fumar causa esterilidade.

— Eu não acredito — disse o avô, acendendo um Continental.

— Você nunca se importa com o que eu digo. E já está fumando…

— Melhor que se juntem no nosso quintal para fumar e falar besteira do que ficarem na rua andando com os marmanjos, bebendo e fazendo coisa pior, vai saber — disse o avô, quando a avó sugeriu que seria mais prudente trancar com cadeado o portãozinho do terreno dos fundos.

— Também não gosto que se juntem para brincar com as coisas do sexo. Não é bom.

— Que que tem? É da idade. Já é tudo homem-feito.

— É contra a lei de Deus: "Não pecar contra a castidade" — justificou ela.

— Conversa. Por acaso Jesus não foi moleque também?

— Eu sei que você fala isso só para me provocar, mas no fundo é bom católico.

— Sou mesmo. Não devo nada a ninguém, não roubo ninguém e não ando atrás da mulher do próximo.

— Não anda agora, mas o passado Deus não apaga, não.

— Conta para mim: por acaso o pai de Jesus foi José? Não foi. Se acontecesse com a gente...

— Melhor parar por aqui. Não suporto blasfêmia, não é bom.

— Por quê? Eu sou um católico honesto. Pelo lado italiano, aprendi a blasfemar, e meu pai tinha um bom repertório. Pelo meu lado espanhol aprendi a não confiar na Igreja. E, o que é importante, não gosto de padre, menos ainda desse daqui que você vive bajulando. E sei por que não gosto dele. Não conheço um pai de família que não preferiria que ele estivesse bem longe, talvez morto.

— Não diga isso, pelo amor de Deus, alguém pode ouvir. Quanto a mim, só cumpro minhas obrigações com a minha congregação.

A avó deu as costas ao marido. Considerando encerrada a conversa, tirou o avental, trocou os chinelos por sapatos de salto anabela, pegou uma sacola de lona e a caderneta de fiado, e foi saindo.

— Volta logo, Madá?

— Infelizmente eu sempre volto logo.

— Então me traz quatro dedos de fumo de corda, do mesmo de sempre, o seu Chico sabe.

— Quer também um xarope? Sua tosse está ficando feia.

— Me deixe com minha tosse.

— Depois não reclame.

Mais tarde, em sua casa, Mateus foi limpar a gaiola antes de guardá-la na garagem. Quase chorou ao lavar a bosta esbranquiçada: talvez estivesse apagando o cheiro do passarinho para sempre. Não, o cheiro continuaria impregnado, nenhuma água com sabão lavaria completamente a presença do canário. Se ele fosse o passarinho, teria gostado da comemoração em seu enterro, mas não de certas falsidades. Turquinho tinha mesmo gozado pela primeira vez? Mentira deslavada. E seria verdadeira a história que o Heitor contou? O avô dele deve ter, isso sim, se mijado nas calças por ser velho, porque isso acontece com gente de idade. Ele já ouvira a mãe dizer que o avô dele, o sogro dela, estava próximo de começar a mijar nas calças. O que o Heitor queria era aparecer, tudo bem, era o jeito dele. Mas, pensando bem, essa história de mijar na cova da mulher não chegava a ser um disparate.

Dona Ivone, a professora de história, ensinou que os egípcios davam para o morto tudo que existia de melhor e que, por isso, esse povo nunca deixou de ser lembrado, nem quarenta séculos depois de ter sumido do mapa. Se estivesse vivo, o passarinho teria cantado mais bonito que nunca com aquela homenagem? Podia ser, mas tem gente ruim, que não entende essas coisas. Iam dizer que eles eram pervertidos, que deviam ser castigados. Ainda mais o filho da professora metido a sabe-tudo. Ele estava se lixando para eles todos, falsos, nojentos, mentirosos.

A mãe do Mateus queria saber onde ele tinha se metido depois da aula.

— Andando com aquela corja de vagabundos, aposto. Principalmente o Heitor que, em vez de ajudar o pai, vive aprontando na escola e fora dela, um mau exemplo para você, já cansei de falar. E seus avós, só para me atazanar, apoiam essa amizade.

— De novo essa merda? — Mateus falou baixinho, só para si.

Pela cara dela, soube que a mãe tinha ouvido, e emendou:

— Não, não falei nada, mãe.

E agora ele teria de inventar uma boa mentira. Certamente ela ia encher a cabeça do pai para ele dar uma coça no filho mal--educado. Atrevimento dele, a mãe acusaria, responder a ela com palavrão, onde se viu coisa assim? E ele acabaria apanhando só para o pai se livrar do falatório da mulher na hora da janta. E depois os dois começariam a brigar do mesmo jeito, como acontecia dia após dia. A única certeza que aceitava viver sob aquele teto era a de que a culpa de terem um filho desrespeitoso e abusado como aquele era sempre do outro. Mateus estava convencido de que seria um favor para todo mundo, e mais ainda para os dois, se seu pai e sua mãe se matassem de uma vez, e acabassem de vez com isso.

3.

Meses depois, Mateus atravessou a rua enlameada pela chuva que caía sem parar havia dias e foi morar com os avós. Levou roupas, coisas de que gostava, outras de que apenas precisaria e aquelas que levou só porque eram suas. Levou a gaiola vazia. A mobília e toda a tralha que uma família acumula durante anos já tinham sido levadas, e o novo proprietário enfrentou a chuva e tomou posse da casa, trancando o portão com corrente e cadeado assim que Mateus pôs os dois pés na calçada. A porta da frente da sua nova casa estava fechada e ele teve que dar a volta pelos fundos.

Suas calças de brim estavam encharcadas, como tudo que tinha sobre o corpo e nos pés. Tremia de frio. E um pouco mais de raiva.

Os velhos se esquentavam na cozinha, junto ao fogão a lenha, ou apenas estavam ali esperando ele chegar.

— Você é bem-vindo aqui, garoto — disse o avô, pegando a gaiola e uma das duas malas que Mateus mal conseguia carregar. — Mas vai ter que se acostumar a morar com dois velhos.

26

— Nunca vamos poder substituir os seus pais, mas vamos amar você do nosso jeito — emendou a avó.

— Vou tentar não incomodar ninguém.

— Não deve pensar assim. A partir de agora, esta é a sua casa. Sua e nossa. Porque sua avó e eu somos, a partir de hoje, a sua família. Família nova, casa nova — disse o avô, tentando sorrir. — Entendeu?

— Como disse seu avô, esta casa agora também é sua e, se sentir que alguma coisa mudou em sua vida, queremos que seja uma mudança para melhor — disse a avó, segurando o neto contra o peito.

— Vamos levar suas coisas para dentro e depois você toma um banho quente para não pegar uma pneumonia. Ainda quer esta gaiola? — disse o avô.

— É tudo o que eu tenho.

A gaiola de arame foi presente do avô e motivo de discórdia desde o começo. Seu Artur gostava de lidar com as mãos, e estava sempre trabalhando nas horas vagas, consertando uma cadeira, trocando o cabo de uma panela, fazendo um banco, o que fosse. Fez a gaiola de arame de aço, um gradeado de fios de arame que passavam por furinhos em travas de madeira lixada e envernizada. A portinha era mantida fechada por uma mola. Havia cochinhos para água e comida e poleiros para o passarinho pousar. Um piso de latão removível facilitava a limpeza. Presente caprichado, que, desde o momento em que chegou, foi desaprovado pela mãe de Mateus.

— Se você puser um bicho aí dentro, vai ser uma sujeirada, que eu não vou limpar. Eu não quero esse trambolho aqui em casa.

A mãe era professora primária, de fora, aprovada em concurso de ingresso por pontos acumulados, obtidos ao lecionar sem vencimentos em cursos noturnos de alfabetização de adultos. Chegou à cidade já casada com o pai de Mateus. Não tinha família por ali a não ser a do marido, e nunca visitava a família de origem. Era considerada professora rigorosa, que castigava os alunos com puxões de orelha e de cabelo, e com palmadas inclementes. Não hesitava em deixar de joelhos sobre grãos de milho os alunos que não faziam a tarefa de casa. Era o anjo educador dos pais e o demônio torturador dos jovens estudantes com dificuldade de aprendizado. "Com ela todo mundo aprende, nem que for na marra", garantiam os pais que apoiavam o castigo físico aplicado a crianças desordeiras, preguiçosas e, sobretudo, desobedientes. Muitas em razão de outras dificuldades. "Dona Nieta deve ser filha do capeta", diziam as vítimas dos seus métodos.

Antonieta não era menos feroz em casa, e tinha a capacidade de estabelecer verdadeiras correntes de ódio: odiava o passarinho porque odiava a gaiola porque odiava o sogro que fez a gaiola porque odiava o marido. Adorava muitas coisas, entre as quais falar mal do marido, da família dele, da escola e da cidade, onde se sentia aprisionada por um sistema escolar maldito. Mas era considerada, por quem não a conhecia de perto, a melhor professora do lugar.

Depois de dar uma arrumada no quarto da frente com as coisas do rapaz, foram para a cozinha, onde a avó coara um café fresquinho. Lá fora a chuva caía mais pesada.

— O oficial de justiça não devia estar aqui para nos entregar os papéis da tutela do Mateus? — comentou o avô.

— Não fez falta nenhuma — disse o garoto.

Independentemente de qualquer oficial de justiça que viesse com sua papelada, os avós eram os novos responsáveis por ele. Não porque tivessem escolhido, mas porque ele não tinha mais ninguém.

A avó foi mais compreensiva:

— Com essa chuva, o oficial de justiça deve estar na estrada com as quatro rodas atoladas na lama.

— Que fique lá enterrado para sempre — disse o menino.

Os avós se entreolharam. O menino completou:

— Se o carro caiu da ponte e ele se afogou no rio, eu vou achar até bom.

A avó abraçou o menino e o manteve junto a si durante o longo silêncio que envolveu os três. Não havia muito que ser dito. Cada um à sua maneira, teriam de se adaptar às circunstâncias, dar o melhor de si. A decisão do juiz era mera formalidade. Dona Madalena acreditava que fora a vontade de Deus: um turbilhão acabara de virar pelo avesso a vida dela e do marido, como se eles tivessem que começar tudo de novo, e ela estava disposta a cuidar do neto como cuidara do pai dele, até perdê-lo por causa daquela mulher. Os outros dois filhos morreram ainda adolescentes. Um quando a carroça virou sobre ele, o outro de sarampo. Em poucos anos a casa foi ficando vazia e ela e o marido aprenderam a viver uma vida só dos dois. Agora ganhava mais uma alma, e ela estava feliz com isso. Tinha que estar.

A casa era grande, velha, mas bem cuidada, quartos amplos para abrigar famílias inteiras. Com exceção da cozinha, os cômodos tinham forro de madeira envernizada no teto, um luxo que poucos alcançavam, o piso dos quartos era de tábua corrida, de imbuia legítima, e o das duas salas, da cozinha e do quartinho de passagem era de ladrilhos hidráulicos, um padrão para cada aposento, realmente uma beleza. Agora com Mateus, ocupavam dois quartos, e ainda restavam três vazios. Mateus já era forte o suficiente para tirar água do poço e ajudar a avó a encher as tinas e os tanques e regar as plantas, mas ainda cabia ao avô rachar a lenha que alimentava o fogão onde a avó cozinhava e a família se esquentava nas noites frias, escutando o rádio que chiava em ondas curtas instalado num suporte na parede.

Na sala de jantar havia uma vitrola antiquada, mas os poucos discos já tinham enjoado. Só valsas, valsas e mais valsas, antigas e chatas. Mateus se referia assim aos discos dos avós. A sala de visitas era mobiliada com sofá e poltronas bem conservados, uma mesinha de centro espelhada, um porta-chapéus ao lado da entrada da frente e, por mais incrível que pareça, um cofre de aço de um metro e setenta de altura, com duas portas superpostas, cada uma com seu disco de segredo.

A sala de visitas só era usada excepcionalmente, quando a família recebia gente importante, como o padre, o prefeito e, o que ocorrera uma única vez, o bispo, que vinha de longe. Também o atual governador ali descansara de seu périplo eleitoral quando, ainda candidato, estivera na cidade por um par de horas, num teco-teco aterrizado num pasto próximo, para a euforia dos moradores, que o esperavam com faixas e rojões.

Mateus foi logo avisado das regras a seguir na nova casa. Por exemplo, se quisesse, podia usar de noite o penico de ágate disponível sob sua cama grande, de casal, que ele preferiu à outra de solteiro que havia no quarto, onde largava suas coisas, mas, na manhã seguinte, teria que despejar o conteúdo do vaso na privada do fundo do quintal, tirar água do poço, lavar o penico e o pôr de volta debaixo da cama. A avó não ia fazer isso por ele. Já tinha o urinol do casal para lavar, o que considerava demais para uma moça que dera aos pais orgulhosos a honra de enquadrar e pendurar na parede o diploma de professora normalista da filha, ainda que nunca a tivessem deixado trabalhar fora de casa.

O garoto não gostou nada da história de lavar penico. Se era caso de muita precisão, preferia sair pela porta da frente, descalço para evitar fazer barulho, e mijar na rua, vendo o chão de terra sorver com sofreguidão o líquido dourado. Gostava de desenhar no ar, com o jato de urina, um efêmero, mas, para ele, o misterioso sinal do infinito, que fazia girando a mão para lá e para cá, o oito deitado. Aprendera com o professor de matemática, o Carlão bundão; não a mijar na rua, mas a desenhar e entender o sinal do infinito, lá onde não se chega nunca. Além do mais, de madrugada não tinha mesmo ninguém na rua a não ser o seu Romeu, o guarda-noturno, que vigiava a máquina de benefício de café do seu Osvaldo, no quarteirão de baixo, e andava de um lado para outro, atento ao eventual surgimento de um ladrão, que jamais apareceu em seus quarenta anos de serviço.

Muitas vezes, quando Mateus abria a porta, seu Romeu, que devia ter um ouvido de cachorro, corria para dar uma palavrinha. O desgraçado passava a noite sozinho, na escuridão, porque às onze horas o gerador de eletricidade que supria a cidade era desligado, e, em noite de luar, vinha mijar junto com Mateus, que não se sentia confortável com a companhia e tratava de voltar logo para a cama. Com seu Romeu fazendo dupla, a mijada era descuidada, desenhando no ar um arco simples, sem a busca do infinito. Perdia a graça. Quando mijava com os amigos, era outra coisa, competiam: "Vamos ver quem mija mais longe?".

O velhote solitário não se dava conta e gostava de puxar conversa. Na primeira vez, foi logo perguntando:

— Arranjou um passarinho novo para a gaiola?

— Não precisa. A gaiola é para mim mesmo.

— Não entendi.

— Pouca coisa a gente entende. Seu Romeu, me dá licença, vou voltar para a cama, escola bem cedo. Boa noite.

Mateus diria que essa era uma noite perdida, sem infinito desenhado e, depois, sem ter isso para pensar na cama: como as coisas seriam no infinito?

Quando voltou ao quarto, foi olhar de perto a gaiola, que deixava sempre em cima da cama de solteiro, coberta com a ca-

31

misa usada durante o dia, com o cheiro de seu suor. O passarinho sentiria seu cheiro, saberia que ele estava lá. A avó não entendia essa coisa de cobrir a gaiola com a roupa usada.

"Deixe a roupa usada no tanque para eu lavar e ponha essa gaiola velha no quarto de despejo", ela vivia dizendo.

"Gosto dela aqui."

Era dia de cinema. O irmão mais velho de Heitor e Henrique, que se chamava Hermes, os três nomes com agá, como o do pai e o da mãe, fora com eles nessa noite, mas, assim que a luz apagou, foi se sentar numa fileira mais atrás, talvez com alguma menina que estivesse namorando escondido. Hermes era cheio dos segredos e fazia pouca companhia aos irmãos mais novos. Trabalhou uns tempos com o pai, mas não aguentou ser controlado de perto e arranjou um emprego no correio, por obra e graça do prefeito, que era seu padrinho de batismo.

No cinema, Sandra, a filha do padeiro, a menina que vivia de olho em Mateus na escola, sentou-se na cadeira ao lado e justo no momento mais tenso do filme foi se aproximando, se encostando. Ele não reagiu, e ela, decidida, pegou na mão dele, que repousava nervosa no colo. Ele lembrou da piada da galinha e da pipoca no cinema e começou a rir. Gentilmente, tentando não desgrudar o olhar da tela, pegou a mão da menina com dois dedos da outra mão e a afastou de si. A menina não desistiu e procurou de novo sua mão. Então, para ver se ela sossegava, ele a puxou pelo pescoço e lhe tascou um beijo na boca, enfiando a língua lá dentro, porque todo mundo dizia que era assim que tinha de ser. Heitor, sentado do outro lado do amigo, mandou que os dois parassem com aquilo, que estavam atrapalhando o filme, e a garota, vendo que Mateus voltava a se concentrar na tela, se mudou para outra fileira. Ele permaneceu no seu lugar. Não sabia como agir, sentia a cabeça confusa. Como já estava no final, o filme daquela noite foi perdido: Mateus não saberia dizer como terminou. Heitor teve que lhe contar.

Ah, sim, a piada. Um rapaz ia ver um filme e, bem na porta do cinema, uma menina pobre implorou a ele que lhe comprasse um frango, vivo. Ela precisava comprar remédio para um irmãozinho. Coração mole, ele concordou, e depois não sabia o que fazer com a ave. O filme estava para começar, ele já tinha comprado o bilhete. Cada filme passava um dia só e aquele do Errol Flynn, *Minha espada, minha lei*, ele não perderia de jeito nenhum. Usava calças largas, amarradas na cintura para não cair, herdadas do irmão mais velho, o que foi bom: enfiou o frango nas calças, entrou na sala e ficou sentado bem quietinho. A luz apagou para a sessão começar e ele sentiu o frango se agitar, sufocando. Abriu os botões da calça e liberou a cabeça da ave para ela respirar. No escuro, ninguém notaria. A mulher sentada ao lado comia pipoca e, sem querer, deixou um punhado delas cair no colo. O frango não fez por menos, esticou o pescoço e tratou de pegar todos os grãos, bicando um por um, no colo da mulher, rapidamente. A mulher se assustou e deu um grito: "Meu Deus, o que é isso?", e o moço, enfiando a cabeça do frango de novo para dentro das calças, retrucou: "Nunca viu, não?". E ela: "Vi, sim, mas não que comesse pipoca!".

Na saída contou a piada ao Heitor, que não achou a menor graça e continuou emburrado. Pareceu que a cena do beijo entre Mateus e a garota não fez sucesso com o amigo, que nem sequer tocou no assunto depois do cinema. *Invejoso*, pensou Mateus e, com as duas mãos enterradas nos bolsos, acompanhou Heitor em silêncio até a esquina em que se separavam.

Gostou do beijo, mas ficou com medo: seria sempre assim, de perder o controle? Nem viu o fim do filme, mesmo olhando direto para a tela. Diferente de outros beijos que provara. Era só pensar e lá vinha uma ereção. E esse suor escorrendo das axilas pelos lados do tronco? Chegando em casa, tirou a camisa empapada de suor e a estendeu sobre a gaiola. Ninguém jamais poderia afirmar que a gaiola não lhe pertencia. Tinha seu cheiro renovado diariamente. Mas sentiu, naquela noite, que seu suor não era suficiente, queria um cheiro mais forte. Pegou de novo a camisa e mijou nela, devolvendo-a a seguir a seu lugar. Foi para a cama se perguntando se não devia também cuspir na camisa. Todos os fluidos, todos os cheiros. De porra não? Desde o enterro do passarinho vinha pensando no assunto. Não havia os que preferiam o cheiro de sangue? Pensou também em bílis, lágrimas, pus e outros líquidos do corpo que a humanidade, ao contrário dos animais, considerava sujos e nojentos, pelo menos a maior parte deles. Perante os outros, somente um homem santo podia lamber feridas sem se transformar num animal sem alma. Ah, também tinha o leite materno, que ele não chegou a provar! A mãe era seca, ouvira, já grandinho, da avó. Ele foi alimentado com leite de vaca, que vinha do sítio, nas mamadeiras que seu pai preparava. Até seu leite ela fora capaz de lhe negar. O cheiro do leite da mãe dele ele não tinha, ainda bem.

Mateus não tinha certeza de quem era e do que fazia. Pegava-se muitas vezes refletindo sobre o que a ele próprio parecia assunto de adultos. Seus amigos, por exemplo, pareciam menos inteligentes e informados do que ele. Será que os escolhia porque naquele grupo ele podia ser o bambambã e brilhar mais que os outros? Fazia questão de impregnar a gaiola com seus cheiros nojentos, mas não tinha certeza se o fazia para impor sua marca ou se era por prazer ou perversão, somente para causar incômodo, uma bobagem só para dizer que fazia o que queria. Mas ele tinha que fazer para poder saber. Os adultos atribuíam tudo o que consideravam que ele fazia de errado ao comportamento adolescente, como se fosse uma doença que a idade adulta curaria. Duvidava.

Talvez os adultos fossem ainda mais doentes, mas era bom ser adolescente: podia até matar e não seria enfiado numa cadeia. A camisa emporcalhada dessa vez rendeu discórdia maior em família. Não era uma camisa qualquer. Era a camisa 10 da Copa do Mundo, dos campeões do mundo. Igual à usada pelo rapaz preto de dezessete anos, o Pelé, que tinha marcado seis gols para o Brasil no campeonato mundial de futebol na Suécia, acompanhado pelo rádio. A camisa 10 foi presente do avô, que lhe dissera: "Pra você ser também um campeão". Quando Mateus foi procurar a camisa azul da Seleção na gaveta e depois na pilha de roupas passadas, a avó disse que tinha jogado aquela camisa nojenta no lixo, que o carroceiro já tinha levado embora. Ele ficou três dias sem falar com ela. Acalmou-se quando o avô disse que compraria outra igual, num tamanho maior, aquela já estava apertada. Mateus pensou que seria bom comprar uma fechadura nova e manter seu quarto trancado. Pôs a gaiola em cima do guarda-roupa, temendo um arroubo da avó. Nem subindo na cadeira ela alcançaria a gaiola. E se caísse e quebrasse uma perna, ele não ia sentir pena nem nada. Podia quebrar a cabeça ao cair. Bem, talvez ele estivesse exagerando. Ele gostava da avó.

4.

O despertador não tocou e Mateus acordou assustado, dando-se conta do atraso. Pulou da cama e vestiu correndo o uniforme de brim cáqui, calça pregueada e camisa de mangas compridas, e a gravata preta. Calçou as meias pretas de *nylon* e os sapatos de sola remendada que pediam uma boa engraxada, correu à privada no fundo do quintal e, no tanque de lavar roupa, passou uma água no rosto e escovou os dentes, tudo às pressas. Sorte que havia meio balde de água disponível e ele não precisou tirar água do poço. No quarto pegou a sacola com as coisas da escola e, na cozinha, encheu meio copo americano com o café adoçado, que a avó deixara no bule de alumínio sobre a chapa quente do fogão. Não se sentiu com fome para comer o pão com manteiga que o esperava no guarda-comida.

Enquanto bebia o café preto, ligou o rádio. Ainda tinha cinco minutos. Carmélia Alves começou a cantar "Sabiá lá na gaiola". Mateus pôs o copo vazio no fogão e prestou atenção na letra, que sabia de cor: "Sabiá lá na gaiola fez um buraquinho, voou, voou, voou, voou. E a menina que gostava tanto do bichinho chorou, chorou, chorou, chorou. Sabiá fugiu pro terreiro, foi cantar no abacateiro, e a menina vive a chamar, vem cá, sabiá, vem cá". Na segunda parte, o passarinho voltaria: "A menina diz soluçando, sabiá, estou te esperando, sabiá responde de lá: Não chores que eu vou voltar".

Seu melhor amigo voltaria para a sua gaiola, do mesmo jeito que o sabiá que fugiu para o abacateiro voltaria para a gaiola da menina. Heitor, seu maior amigo, entendia por que ele tinha que guardar a gaiola do passarinho até o dia certo acontecer. Em seu retorno, Mateus tinha certeza de que o canário se guiaria por seu cheiro, porque qualquer bicho se guia pelo cheiro.

Pouco tempo depois do enterro do passarinho, Mateus convivia mais com Heitor: estavam na mesma classe. Henrique, seu irmão caçula, agora andava mais com outra turma, metido com a gangue do padre. Turquinho sumia por uns tempos e então voltava. Depois da escola, ajudava o pai a recolher, de porta em porta, a mensalidade da capitalização para a velhice da SulAmérica. O Giba era aquele tipo de gente que parece invisível. A que mundo ou grupo pertencia, nem o próprio sabia. O Dirceu, apelidado de Japinha, era novo na turma, ainda meio arisco, filho da única família de japoneses da cidade, que se mudaram havia pouco tempo. Um filho de pai e mãe japoneses chamado Dirceu é esquisito, mas já se via que a família não pretendia voltar a morar no Japão. O segundo nome dele era Massao, para o caso de um dia, quem sabe, retornarem ao país de origem, ou só para manter a memória dos antepassados. Japinha os acompanhava em tudo, mas raramente pronunciava uma palavra. Ficar pelado para nadar no rio da Cascatinha, nem pensar. Nem o umbigo dele nunca ninguém viu.

— Japonês é tímido — justificou Henrique, quando conversaram sobre o novo amigo.

— Eles têm vergonha de ter o pinto pequeno — disse Turquinho, que compartilhava a condição do Japinha mas nunca se mostrava envergonhado. Andava pelado para lá e para cá no vestiário, depois da aula de educação física. Qualquer comentário de mau gosto a respeito, ele dobrava o braço, dava uma banana.

— Eu não acredito nessa desculpa esfarrapada — disse Henrique. — Eles se escondem porque são traiçoeiros.

— Se não fosse a bomba atômica que os americanos jogaram na cabeça deles, duas vezes, hein, os japoneses tinham ganhado a guerra. E agora talvez todos nós fôssemos escravos deles — disse Mateus —, mas pode ser só mais uma mentira que inventaram contra eles por causa da guerra.

— Na casa dele falam japonês, a mãe nem entende quando a gente fala a nossa língua — disse Henrique.

— Mas eu gosto do Japinha assim mesmo — disse Mateus. — Ele não atiraria na gente numa guerra.

— Atiraria. Eu acho que atiraria — afirmou Henrique.

— Vai saber — duvidou Heitor, que se voltou para perguntar: — Mateus, você vai me ajudar hoje com os teoremas do Carlão?

— O que tua mãe vai fazer de lanche?

— Acho que bolo, aquele que você gosta. Vou falar que você vai.

— Então vou ensinar para você por que o quadrado da hipotenusa é igual à soma dos quadrados dos catetos.

— Para mim, cateto é porco e hipotenusa deve ser irmã do hipopótamo — falou Heitor, divertindo-se, se fazendo de bobalhão.

— Vai ser burro assim na puta que o pariu — falou Mateus, desconsolado. — Vou chamar o Japa também, que é bom de geometria.

38

O irmão mais velho de Heitor, o Hermes, não gostava de estudar e preferiu o trabalho à escola. Um dia, foi-se embora com um circo que permaneceu na cidade por quase um mês, o Real Joana d'Arc. No último espetáculo, a proprietária, dona Leonor, pediu ajuda a quem pudesse para desmontar o circo e carregar os caminhões. Dois homens da companhia tinham sofrido um acidente e, no momento, não podiam fazer força. Hermes se prontificou a colaborar, e nunca mais voltou para casa. A versão corrente é que fora embora com o circo, apaixonado que estaria por Rutinha, a domadora. Desde então ninguém podia pronunciar o nome dele na casa de sua família sem provocar alvoroço. Algum tempo depois, alguém viu o Real Joana d'Arc estacionado em outra cidade e, à noite, foi assistir ao espetáculo. Lá estava Hermes, dentro da grande jaula armada no picadeiro, domando os leões. Tinha o cabelo comprido amarrado numa trança, como o herói do filme bíblico traído pela amada, que cortou o cabelo dele, fazendo-o perder sua extraordinária força, dada por Deus para que defendesse seu povo escravizado. Os olhos azuis de Hermes, mais azuis do que nunca, lançavam chispas como tochas de fogo, que deixavam os felinos mais enfurecidos. Ele os dominava com o estalar do longo chicote e os entregava bem mansos para Rutinha, com quem dividia o número. O espectador procurou Hermes nas barracas dos artistas após o espetáculo, mas foi barrado pelo palhaço Xereta, que lhe deu um soco na cara e o deixou desacordado por horas. Quando ele voltou a si, o circo já não estava lá e, três dias depois, retornou para casa com um olho preto, contando essa história.

Um casal, por sinal muito digno de crédito, contou que, uns três meses depois do desaparecimento de Hermes, viram o circo Real Joana d'Arc armado em outra praça e foram procurar pelo conterrâneo fujão. Ele era agora a grande estrela do trapézio, e seus saltos no vazio despertavam surpresa e aflição até nos corações mais indiferentes. No encerramento de seu número arrebatador, mandou que retirassem a rede de proteção para seu tríplice salto-mortal. Parece ser verdadeiro que a desgraça ronda os que desdenham da sorte, disse a mulher, e o voo destemido de Hermes acabou com ele estatelado no chão do picadeiro, morto, e o povo inteiro que ocupava cadeiras e arquibancadas de pé, num silêncio jamais visto no interior de um circo.

Japinha perguntou a Mateus o que ele achava disso tudo.

— Esse povo vê cinema demais, de *Sansão e Dalila* a *O maior espetáculo da Terra*. Apaixonam-se por Victor Mature, Hedy Lamarr, Charlton Heston, e qualquer outro herói visto na tela, e depois ficam inventando histórias, sonhando que contracenam com seus ídolos. Mas melhor calar a boca, Japinha. Quem fala o nome de Hermes nunca mais é bem-vindo na casa da família dele. — Mandou justamente o Japinha, que nunca falava, ficar quieto. Não precisava, mas melhor não arriscar.

— Nem sabemos o que pensar, se foi com o circo, se não foi — disse Heitor.

— É mesmo, foram contadas muitas histórias sobre o desaparecimento de Hermes, mas não sabemos a verdade — concordou Mateus.

Depois de muitos ângulos retos, retângulos e somas de quadrados, Heitor decorou o teorema de Pitágoras e outras quinquilharias. O bolo de milho verde foi devorado e, como ainda era cedo, dava tempo de nadar uma horinha na represa.

Japinha disse que iria junto mas não entraria na água porque estava resfriado. Enquanto ele foi ao banheiro, os outros dois combinaram que hoje arrancavam a roupa dele e o jogavam na água.

— Feito o batismo na igreja dos crentes — empolgou-se Heitor.

— Boa. Mas sem o camisolão.

— Na volta a gente podia passar na Maria Graúna.

— Para fazer o quê, Heitor? Você é menor de idade, é virgem e não tem um puto no bolso. Acha que ela vai dar de graça para você?

— Ela piscou para mim, ontem, na porta da sorveteria do Eliseu.

— Só se foi para você pagar um sorvete para ela. Dar de graça para você ela não vai dar, não.

— Não custa tentar.

— Custa, sim, depois ela conta para o seu pai que você andou rondando a casa dela e você está lascado.

— E você acha que meu pai conversa com puta?

— Ele não sai da casa dela, cara-pálida. Já ouvi ele falando da Graúna na sala de carteado do bar do Bira, quando eu fazia bico no bar e fui levar a cerveja lá dentro. Ele disse que nenhum buraco da Graúna tem segredos para ele. E mais ainda, que desde que ela arrancou os dentes para pôr dentadura, que o doutor Lelinho ainda está fazendo, a chupada dela, foi ele que disse, está de abafar. É provar e gamar.

— Que merda. Perdi a vontade de ir nadar.

— Então fica aí estudando e bate uma pensando na Graúna.

— Ah, vai tomar no cu.

— Está bem. Boa sorte amanhã na escola. Vê se não marca touca, que eu não sou de perder tempo com gente burra.

— Espera, espera. Será que a minha mãe sabe dessas putarias do meu pai?

— Mulher sempre sabe e sempre faz de conta que não sabe. Cala a tua boca.

Mateus tinha fechado a nota em matemática e foi dispensado de ir à escola para a prova. O avô o fez carpir o quintal e juntar o lixo, que depois o carroceiro levava. De calção, jogou no corpo um balde de água tirada do poço, justo no instante em que Heitor entrou gritando:

— Passei, passei! Sou o novo gênio da matemática que a cidade acaba de revelar.

— Parabéns, me joga essa toalha aí.

— Pega. Agora só falta a gente estudar para a prova de história da dona Ivone, a boazuda. Não sei por que a gente tem que aprender sobre aqueles caras que já morreram faz bastante tempo. Mas não sou de decepcionar ninguém, concorda? Vou tirar dez com ela.

— Tudo isso para pedir para eu dar uma força? Estudar história com você?

— Depois tem o bolo da minha mãe.

— Então avisa o Massao e manda ele ir para a sua casa já, e de calção por baixo. Depois do lanche da dona Helena, damos uns mergulhos e em seguida a gente passa na Graúna.

— Saco!

O nome verdadeiro da Graúna era simplesmente Maria, mas um dia ela subiu meio bêbada numa mesa no carteado do Bira, levantou a saia para mostrar as intimidades e proclamou: "Eu sou a Maria, nascida no sertão, preta e braba feito a graúna". O apelido colou. A partir dos doze anos, trabalhou de arrumadeira no hotel Catanzaro, por onde passavam muitos caixeiros-viajantes, que lhe davam pequenos presentes, umas moedinhas, e a levavam para a cama, até que ela descobriu que dava menos trabalho e mais dinheiro ir para a cama com os homens sem ter que arrumar seus quartos.

Perdido em pensamentos contraditórios, Heitor ouviu Mateus perguntar:

— Então, vamos ou não vamos na Graúna?

— Ai, o que que eu fiz para merecer? Pode deixar que eu estudo sozinho.

— Eu não vou perder o bolo. Estava brincando.

O Japinha não pôde ou não quis ir nadar e foi para casa depois do bolo, enquanto os outros dois desceram até a represa e, sentados na margem, ficaram olhando o sol se pôr e dividindo um cigarro de palha que Mateus roubara do avô.

— Às vezes eu sinto por dentro uma tristeza, entende? É fogo na roupa. Não sentia isso antes. Será que estou doente, Mateus?

— Que doente o quê, Heitor. Você está é ficando adulto. Gente adulta é meio triste mesmo.

— Eu penso no meu irmão Hermes, que ninguém sabe onde foi parar, e tenho medo de ter o mesmo fim. O bostinha do Henrique, não sei, não, com aquela turminha do padre, pode acabar se lascando. Ele diz que ficam rezando, mas eu não acredito. Só se sacanagem mudou de nome, né?

— Esse papo é brabo, hein.

— Por isso tenho medo de comentar com a minha mãe ou com o meu pai e eles acharem que o descabeçado sou eu. Eles tratam o Henrique como se ainda fosse um neném inocente. O moleque já tá daquele tamanho! Punheteiro do caralho. Eu tenho medo de não falar nada e depois ser acusado de ter escondido alguma coisa deles.

— E você vai preso porque tem cachorro ou vai preso porque não tem cachorro. Bom, mas teu irmão já é bem grandinho, tem que aprender a se virar. Se o Zito mete nas éguas no sítio do pai dele, por que o teu irmão não pode meter com quem quiser? Tem gosto para tudo.

— Não sobrando para mim...

Mateus se surpreendeu com a confissão e o palavreado do

Heitor. Os dois nunca conversaram sobre um assunto sério assim. Parecia conversa de adulto, e ele teve certeza de que andava subestimando o amigo.

— Você é sozinho, sempre foi, não é? — continuou Heitor. — Sabe, nós somos três irmãos mas não é diferente. Nunca tivemos apoio entre nós, é cada um por si. Tem hora que eu não tenho ninguém para conversar. Eu tenho carinho por eles e eles por mim, mas só carinho não quer dizer nada. Eu falei para o meu irmão: "Olha, essa coisa do padre, está todo mundo falando".

— E ele ficou quieto? — se apressou Mateus.

— Nada. Me enfrentou, disse que eu era um invejoso, porque ele estava se dando bem. Aí vem a parte pior.

— Fala.

— Ele tirou duas notas de vinte cruzeiros do bolso, quase esfregou na minha cara e perguntou se eu não estava a fim de encher os bolsos. Eu nunca tinha visto tanto dinheiro. Quase dei um murro na cara dele.

— Que merda, hein. Mas me fala mais do Hermes. Antes de sumir, ele tinha algum problema com a família, não se dava bem com o seu pai?

— Com meu pai se dava bem, o problema era com a minha mãe. Eles viviam brigando.

— E por quê? Não é exagero seu? Família briga, é normal.

— Não sei direito. Tinha alguma coisa que o Hermes sabia e ameaçava contar para o meu pai. E minha mãe brigava com ele, dizia para fechar a boca, e chegou a dizer que ele ia destruir nossa família. Não sei o que era, mas era uma coisa feia.

— Essas brigas do Hermes com a sua mãe começaram quando?

— Não sei, não faz tempo.

— Começaram antes ou depois do Henrique entrar para os coroinhas?

Heitor demorou para dizer:

— Não sei...

— Pense — insistiu Mateus.

Heitor se esforçava, chegou a fechar os olhos, pôs a cabeça entre as mãos, apoiou os cotovelos nos joelhos. Os dois estavam sentados na grama, perto da água.

— Acho que depois.

A cabeça de Mateus trabalhava.

— É isso. Ele sabe, como você sabe, e eu também, que o Henrique está tendo alguma coisa com o padre ou com aquele grupo. Apareceu com dinheiro, te enfrentou e se afastou da nossa turma. Mudou, do mesmo jeito que o Caio, que também se soltou do nosso pessoal. Lembra como o Henrique era ligado com a gente? Aonde a gente ia, ele queria ir junto. Às vezes a gente fugia dele, porque ele era o menor da turma e a gente achava que era melhor ele não ir.

— E então ele foi buscar a turma dele.

— Isso mesmo. Mas também tem que ver com a idade...

— Mas o Hermes, que é o mais velho e é bem encucado, achou que não estava legal. Achou que o pai e a mãe tinham que saber, eu penso que foi isso. Deve ter sido. O problema é que fica um dizendo as coisas nas costas do outro. Por que a gente não senta junto e discute?

Heitor se lembrou do Hermes e que Hermes estava sumido.

— E se ele não voltar mais? Por que a gente não ficou mais juntos? Conversando, dando risada juntos, um ajudando o outro?

— Porque a gente é família, e família prefere se matar.

— Agora, quando o assunto Hermes vem à baila, minha mãe começa a chorar e não para. Mas, honestamente, não sei por quem ela chora, se pelo Hermes, se por ela mesma... Não sei. O Hermes é cheio de mistério, ou era, não sei mais. Até cheguei a pensar que ele não foi embora, que se matou, ou que foi morto aqui mesmo e alguém deu um fim no corpo.

— Não fala isso. Não tinha razão nem para uma coisa nem para a outra. Ninguém foi procurar por ele?

— Claro que sim. Andamos por tudo. O comboio do circo em mudança foi alcançado na estrada. Ninguém sabia dele. Dona Leonor disse que podiam revistar os caminhões, os carros. Fizeram isso, e nada. Ainda mais sem um motivo, é difícil saber onde procurar. De ônibus ele não saiu, perguntaram por aí e de carona ele também não se mandou. Ele nunca deu a entender que era infeliz aqui, só era fechadão. O doutor Mariano disse que ia investigar, mas tirou licença e deixou a delegacia nas mãos do Bel. O Bel só sabe cuidar daquele hotel nojento dele e da fazenda que ele comprou do teu avô. O prefeito põe o Bel lá que é para não ter encrenca. Delegado formado que vem de fora não é bem-vindo aqui. Fica pouco tempo e se manda. O Bel está sempre pronto para assumir. "Um substituto que conhece os problemas da nossa gente como os da sua própria família", disse o lazarento do prefeito. O Bel nem deve ter terminado o terceiro ano primário. Voltando ao sumiço de meu irmão, só sei que desde então minha família acabou.

— O Hermes vai voltar, todo mundo pensa assim.

— É, em cada lugar que meu pai chega, procura por ele. Todo dia alguém me pergunta se o Hermes já voltou. Só que lá em casa tudo mudou, parece que tem um buraco. Até na mesa, na hora da comida, já tem um prato a menos. A gente não é mais a família que a gente era.

— Seu pai está sempre na estrada, é o serviço dele, mas sua mãe mantém as coisas no lugar, pelo menos parece.

— Eu tenho pena da minha mãe. Não sei o que ela fez de errado, se é que fez. Sabe alguém que está sempre perto de desabar?

E se equilibra? Ela é assim. Não é como você pensa. Às vezes ela reclama muito por não termos dinheiro, conta que esperava ter uma vida tranquila quando se casou com meu pai. Chegou até a culpar o Hermes por ela ter se casado com um homem que não foi para a frente. O que o Hermes tem a ver com isso? Viu como é? De repente vem uma paulada. Em casa ninguém se sente seguro.

— Somos todos assim, uns mais, uns menos. É assim que as pessoas sobrevivem, se segurando. Como eu, que nem tenho pai e mãe e vivo de favor na casa dos velhos.

— Eles gostam de você.

— Mas queriam gostar de mim de longe. De longe, entendeu? Família é peso duro de levar. Mas estou com eles só por uns tempos.

— Por quê?

— Eu quero estudar, nasci para isso. Quem quer fazer uma faculdade a sério tem que ir para longe, por aqui não dá.

— Mas dá para continuar estudando aqui perto, uma hora e pouco. Tem uma faculdade estadual de primeira, a gente vai e volta todo dia. O ônibus de estudante é de graça, puta farra do cacete.

— Os cursos que tem lá não me interessam.

— E qual você quer fazer?

— Não sei ainda.

— Pombas, não quer o que tem, mas nem sabe o que quer! Escolhe um desses!

— Não quero fazer nenhum deles. E os das outras faculdades aqui por perto são uma merda, além de caros.

— Você pode pagar com a herança.

— Ô Heitor, hoje tá do caralho você entender o que eu falo. Não quero, porra. Também não vou ficar de ida e volta numa jardineira caindo aos pedaços, todo dia, nessa estrada poeirenta que vira lama quando chove e não deixa passar nem com reza brava. Foi assim que eu nasci, na estrada, sabia?

— Você sempre quer ser diferente dos outros!

— Nasci dentro de um carro encalhado num barranco, no meio da lama. Fui tirado dali por uma junta de bois puxando o carro de aluguel, o Ford que foi minha maternidade e minha carruagem natal. E a estrada ainda é assim. Não sei o que você quer fazer da vida, mas eu decidi ir embora faz tempo. Vou puxar o carro, seguir meu sonho, meu fulaninho, bem longe daqui. Ainda bem que eu tenho esse dinheiro da venda da casa que herdei dos meus pais, apesar de que ainda não vi o cheiro mas que o juiz vai liberar aos poucos para eu seguir os estudos. E, quando eu tirar os pés desta cidade, meu amigo, eu garanto a você, nunca mais eu volto aqui. Levo comigo tudo o que é meu e de meu só tenho uma coisa.

— A gaiola?

— A gaiola, exatamente. A única prisão cuja porta cabe a mim abrir. É como levar comigo a possibilidade da minha liberdade, e por isso eu não vou precisar voltar.

— Nem para encontrar nossa turma, olhar na cara das namoradinhas que você já teve e ainda vai ter? Ver seus avós? Nunca mais a gente vai se encontrar? Puta merda...

— Talvez.

— E você sente que está pronto para ir embora daqui para sempre?

— Ainda não. Tem umas coisas que eu tenho de fazer antes de ir. Ainda tem tempo.

— O que você precisa fazer, tem a ver com quê?

— Pergunta difícil de responder. — Mateus se levantou. — Vamos, já vai escurecer. E trata de alegrar essa cara que eu topo passar com você na casa da Graúna.

— Sabia que não teve graça?

— Dá para notar. Se alegre, carinha.

Na noite seguinte, Heitor dormiu na casa de Mateus. Uma tia e o marido que moravam na roça tiveram que passar a noite na cidade e dormiriam nas camas de Heitor e Hermes. Os garotos ficaram de conversa no escuro até quase amanhecer. Cada um em sua cama, já ouviam um sabiá madrugador cantar, quando Heitor disparou:

— Você nunca fala da morte de seus pais.

— Por que devia falar?

— Não sei, parece que você não liga.

— Você não sabe.

— Sei que eles morreram num acidente e que você se salvou por sorte.

— Está vendo, você sabe tudo o que tem para saber. Vamos dormir pelo menos uma horinha, que a primeira aula da quarta--feira é de português e vai ter chamada oral.

— Puta que pariu. Eu tinha esquecido.

— Agora é tarde para se preocupar, vamos dormir. Se bem que preciso beber água. Dorme aí que eu já venho.

Na cozinha, bebeu um copo d'água, tirada do filtro de barro que ficava na cantoneira, no lado oposto ao do fogão, ainda com as cinzas quentes. A verdade era que ele estava sem sono e abriu a grande janela e olhou o céu. Com a cidade anulada pela escuridão, o Cruzeiro do Sul saltava em meio a milhares de estrelas, que ele amava. O mundo seria melhor se o dia também fosse iluminado pelas estrelas, mas talvez então ninguém quisesse trabalhar, porque a beleza seria dona de todas as vontades e senhora única do sentido de estar no mundo. O sabiá cantou de novo, e ele se lembrou de seu canário morto na gaiola de arame e de toda a maldade que aquela lembrança podia contar. Melhor esquecer as estrelas: nenhuma beleza podia desfazer o que nunca devia ter sido feito.

No quarto, Heitor dormia tranquilo.

5.

Quem não gostava da hora de voltar da escola? Até os professores e funcionários que saíam para almoçar e depois tinham que retornar para o período da tarde gostavam. A saída parecia um estouro de boiada, muita gritaria, gente correndo, depois grupos que se formavam para percorrer trajetos na mesma direção, os casaizinhos que iam se isolando. Na esquina do largo da matriz, Mateus deu um tchau e seguiu sozinho pela rua de casa. Os cadernos e livros debaixo do braço, camisa aberta no peito, mangas arregaçadas e a gravata dobrada no bolso, o sol quente, nenhum sinal de chuva. *Bom para nadar na represa*, pensou Mateus, a cabeça longe.

— Bom dia, meu garoto.

Mateus se voltou e viu dona Nena, como sempre sentada numa cadeira na calçada, em frente de sua casa, que ficava do outro lado da rua da casa dele, uns trinta metros à esquerda.

— Bom dia.

— Voltando da escola?

— É isso aí, dona Nena. Preciso ir...

— Espere. Para que essa pressa toda? A tragédia com a moça rendeu muito na escola, posso imaginar.

— A morte da moça? De novo só se falou que o assassino fugiu.

— Será que o cabo ajudou na fuga?

— Não sei dizer, não, dona Nena.

Dia inteiro nessa cadeira, sondando todo mundo que passa. *Eta mulherzinha enxerida!*, pensou Mateus. *Será que não tem nada mais para fazer a não ser especular sobre a vida alheia?*

— Estão dizendo que talvez ele tenha ajudado, porque o outro quase derrubou a cadeia e o cabo disse que não ouviu nada. Quem sabe não estava mancomunado com o namorado da Izildinha.

— Ex-namorado, dona Nena.

— Não sei, não. O meu Zé disse que acha que eles voltaram, ou estavam voltando.

Do interior da casa de dona Nena veio o chamado, voz alta, alterada:

— Mãe, cadê meu almoço?

— Ah, me dá licença? O meu Zé acordou com fome, coitadinho. Trabalhou a noite inteira, fez serão no escritório por causa do crime.

Sempre a mesma história. *O "meu" Zé joga baralho a noite inteira, dorme com a luz do dia e só acorda para almoçar*, pensou Mateus. *E essa velha idiota, quer dizer, essa velha fofoqueira, trata o filho da puta como se fosse um anjinho desprotegido. Que vão tomar no cu.*

— Olha — acrescentou dona Nena, levantando da cadeira —, se souber de alguma coisa, vem me contar. Trabalho o dia inteiro socada aqui em casa e nem sei o que acontece na minha própria cidade.

— Mãe!

— Mamãe já vai, filhinho. Esse meu Zé não tem paciência.

Mateus apressou o passo: o avô, que mexia no motor do v8 em frente de sua casa, levantou a cabeça, viu o neto e fez sinal para ele vir depressa. O velho odiava a vizinha fofoqueira e mais ainda o tal do Meu Zé, sujeitinho desprezível. Mãe e filho, nenhum dos dois prestava.

José Carlos, o Meu Zé, era dono do Escritório Confiança, herdado do pai, único escritório de contabilidade da cidade, que também prestava serviços de despachante policial, coisas como a papelada para carteira de motorista, cédula de identidade e licenciamento de veículo. Ele mesmo pouco trabalhava. Dois empregados e uns aprendizes faziam tudo, e Meu Zé dava uma ou outra passada rápida no local para assinar papéis e voltava no fim do dia para recolher a féria. Jogava baralho toda noite e perdia, razão pela qual vivia endividado. Outro vício era andar atrás das mulheres. Julgava-se um grande conquistador. Sempre bem-vestido, gostava de ternos brancos de linho 120, camisas de tricoline engomadas e gravatas de seda. Algumas mulheres caíam na conversa dele, mas o namoro durava pouco. Bastava outra mulher bonita passar por perto.

"Não passa de um Don Juan barato do interior, tudo fita. Se gostasse mesmo de mulher, casava", era o que seu Artur costumava dizer sobre Meu Zé. "Cada um com sua cruz", contemporizava dona Madalena. "Que cruz que nada, Madá. É essa mãe que fez dele um traste inútil." Ao que Madalena respondia: "Contanto que não mexam com a gente, problema deles". Artur contra-argumentava: "Não tem como não mexer. É péssimo exemplo para a nossa juventude. A mãe dele me dá nos nervos, com aquela vozinha melosa querendo saber de tudo. Eu digo para o Mateus passar direto, nem olhar na cara dela, mas ela só falta segurar o menino com visgo de pegar passarinho. Escuta o que eu te digo: essa mulher ainda pode acabar com nosso sossego". E Madalena concordava: "Também penso nisso, mas o que é que eu posso fazer, meu Deus?".

Do outro lado da rua, dona Nena voltara para a cadeira na calçada. Uma sete-copas plantada junto ao meio-fio protegia a mulher do sol. Em dia de frio, era só puxar a cadeira para fora da sombra da árvore e esperar que os transeuntes fossem bons de prosa. A casa dos avós de Mateus se abria diretamente para a calçada, e o pequeno jardim ficava na lateral do terreno, do lado esquerdo da casa, mais na parte dos fundos, para não atrapalhar o estacionamento do Ford, resguardado por um toldo. No canteiro estreito e comprido, junto ao muro, dona Madalena cultivava bicos-de-papagaio, gerânios, sete-saias e hortênsias, além de plantar todo ano gladíolos e dálias, que colhia no Dia de Finados para levar ao jazigo da família. Formando uma "touceira de proteção", como ela gostava de dizer, misturavam-se espadas-de-são--jorge, arruda e guiné para espantar o mau-olhado e abrir os caminhos. As mudas da "touceira" ela ganhara de dona Conceição, que entendia dessas coisas, nas quais dona Madalena dizia não acreditar mas que, por via das dúvidas, era bom respeitar.

Mateus gostava de se sentar no peitoril da janela de seu quarto e apreciar as pessoas que passavam. Brincava com as meninas que vinham pela calçada e que, vendo Mateus a postos, aproximavam-se mais da casa. Ele era bonito e tinha o corpo bem-feito.

— Ah, se eu não fosse casada e mulher honesta... — disse--lhe baixinho uma senhora ajeitada que passou pela janela. Mateus riu. Tinha sido sua professora e, mais que a beleza física, elogiava a inteligência e a curiosidade intelectual do garoto.

Quando a professora passou, Mateus se virou e viu que o Turquinho tinha sido fisgado por dona Nena e que estava praticamente sendo sabatinado pela mulher, embora, de onde estava, ele não ouvisse a conversa. O amigo se livrou no momento em que Meu Zé saiu de casa, de terno de linho, dessa vez de cor azul-clara, gravata bordô, chapéu-panamá numa das mãos e guarda-chuva na outra. Mateus se perguntou: *Aonde vai o outro de guarda-chuva?* Turco aproveitou que Meu Zé dizia alguma coisa à mãe e rapidamente atravessou a rua para encontrar com Mateus.

— Posso entrar pela janela? — perguntou.

— Ficou matusquela? Quer que a minha avó passe um sabão dos brabos? Dê a volta pelos fundos e espero você aqui.

Sentaram-se na cama, e Mateus falou:

— O que a dona Nena queria saber?

— Se eu tinha ido ao circo na noite em que Hermes desapareceu.

— E?

— Claro que eu fui, você não lembra? Você também foi. Eu disse a ela que fui, sim.

— E o que mais ela queria saber?

— Se quando eu me levantei e fui lá atrás mijar, só que ela disse "fazer xixi", eu não teria ouvido alguma conversa entre Hermes, a Rutinha e o palhaço, que é marido dela.

— E ela sabia que você foi lá nos fundos mijar? Como é que ela sabia? Você foi mesmo?

— Fui, mas como ela ficou sabendo disso eu não faço a mínima ideia. Claro que eu não fui ao centro do picadeiro anunciar para o circo inteiro: "Distinto público, este que vos fala vai atrás das barracas dos artistas tirar água do joelho".

— Onde ela estava sentada, você chegou a ver?

— Num camarote do picadeiro, com Meu Zé, ao lado das cadeiras onde estavam meu pai e minha mãe. Eu estava na arquibancada, mas, antes de começar, fui pegar dinheiro com meu pai para comprar amendoim. Depois voltei para o meu lugar, mas ela estava de costas para a bancada onde eu estava sentado com minha irmã e meus primos. Não dava para ela me ver.

— Então como ela seguiu seus movimentos, se para ir lá atrás você tinha que sair pela entrada do circo e dar a volta por fora?

— E eu vou saber?

— Essa mulher é um perigo.

— Mas eu vi quando o Meu Zé foi lá fora, e até que demorou um tanto. Se foi mijar, mijou para a semana inteira. Quando entrou de novo, foi até onde eu estava, me deu um saquinho de pipoca e fez sinal com o dedo na boca, que era para eu ficar quieto. Depois foi se sentar ao lado da mãe. Não entendi nada.

— E agora você contou tudo isso para a dona Nena?

— Claro que não!

— Ô meu Turquinho das Arábias, me diga uma coisa...

— Do Líbano.

— Do Líbano. Nesse tempo em que o Meu Zé ficou fora, por acaso você se lembra se a Rutinha estava atuando no picadeiro?

— Não. Foi durante o número do atirador de facas, que quase acertou na moça de biquíni, branquinha, branquinha, que fica encostada na tábua esperando o sujeito errar e atingir o coração dela. Fiquei com pena dela, tão linda!

— Essa história está ficando esquisita. Mas você não veio aqui para falar do circo.

— Foi você que perguntou.

— Desembucha.

— Hoje tem brincadeira dançante lá em casa, do pessoal que se forma este ano, junto com a minha irmã Célia, e está treinando para o baile de formatura. Mandaram convidar você.

— Mas eu não sei dançar.

— Por isso mesmo. É para aprender. Vai ter até professora.

— Quem?

— A Neia, aquela que sabe dançar de tudo e gosta de ensinar.

— A irmã daquele...

— Isso. Vamos, vai! O Heitor e o Dirceu confirmaram que vão.

— O Dirceu vai? Bom, se até o Japinha vai, eu é que não vou ficar em casa.

— Tem mais gente para convidar, vou nessa.

— Melhor você ir por baixo, porque aposto que tem uma velha fofoqueira de olho, esperando você para continuar aquela conversa.

— Eu, hein. Dou a volta no quarteirão, hoje ela não me pega mais.

Mateus voltou a se sentar no peitoril da janela, a tempo de ver Meu Zé voltando para casa sem o guarda-chuva.

6.

O tempo virou. O dia não prometia nada de bom, céu encoberto, uma intocável agressividade no ar, as mulheres reclamando do vento levantando poeira que sujava as roupas lavadas estendidas nos varais, os passarinhos quietos e, na casa de dona Madalena, a estranheza do gato Miau, que foi se esconder para dormir numa fenda do telhado, lugar a que somente um gato conseguia chegar, ao certo não querendo prosa com ninguém. Perto da hora do almoço, dona Madalena abria e fechava a porta da geladeira, examinava a despensa, repassava de memória tudo de que dispunha na horta e no galinheiro, e não conseguia decidir o que cozinhar.

De repente, a desconfortável calmaria mudou com a gritaria de Mateus, chegando mais cedo da escola, talvez porque um professor de fora também sentira que o dia não estava para ele e não aparecera para suas aulas.

— O Hermes, vó! Encontraram o Hermes, morto. Mortinho!

— Santa Maria Madalena nos proteja! — se benzeu a avó, abraçando o neto e tentando acalmá-lo.

Que dia mais triste, aquele. Por que pecado terrível a cidade estava pagando? *O mal, quando chega, dificilmente vai embora logo*, pensou Madalena.

Mais calmo, Mateus contou que a prefeitura mandou limpar o terreno onde se instalavam os circos e parques de diversão que visitavam a cidade. Sem nada funcionando ali, o mato crescia e os ratos tomavam conta, além de uns vagabundos e viciados, da região e de fora, que por ali faziam suas cabaninhas de galhos e folhas, papelão e jornal descartados e se recusavam a ir para o Lar São Vicente, que a caridade pública mantinha para abrigar esse tipo de desvalidos e idosos sem família mas onde, em troca dos cuidados recebidos, havia regras a respeitar, horários a cumprir, obrigações a desempenhar.

"Quem sai de casa para morar na rua não vai se sujeitar", tentara Artur explicar a Madalena por que era tão difícil manter alguém no abrigo. Madalena era a tesoureira da irmandade do Sagrado Coração de Jesus e, como tal, tinha assento cativo na diretoria do Lar São Vicente.

No fundo do terreno havia um poço abandonado, coberto por algumas tábuas soltas. E, bem ao lado do poço, um dos empregados da prefeitura encarregados da limpeza sentiu um cheiro repulsivo, que só podia ser de bicho morto. Tinha que enterrar a carniça, que também era lixo e sujeira. O prefeito depois iria inspecionar o serviço feito e ai dos funcionários se tudo não estivesse nos trinques. Chamou os colegas e, procura aqui, procura ali, afastaram as tábuas que cobriam o poço e descobriram que a única coisa a fazer era chamar a polícia.

Artur chegara para o almoço e, depois de comer sem apetite o que Madalena tinha sido capaz de improvisar, foram conversar na varanda. Já não havia dúvida de que se tratava mesmo de Hermes. Artur explicou:

— Bel foi para lá com o cabo e um soldado e afastou os

curiosos que já se juntavam em volta do poço, apesar do cheiro repugnante. A curiosidade é sempre maior que tudo. O fotógrafo Serginho tirou fotos do local, mas pouco vai sair do fundo escuro do poço.

Serginho, aliás, era o único comunista da cidade, mas diziam que era por pura propaganda, para ser diferente. Comunista mesmo, ninguém ali sabia o que seria. Independentemente disso, ele estava em todas, fosse casamento, batizado, primeira comunhão, aniversário. E especialmente numa situação daquele tipo: tinha que ter fotografia do local do crime, suspeito ou verdadeiro. Conseguiram tirar o corpo do buraco, mas ele já se achava em péssimo estado.

— Deu para ter certeza que era o Hermes? — perguntou Mateus, esperançoso.

— Deu. Por uma correntinha de ouro no pescoço com uma medalhinha de Nossa Senhora Aparecida, que a Helena trouxe quando foi ao Santuário pagar promessa.

— Coitada, nem posso imaginar o que a comadre Helena está passando — lamentou dona Madalena. — O pai já foi avisado?

— Não. O Hélio, ninguém sabe onde está, em alguma estrada, em qualquer lugar do país. Faz uma semana que saiu com carga e está previsto que ainda leve mais uma semana para voltar.

— Ele não deixa avisado onde pode ser encontrado?

— Que jeito? Ele entrega uma coisa e pega outra, só Deus sabe seu destino.

— Mas ele tem que ser avisado da morte do filho!

— Pois é claro, Madá. No próximo ônibus vou mandar um bilhete para a RDR e pedir para eles anunciarem. Quem sabe ele escuta a notícia, onde quer que esteja, ou alguém escuta e conta para ele. Eu mesmo não queria ser esse porta-voz.

— Não precisa mandar o bilhete, vovô — interveio Mateus. — A Marieta do Telefone ligou para a Difusora da Região e eles já estão anunciando. Vão repetir de hora em hora.

— Lá pelas três vou descer para a casa da comadre. Não tem nada que eu possa fazer numa hora dessas, mas pelo menos posso cozinhar para os meninos e para os parentes que vão chegar. Vocês dois, se virem sem mim hoje. E mais tarde, Artur, vá para lá também, que você é compadre deles. Mateus, toma conta da casa e dá comida para o Miau. Melhor você ir lá e trazer os meninos para dormirem aqui. Tem comida no fogão. Lá vai estar que é só tristeza.

— Pode deixar, vó. Mas não consigo imaginar como o Hermes acabou no fundo daquele poço.

Surpresa, Madalena não conteve a pergunta:

— Não foi um acidente?

— O que é que ele ia fazer lá para cair no poço? Ele não caiu, lá ninguém vai, totalmente fora de mão. Ele foi jogado. Vivo ou morto, ele foi jogado.

— Será?

— Vamos saber mais depois do exame. O corpo já está na mesa do necrotério improvisado na capela do cemitério. Acho que o doutor Marcelo vai fazer o exame.

— Aquele maldito médico que deixou todo mundo ver pela janela ele tirar vinho da barriga do meu pai morto, com uma concha.

— Foi mesmo horrível — disse dona Madalena, chorosa.

— E ele debochando — continuou Mateus —, dizendo que pelo menos morreram satisfeitos, depois de um bom prato de nhoque e de uma boa garrafa de vinho tinto, o patife. E os que conseguiram lugar na janela repetindo para os que estavam atrás os disparates que o médico dizia, tudo gente de merda. — Mateus relembrou horrorizado a cena ouvida da boca do povo. A avó o

61

abraçou, assentindo. — Pior que o desgraçado é quem cuida das crianças daqui, diz que é um pediatra mas é só um filho da puta.

— Eu também me lembro daquele dia triste — disse o avô —, e pedi ao Bel que segure o povo longe, ou que pelo menos mantenha a janela do necrotério fechada. Mesmo que o doutor Marcelo, ou quem for, morra de calor. Ele me prometeu, mas nunca se pode confiar no Bel. E você, preste atenção: não tem razão nenhuma para falar palavrões.

Mateus ignorou a última parte.

— Mas quem é que tinha algum motivo para fazer o que fez?

Artur se virou para o neto:

— Você que é amigo dos irmãos do Hermes e está sempre na casa deles, sabe de alguma razão para alguém querer matar o rapaz?

— Não, vô, não faço ideia. Só sei que ele andava feliz da vida, mais alegre que de costume. Até perguntei se ele estava gamado por algum brotinho.

— O que foi que ele respondeu?

— Em vez de responder, cantou um pedacinho daquela música de Carnaval que fez sucesso no rádio com o Joel de Almeida, aquela que diz: "Quem sabe, sabe, conhece bem, como é gostoso gostar de alguém".

— Estava apaixonado, coitado! Quando foi isso?

— Na porta do circo, na última apresentação, aquela que a gente foi, lembra?

— Claro, mas não lembro direito se o Hermes estava com os irmãos, ou com a mãe.

— Não. Ele foi sozinho. Eu chamei ele para sentar junto com a gente, ele deu uma risadinha e fez que não com a cabeça. Não sei em que lugar foi se sentar. Ou para onde pode ter ido.

— Alguém há de saber.

* * *

O delegado-substituto Bel não tinha nenhuma ideia das razões da morte de Hermes. Ouviu muita gente, menos o pessoal do circo, que, além de já estar em outra cidade, segundo ele não tinha razão para matar ninguém ali. A necropsia, realizada pelo doutor Marcelo, mostrou que o moço foi morto por um afundamento na cabeça, provavelmente acidental, talvez numa briga, ou ao cair no poço em que o corpo foi encontrado.

— Se morreu numa briga, ou se foi atacado por alguém de surpresa, não foi no poço, ninguém vai lá — disse Mateus. — Então tem mais de um envolvido. O poço fica a mais de cem metros do local do circo e das barracas dos artistas, e o Hermes era pesado, precisava no mínimo de dois para carregar o corpo do lugar da morte até ali. Só que ninguém viu o que aconteceu, ou viu e não quer contar.

— Nosso delegado-substituto é tão cretino que vai escrever no relatório não ter indícios de homicídio e concluir, aposto, pela hipótese esdrúxula de acidente, como se Hermes tivesse morrido ao cair no poço por descuido. Você, meu neto, que até ontem fazia xixi na cama, entendeu, ao contrário desse paspalho desonesto, que foi um crime envolvendo no mínimo dois culpados, pelo menos na ocultação do cadáver.

— Eu nunca fiz xixi na cama.

— É mesmo. Desculpe, modo de dizer.

Em todo esse episódio, dona Nena jamais abandonou sua cadeira na calçada por mais de meia hora, a não ser para dormir um pouco, e parecia a própria representante da polícia, interrogando quem quer que se aproximasse. Ao contrário do que se dizia sobre o que o delegado-substituto andava pensando, ela estava certa de que se tratava de um homicídio. Mais ainda, que o crime fora passional, envolvendo amores proibidos, traição e vingança.

Quando foi interrogada pelo Bel, que ela mesma mandara o Meu Zé chamar para colher seu depoimento, continuou firme na calçada e, quando o delegado pediu que entrassem, a fim de manter o sagrado sigilo do depoimento, alegou que tinha as pernas fracas para ficar andando de um lado para outro, e que o que tinha a dizer qualquer um podia ouvir. Porque era a verdade, e a verdade pertence ao povo. "Ao povo e a Deus", complementou.

— Por que a senhora acha que se trata de crime passional, dona Nena, se ninguém com quem falei, e já interroguei praticamente a cidade inteira, disse nada a respeito? O rapaz, aliás, era meio boboca, não tinha namorada, e dizem que nem mulher da vida frequentava.

— Quanto a isso, meu prezado delegado Bel, eu só lhe peço que me respeite. Sou uma senhora de idade, tenho um filho maravilhoso que todos admiram, e não me interesso pelas mulheres da vida a que o senhor se refere e muito menos pelos seus frequentadores.

— Desculpe, dona Nena.

— Está desculpado, em nome da nossa antiga amizade.

— Então, voltando à morte do Hermes...

— Que eu reputo assassinato.

— Que seja.

O delegado Bel já dava mostras de estar perdendo a paciência, além do mais plantado na calçada, de pé, enquanto lá dentro o Meu Zé ouvia o rádio no máximo volume: música alta, quando a cidade estava praticamente de luto. *Alguém devia chutar a bunda desse infeliz*, pensou Bel. Fazia negócios com Meu Zé, mas o desprezava.

— Hermes era um moço bonito, quase tão bonito quanto o

meu Zé. Eu sempre gostei daquele cabelo de caroço de manga chupada que ele e o irmão caçula herdaram do Hélio, que, aliás, quando solteiro, derreteu o coração de muitas moças. Acabou fisgado pela Helena, sabe-se lá com que artimanhas. Não foi por acaso que o pobre Hermes nasceu de sete meses, o que não importa mais, infelizmente. Eu já era casada, é claro, mas sempre soube apreciar a beleza masculina com esses olhos que a terra há de comer.

— E daí, dona Nena?

— Vou chegar lá. Hermes era alto, forte, e foi o primeiro rapaz desta santa cidade a usar uma camiseta de malha apertada. A mulherada corria atrás dele e ele se fazia de desentendido. Quando vestia aquelas calças rancheiras azuis bem justas, cheias de ilhoses, andava com as pernas assim meio abertas, decerto imitando os *cowboys* que via no cinema. Me lembrava o magnífico John Wayne no filme *Rastros de ódio*. O senhor deve ter assistido. O mundo inteiro assistiu. Com a Natalie Wood, maravilhosa.

— Acho que sim.

Dona Nena suspirou e retomou o que dizia sobre Hermes:

— Puro *charme*, como se diz hoje em dia. Mas ele agora tinha sido fisgado: a moça do circo conquistou o coração dele.

— A qual moça do circo a senhora se refere?

— Àquela que aprisionou os sentimentos do pobre coitado, evidentemente. A mais bonita. Podia ser a bailarina, a domadora, a trapezista, isso não importa. Por ser o que era, Hermes podia escolher a melhor, a mais formosa.

— E o que faz a senhora pensar assim?

— Doutor Bel, eu fico aqui sentadinha e vejo as pessoas passarem, umas me cumprimentam, outras me dão um dedo de prosa ou pelo menos um sorriso. Eu conhecia o Hermes desde que nasceu, antes até. Ele passava e falava: "Oi, dona Nena", e seguia seu caminho. Eu só respondia: "Vai com Deus, meu filho". Pois o

65

senhor não sabe, um dia antes de morrer, ou melhor, de ser assassinado, ele passou aqui cantando, nem notou que eu existia, estava em êxtase.

— E o que cantava o moço?

— Uma marchinha de um desses Carnavais passados, que tinha sido gravada pelo tal do Magrinho Elétrico. Eu não sei cantar, sempre fui desafinada, me desculpe, mas a música é mais ou menos assim: "Quem sabe, sabe, conhece bem, como é gostoso gostar de alguém. Ai, morena, deixa eu gostar de você", e assim vai.

— E o que isso tem a ver com o circo?

— Tudo! Hermes nunca foi de cantar andando pelas calçadas da cidade. De repente chega o circo e Hermes começa a cantar. É só somar dois mais dois. Aliás, se não me engano, isso se chama sincronia, ou estou errada?

— A senhora está certa, dona Nena. Muito obrigado pelo seu depoimento. Agora me dê licença. Até logo.

— Até logo, Bel. Sempre a seu dispor.

Por susto, medo ou compaixão, a cidade demorou semanas para se recompor. Hélio não chegara a tempo para o enterro do filho, cuja morte o Bel concluíra ter sido acidental. Quando chegou, encontrou Helena envelhecida e desinteressada da vida. Emagrecera, tinha olheiras fundas, a pele enrugada e o cabelo em desalinho. Seus outros dois filhos de repente não pareciam mais crianças e andavam meio que largados. Sua antiga família ficara para trás, e tudo o que ele queria era voltar para a estrada na boleia de seu caminhão.

7.

Dona Madalena estava no quarto de costura, sentada à sua máquina Pfaff, de pedal, dando os últimos retoques numa fita ritualística da sua irmandade católica, objeto que cabia a ela confeccionar, quando ouviu baterem palmas à porta da cozinha. Foi atender e recebeu com festa dona Conceição, mãe de uma das três ou quatro famílias pretas da cidade.

— Ora, ora, dona Conceição, mas que milagre. Vamos entrando. Sua fita está prontinha, acabei de fazer.

Dona Conceição também pertencia ao Sagrado Coração de Jesus, irmandade composta apenas de mulheres casadas, e, recentemente, tinha passado do grupo das aspirantes à divisão de Nossa Senhora, a mais graduada. A fita avermelhada estreita que usara durante o noviciado seria agora trocada por uma fita de tafetá também vermelha, porém mais escura, da cor do sangue de Jesus, e bem mais larga, com acabamento dourado nas duas bordas, e traria pendurada nela uma cruz de Malta de metal também dourado. No lado esquerdo da fita, na altura do coração, ficava costurado o bentinho, escapulário de formato retangular que continha um coração em alto relevo e letras bordadas com fio de ouro.

— Já posso levar a fita?

— Pode, é sua. Depois o padre vai benzer, mas já pode guardar.

Dona Conceição beijou o bentinho e a cruz, conforme a etiqueta da irmandade, dobrou a fita com cuidado e a guardou na bolsa de sisal.

— Fico imensamente grata.

— Nada de agradecer. A senhora pagou por ela à caixa da irmandade. O bentinho, como a senhora sabe, não pode acompanhá-la quando chegar sua hora. A fita, sim, vai com a gente no caixão, mas o bentinho tem que ser descosturado e devolvido à igreja. Mas por que estou falando isso? Esse dia vai demorar é muito.

— Se for a vontade de Deus.

— Amém.

— Ao entrar, vi que aquelas mudinhas que lhe dei pegaram bem. As plantas estão viçosas. A senhora tem mão boa para plantas.

— Trato minhas plantas com carinho, só isso. Lá na sua terra sei que essas plantas são consideradas sagradas, não é mesmo, dona Conceição?

— Essas e muitas outras. Somos católicos, mas procuramos manter vivas muitas tradições dos nossos antepassados africanos, temos os nossos santos, e cada santo tem sua folha. O respeito à natureza para nós é um dos fundamentos da vida religiosa.

— Não sente falta dos costumes de sua terra?

— Muita. Mas a cada dois ou três anos, quando dá, passo uns tempos lá para pôr em dia as minhas obrigações religiosas, a senhora entende.

— Entendo, sim, e me disseram que a senhora tem o dom de ver o que pode acontecer no futuro das pessoas e dar conselhos para que os caminhos sejam mais fáceis de trilhar. Um dia quero que a senhora fale do meu destino.

Madalena não tinha grande intimidade com a mulher e falava com ela com o cuidado de quem pisa em ovos. A cidade toda sabia que a mulher preta era uma espécie de vidente, embora não frequentasse o centro espírita local, ou talvez um tipo de maga, ou bruxa, que usava umas conchinhas para ler o futuro das pessoas que se consultavam com ela. De todo modo, dona Conceição, seu marido e seus filhos eram gente de bem, o que não se podia dizer a respeito de uma irmã dela, mãe de filhos de um homem branco casado com outra mulher, também branca, que fazia de conta que o marido era um santo.

Dona Conceição, sentindo-se elogiada com as palavras de dona Madalena, sorriu.

— Sabe, dona Madalena, admiro na senhora essa sua firmeza, com tudo que já passou de tristeza nesta vida.

— A gente tenta, mas há coisas tão difíceis de aceitar...

— Está falando dos seus filhos, das suas perdas?

— Isso mesmo, vou lhe contar um fato que até hoje me dói no peito. Às vezes é bom se abrir, se a senhora permitir.

— Pode contar com a minha discrição.

— Com certeza. Sabe, um dia meu finado filho Lucas — disse o nome e fez o sinal da cruz, acompanhada por dona Conceição — foi ao armazém de seu Chico, e Vadinho, que o atendeu, perguntou se o problema com as saúvas que estavam desfolhando as roseiras tinha sido resolvido. Lucas achou aquilo estranho, e disse ao Vadinho: "Lá em casa não temos formigas e muito menos roseiras". Vadinho então contou que, na véspera, tinha vendido à mulher do Lucas uma lata de formicida Tatu, que era para pôr fim às formigas. Meu filho saiu desabalado do armazém, com o coração na boca, ele me disse, prevendo alguma tragédia. A porta da frente estava trancada e ele entrou pelos fundos. Nada na cozinha, nada na sala, mas, ao entrar no quarto do casal, ele estancou, estarrecido. O quarto parecia transformado numa capela. A penteadeira, coberta com uma colcha vermelha, parecia um altar, reunindo todas as imagens e estampas dos santos que normalmente estariam espalhadas pelas paredes e móveis da casa, com vasos de flores e muitas velas acesas. Ajoelhada em frente a esse altar estava Nieta, vestida de branco e com um véu também branco lhe cobrindo a cabeça. No pescoço tinha o terço pendurado e, na mão esquerda, um copo com alguma mistura, que ela lentamente mexia com uma colher que segurava com a mão direita. Lucas olhou com mais atenção para a penteadeira transformada em altar, e lá estava, aberta, a lata de formicida. Ele enlouqueceu, arrancou o copo das mãos dela, pegou a lata de veneno e jogou com o copo e a colher na privada no fundo do quintal. Voltou ao quarto e não disse nada. Sentou na cama e, com as duas mãos apoiando a cabeça caída para a frente, chorou horas seguidas. Meu filho se casou com uma mulher louca, dona Conceição. Ela não queria morrer. A cena do formicida Tatu foi uma farsa, como outras que ela armava, e conseguiu atormentar o marido até o limite do suportável.

— Obrigada por dividir comigo essa tristeza. Talvez por eu ter a pele preta, as pessoas não costumam abrir o coração comigo, como fez a senhora. As pessoas me procuram para saber o futuro, mas escondem o passado e não comentam sobre o presente. Muitas vezes, depois, nem cumprimentam quando me encontram na rua. Desculpe o desabafo, dona Madalena, a senhora estava falando de seu filho...

— Pois é, dias depois, meu filho, ainda transtornado, me contou o acontecido, e fiz o que pude para acalmar o coitadinho. Achei que estava tudo resolvido. Guardei essa triste história comigo, e ninguém mais sabia dela, mas de repente senti que era hora de pôr para fora. Obrigada por me ouvir.

— O que a senhora me contou mostra bem que sua nora precisava de ajuda espiritual. Por outro lado, quando uma coisa ruim dessas acontece, a gente pensa que já passou, tudo o que queremos é pôr uma pedra em cima. E esquecer.

— Essa é outra grande culpa que eu carrego. Fiz de conta que tudo estava resolvido, e não estava. O pior veio depois. Sem ter como desfazer.

— Ninguém é culpado. O caminho de cada um é sempre difícil, mas a gente, com fé e determinação, consegue superar. Olhe a senhora, que perdeu os três filhos, eu imagino o quanto é duro; mas Deus lhe deu uma compensação, um neto maravilhoso. Um menino bonito, com olhos tão azuis como o mar profundo de Iemanjá, a minha santa. Não o conheço bem nem o vi muitas vezes, mas já percebi que, às vezes, a cor de seus olhos muda para um tom mais claro, como o azul do céu.

— Isso mesmo, puxou meu bisavô, que se foi há muito. Mas às vezes percebo, atrás de todo aquele céu, ou mar, como diz a senhora, sim, percebo uma tristeza que me deixa preocupada.

— Tudo o que é bonito nos põe medo, dona Madalena. Talvez porque a gente tem medo de perder, não acha? A senhora o recebeu como filho quando já não esperava por uma responsabilidade tão grande; então, dona Madalena, receba a beleza que Deus lhe deu como presente e espere que a vida daqui para a frente traga só alegrias. Nas minhas orações, peço a Iemanjá que olhe por sua família.

— Iemanjá, a sua santa, dona Conceição, já ouvi esse nome. Tenho uma prima distante que mora no litoral e nos convidou mais de uma vez para a festa do Ano-Novo na praia. Ela escreveu que a passagem do ano lá é muito bonita, com fogos de artifício, todo mundo vestido de branco, levando flores ao mar para Iemanjá e saltando sete ondas. Mas, sabe como é, é difícil sair de casa, mas um dia iremos.

— Iemanjá vai ficar contente. Nós a consideramos como nossa grande mãe espiritual. Eu a vejo no azul dos olhos do seu neto. A senhora não tem o que temer.

Estavam sentadas frente a frente, e Madalena tomou nas suas as mãos de Conceição, agradecida. A conversa foi se desanuviando. Elas agora sorriam.

— Mateus é mesmo um menino exemplar, mas anda reclamando do seu filho Caio, dona Conceição, dizendo que ele sumiu, que quase não sai mais com a turminha dele.

— É que meu Caio está trabalhando depois da escola, ajudando e aprendendo, quer ser um bom contador. Começou a trabalhar cedo, como garoto de recados no escritório do seu José, o filho da dona Nena, e agora já faz serviços internos e externos. Diz que depois quer estudar contabilidade. Graças a Deus, ele se dá bem com o patrão, aprende com ele.

— Mateus me disse que Caio é dos melhores alunos de português, que tem o dom da fala e da escrita. Então, trabalhar num escritório vem bem a calhar. De fato, o Zé da Nena é um moço educado e elegante. Pode servir de bom exemplo ao Caio.

Madalena sentiu imediatamente que não estava sendo sincera ao se referir ao patrão de Caio, mas, também, o que poderia dizer?

— Deus a ouça, dona Madalena. Caio, felizmente, sabe aproveitar as oportunidades que os irmãos dele não tiveram. E é um menino religioso. Depois da escola, quando não está no escritório, está na casa paroquial, adora o padre.

— Seus outros filhos são pedreiros, como o pai, não?

— São, sim, e dos bons — ela enrubesceu com a própria falta de modéstia. — Acho que agora vamos nos ver mais, dona Madalena: é a minha família que vem fazer a reforma da sua casa, certo? E eu costumo ir todo dia à obra em que trabalham para levar o almoço deles. Vamos nos encontrar muitas vezes aqui nesta casa.

Madalena demonstrou surpresa e descrença.

— O que está me dizendo, essa tal reforma, a senhora adivinhou com os seus dons?

— Não adivinhei, não. Seu marido contratou o meu, e só estão esperando concluir uma obra em andamento para começarem aqui. Mas me diga, a senhora não sabia? Será que estou sendo indiscreta?

— Claro que eu sabia, dona Conceição, mas só queria uma confirmação. Faz tempo que o Artur me promete reformar a casa.

— Bom, agora vou indo.

— Não me faça essa desfeita. Antes vou passar um café para nós. Temos a fita nova da irmandade, a reforma da casa, a nossa amizade; temos o que comemorar.

— Graças a Deus. Ah, me deixa comentar outra coisa, gostaria de ter sua opinião.

— Fale, amiga.

— Quando eu vinha para cá, passei pela casa da dona Nena, que estava sentada fora, e ela me parou.

— O que não é novidade.

— E me perguntou por que o meu Caio e o Henrique da Helena tinham se pegado a socos e pontapés. Eu não soube de nada disso e foi essa a minha resposta.

— Fez bem...

— Mas ela não sossegou. Falou bem assim: "Talvez o menino branquinho ache que o pretinho está se metendo onde não devia".

— Que horror! Não vá levar em conta essas palavras maldosas, de quem se acha melhor. Ora, vejam só, moleques brigam por qualquer coisa. Os meus filhos sempre brigaram fora de casa e meu neto está aí para comprovar.

73

— Dona Nena disse mais. Que o Henrique gritou que matava o meu Caio se ele continuasse a querer tomar o lugar dele, que era para ele ficar bem longe do padre. Meu Deus do céu, como se dona Helena já não tivesse a vida dilacerada pela morte estúpida e inexplicável do Hermes.

— Minha comadre Helena está sofrendo demais. Agora, quanto ao que diz essa mulher aí da frente, não se preocupe. É ciumeira de adolescente. Os dois são coroinhas, eu os vejo na igreja, acho lindo como eles se dedicam. Todos querem ser o coroinha preferido, o aluno predileto, o filho de que a mãe gosta mais.

— É, eu sei.

— Bom, vamos tomar o nosso café. Aceita provar estes sequilhos de araruta que eu mesma fiz?

A aparente calma de dona Madalena durou enquanto dona Conceição esteve com ela.

Quando ficou só, foi se plantar na janela da sala à espera do marido, que não demorou a aparecer em seu Ford v8.

Mal ele entrou em casa, a mulher lhe caiu em cima.

— Mas que raio de reforma é essa que você está pretendendo fazer pelas minhas costas?

— Acha! Alguém já veio fofocar? Era para ser surpresa, minha querida.

— Surpresa? Uma reforma sem me consultar? E você lá sabe o que eu quero que seja feito, por acaso conhece as minhas necessidades? Eu exijo: quero ser ouvida sobre cada pormenor.

— Calma, calma. Vamos conversar sobre tudo o que tem para ser feito.

— Mas e se eu não quiser esses pedreiros que você contratou sem me consultar?

— Posso descontratar, não tem problema. E a casa pode continuar do jeito que está. É o que você deseja?

— Valha-me, santa Maria Madalena. Eu não mereço.

8.

Domingo cedo, depois da missa das sete horas, Mateus bateu na casa de Zito e ninguém atendeu. Tentou outras vezes sem sucesso. Como não se sentia íntimo da família para entrar pelos fundos, já ia embora, quando Zito saiu pela cozinha, de calção e pés no chão, com cara de quem tinha acabado de acordar.

— Dormindo ainda? Cadê o povo?

— Foi tudo para o sítio da Cana Verde bem cedo, foram matar três porcos.

— Tua mãe e tuas irmãs também?

— Elas foram para fazer linguiça e sabão. Os outros para tirar leite, depois de matar os porcos. Só sobrei eu.

— Para dormir até mais tarde?

— Que é isso? É que daqui a pouco vou subir na leiteria para receber o dinheiro do leite do mês. Depois ainda tenho umas coisas que minha mãe mandou fazer.

— Eles fazem pagamento no domingo?

— Claro. Leite não tem dia de descanso.

— Então você não vai poder ir em casa de tardinha?

— Claro que posso, o que vai ter lá?

— Estou juntando uns amigos, vim te convidar.

— Ah, é. Tinha esquecido. Parabéns. Aniversário, né? Vai ter bailinho?

— Não, só uns salgadinhos, bolo, gasosa.

— Para mim está bom, sou chegado nas empadinhas da dona Madá. Eu vou, pode deixar.

— Então até mais tarde. Vai ajeitado que vão também uns brotinhos. Não vai me aparecer de calção e pés no chão. Nem dar o cano.

— Deixa comigo, vou com uma beca estourando de nova. Só que eu tenho um favor para pedir para você.

— Mande, se eu puder.

— O Japa, você já deve estar convidando, mas fala para ele levar a Yoko, a irmã dele, pode ser?

— Você agora está chegado num brotinho japonês? Não acredito — disse Mateus, abrindo as mãos em leque, supinadas, para expressar incredulidade.

— É verdade. Ela é um pedaço, você não acha? Com aqueles olhinhos puxadinhos, ai, meu Deus do céu.

— Ela é legalzinha, a Yoko, mas tímida de lascar. Acho que nunca teve namorado, pelo menos nunca fiquei sabendo.

— Nem o pai dela ia deixar, aquele japonês cara de cu.

— E o que você quer com ela, então?

— Vou conquistar o broto e enrolar o sogro.

— Mas você sabe que japonesa tem a bocetinha rasa. Não vai aguentar você, meu chapinha.

— Não acredito, é história, mais uma contra japonês. Você acha que Deus ia fazer uma coisa absurda dessa só para me prejudicar?

— Eu não sei, é o que dizem.

77

— Para tudo tem um jeitinho — disse Zito, e cantarolou, desafinado: — "Vai, com jeito vai...", ao que Mateus emendou: — "... senão um dia a casa cai."

— Acho melhor mudar essa parte para: "que tem um dia que a calça cai" — disse Zito, e quase morreu de dar risada.

— Está até fazendo paródia musical, meu chapa, olha só — gozou Mateus. — Não sabia que um roceiro feito você gostava da Emilinha Borba.

— Nem sei quem é essa tal de Emilinha, mas minha irmã Elvira vive cantando essa música. Até decorei.

— Entendi. Mesmo assim...

— Agora que eu sou um homem que já sabe como entrar na gruta, vou com jeitinho.

— Está falando do quê? Não vai dizer que perdeu a virgindade. Tiraram teu cabaço?

— Ontem.

— Pombas! Conta tudo, ou vai ficar aí escondendo o jogo?

— Vamos entrar, minha mãe deixou café no fogão.

Na cozinha, tomaram café e dividiram uma broinha de milho. Em seguida, se sentaram à mesa, um de cada lado, e Zito contou:

— Meu irmão Murilo chegou em mim ontem e disse que eu ia num baile com ele e com nosso irmão, Amaro. Chegou no deboche, falando: "Está na hora de você parar de me acordar de noite batendo bronha. Hoje vai perder o cabaço".

— Nossa, foi direto. Mas ia ser nas putas?

— Nada. Coisa fina. A gente ia para o baile na fazenda Caneleira, a uns três quilômetros daqui. O Ceguinho da Sanfona ia tocar, acompanhado de violão, pandeiro e triângulo. Entrada de graça, porque era aniversário do fazendeiro. A gente ia a pé, no escuro, cada um dos três com uma mulher, nada de puta. Eu ia com a Zélia.

— Conheço. Dizem que faz e não cobra.

— Porque não é puta. Só sai se gosta do fulano.

— E ela gosta de criança? — implicou Mateus.

— Depende do brinquedo — respondeu Zito rápido, achando a maior graça nas próprias palavras.

— Prossegue, que já estou aflito — pediu Mateus.

— Eu estava meio com medo. Nervoso como eu sabia que ia ficar, e se eu não conseguisse? Murilo me acalmou: "Pode deixar que ela faz tudo. Cada um de nós vai com uma mulher, a gente vai guardando distância de uns cinquenta metros um casal do outro. Vocês ficam no meio, assim nós te gritamos se aparecer algum curioso. Vocês vão conversando sobre a lua, as vacas do pasto, as bostas de cavalo na estrada, qualquer bobagem, aí você pega na mão dela, depois põe a mão no ombro. Se achar que a coisa está bem encaminhada, pode passar a mão nas tetas dela".

— Ai, nem acredito.

— E o Murilo continuou: "Então, aí tem uma hora que vocês encostam no barranco e ela vai abrir a fivela do teu cinto, vai desabotoar suas calças e tirar sua linguiça para fora".

— Vixe Maria!

Mateus correu no pote e pegou uma caneca d'água e bebeu toda, sem deixar de prestar atenção no caso.

Zito continuava, com a cara mais deslavada do mundo, como se estivesse contando uma fita de cinema:

— Aí o Murilo me falou: "Ela vai agachar e te chupar, mas pouco porque, se você gozar nessa hora, babau, acabou-se o que era doce. Não se preocupe com nada, ela vai te deixar no ponto. Ela gosta de fazer isso, deixa ela fazer. Mulher gosta de controlar o homem, elas acham que estão dominando o macho, sabia?", foi o Murilo que afirmou, eu acreditei. Aí ele falou: "Depois ela puxa você para cima dela e vocês metem. Vê se vai devagar, mas sem parar. Quando ela começar a gemer, aumenta o ritmo. Tem uma coisa muito importante: antes de pôr, tem que passar muito cuspe no pinto, senão ele não entra direito. Se secar, passa de novo. Se ela estiver gostando, vai ficar toda molhadinha por dentro, e aí a coisa vai que vai, escorregando feito quiabo. Também pode usar vaselina, mas tem que comprar na farmácia, e eu acho gordurenta, cuspe é de graça". Aí ele deu risada e continuou, falando sério de novo: "Se não fizer do jeitinho que estou te ensinando, amanhã você vai acordar com essa coisa aí inchada, pode até machucar o freio e ter que ir na farmácia passar algum remédio, e todo mundo vai gozar com a tua cara de marinheiro de primeira viagem, porque o seu Marinho é fogo, um linguarudo que vai contar para todo mundo que entrar na farmácia".

— E aí?

— Calma. Aí chegou o Amaro...

— O seu irmão que estava preso um tempo atrás?

— Foi, mas não precisa ficar lembrando.

— Certo. Aí o Amaro chegou discordando de levar você.

— Nada disso, ô! Já falei que eu fui.

— Foi. Vamos, fala, meu chapinha.

— O Amaro, com aquela cara azeda dele, entrou no quarto onde eu conversava com o Murilo para dar a instrução mais importante, coisa de irmão mais velho, segundo ele. Falou assim: "Zito, presta atenção. Quando você estiver pronto para gozar, tire o pau para fora e ponha no meio das pernas dela e acabe nas coxas. Goze fora. Goze nas coxas, entendeu? Porque, se gozar dentro, ela pode pegar barriga, e o pai mata nós três, e eu vou te dar tanto safanão e chute no saco que te deixo aleijado pro resto da vida. Entendeu? Goze fora".

— E você...

— Espera, que ele me ameaçou mais ainda. Falou assim: "A mulher, às vezes, aproveita que o cara perde a noção na hora do gozo, e ela tenta pôr dentro de novo, mas é malandragem: ela quer te amarrar com um filho no bucho dela. Entendeu? Goze fora. E não ria, não, que, se a moça embuchar, sou até capaz de cortar teu saco com meu canivete". E então ele saiu do quarto me mostrando com a mão levantada o canivete dele, que ele não larga, que tem o cabo de osso com o nome dele entalhado por ele mesmo. O bicho é tão ruim que nunca reconheceu que escreveu errado o próprio nome, que no canivete ficou Amado em vez de Amaro. E ainda, na porta, repetiu: "Goze fora".

— E você gozou fora ou não aguentou e gozou dentro? — perguntou Mateus, sem esconder a ansiedade.

— Gozei fora — disse Zito, fazendo uma careta de riso exagerado, porém orgulhoso. — As três vezes!

— Três vezes? Você meteu três vezes? Gozou nas três?

— Foi, né. Tinha que aproveitar.

— Depois, chegaram ao baile e dançaram a noite inteira.

— Nada. Isso dá uma canseira, sabia, ainda mais de pé! Eu passei o resto da noite com as pernas bambas. Dançamos só umas duas vezes, bebemos uns copos de quentão e ficamos só no amasso, encostados na parede da tulha, apreciando o povo se esbaldar na dança.

— E na volta...

— Voltamos de caminhão, com o resto do povo. Descemos em frente da prefeitura, porque a viagem de caminhão quem deu foi o prefeito. Ela me disse tchau e, no meu ouvido, disse baixinho que eu era bom, já estava diplomado, mas que ela não costumava repetir. Falou que adorou ser a primeira e me agradeceu, acredita? Meus irmãos tinham saído antes do baile acabar; o Amaro tinha ido sozinho porque a mulher com quem ele tratou na hora não apareceu; o Murilo tinha ido com a dele, meteu muito. Quando eu cheguei em casa, eles já dormiam, caí duro na cama e dormi até você chamar.

— Puta que pariu, Zito. Você vai ser o convidado de honra da minha festinha.

Todo mundo foi, os garotos, as garotas, e até acabaram improvisando uma brincadeira dançante. Turquinho trouxe a vitrola Philips portátil, com som *hi-fi*, ultramoderno, alguns trouxeram os melhores discos que tinham, as duplas previsíveis se formaram e comida boa não faltou. O que animou mesmo a festa foi uma iniciativa de dona Conceição: enviou pelo Caio um litro de um licor de jenipapo que ela mesma fazia mas que só deveria ser servido, e não mais que um cálice para cada um, com o consentimento dos avós do Mateus. Ambos provaram do licor e aquiesceram. Como não tinha rum no recheio do bolo, ficariam elas por elas. Quando o licor acabou, Caio tinha outro litro escondido. Com toda essa animação, nenhum broto tomou chá de cadeira. Só não dançou quem não quis.

Enquanto o Japinha não chegou com a irmã, a aflição dominou o Zito. Mas tudo o que aconteceu entre os dois durante a festinha se resumiu a trocas de olhares, sob estreita marcação do Japa. Zito foi choramingar com Mateus e seu humor até melhorou com a resposta do amigo:

— Se dê por feliz, que já é um bom começo. Pior eu, que não tenho com quem trocar olhares. Mas cuidado para não dar na vista. Já falei que o japonês é gente boa, mas pode virar bicho se se sentir ameaçado.

— Eu não estou ameaçando ninguém.

— Claro que está. Ameaçando a autoridade dele. O pai mandou que ele vigiasse a irmã, deu autoridade.

— É mesmo.

— Então pare de olhar direto para ela.

— Se é assim, será que eu posso tirar outro brotinho para dançar?

— Claro que não! Um homem apaixonado separado da amada morre sozinho, de pé e sem se queixar. Como é mesmo o nome do filme? Ah, deixa para lá. Come mais empadinhas que essa história não termina hoje.

A rapaziada ficou concentrada na sala da frente, enquanto os pais que acompanharam as filhas ficaram na cozinha. Seu Artur tinha providenciado cerveja para os adultos, o que animou a conversa. Quase no final, os donos da casa reuniram todos os convidados e acompanhantes na sala da frente e Artur pediu a palavra.

— A avó sempre quer que o neto estude, e o avô, que se divirta também. Então, Madá, dê seu presente ao Mateus.

Era uma caneta Parker 61, um lançamento antecipado, com tampa folheada a ouro, a mais cobiçada caneta-tinteiro do mercado. Em seguida, o avô deu o presente dele: um radinho portátil Mitsubishi, um aparelho transistorizado, menor que um tijolo, que recebia transmissões em ondas médias, curtas e prolongadas, o sonho de qualquer mortal da época.

O pai de uma das meninas comentou bem alto:

— Ganhamos na loteria? Ou assaltamos o banco?

Mateus pegou um pedaço de papel e tentou experimentar a caneta. Não escrevia, não tinha tinta. Ligou o rádio e nada, nem um chiado sequer. Uma vaia tomou conta da sala.

— A vaia é de brincadeira — interveio dona Madalena —, ainda tem mais presentes. — E entregou outro pacote ao neto, dizendo: — Seus amigos e amigas — fez um gesto abarcando a sala — se juntaram e compraram para você uma caixa de baterias para seu rádio e um vidro grande de tinta Parker azul-real lavável para sua caneta — disse, enfatizando as palavras "azul-real lavável". E completou: — Você está abastecido de bateria e tinta por um bom tempo.

— Puxa vida, assim vocês me matam — ele agradeceu.

— Agora cantamos parabéns e partimos o bolo — anunciou dona Madalena. — Pegue sua binga e acenda as velinhas, Artur.

Por volta das dez da noite, todos os convidados tinham ido embora; só restara Zito, ansioso por conversar. Ajudaram Madalena e Artur a ajeitar a casa e se retiraram para o quarto de Mateus, com um lampião aceso, a energia elétrica já desligada. Zito ficaria para dormir. Yoko, claro, era o assunto.

— Se quer namorar a Yoko, tem que ir com calma — aconselhou Mateus.

— O Japa está na marcação. Não aguento, pego o filho da puta e dou uns tabefes nele — reagiu Zito.

— Sossega, leão. Acho melhor se aproximar mais do Japa, nada de briga, que só vai piorar tudo, e principalmente, pelo amor de Deus, nada de comentar com ele essas bandalheiras de sexo que você anda aprontando. Faz de conta que você é virgem como aquele anjo do quadro na parede da sala de jantar.

— Fazer de conta que sou virgem? — disse Zito.

— Não, não é só fazer de conta, tem que agir como se fosse mesmo. Honestamente, namorar uma menina direita e sair com outras só para tirar sarro e gozar vai azarar tudo. Ela vai ficar sabendo, alguém vai entregar.

— Adultos fazem isso.

— Porque se casaram sem amor.

— Onde você aprende essas coisas?

— Conversando.

— Em casa ninguém conversa com ninguém.

— Seus irmãos conversaram com você.

— Só me falaram o que era para fazer. Depois não quiseram saber de nada do que aconteceu na estrada naquela noite, nem perguntaram se foi bom, se eu fiz direito e tal. É de lascar o cano. Se eu quiser contar para eles, me viram as costas. É como se nada tivesse acontecido. Entende por que eu tinha que contar para você? Senão, que graça tinha?

— Entendi melhor agora por que você não quis me falar do Amaro na cadeia.

— Isso mesmo. Para você ver como é, mas eu sinto falta de conversar. Acho que vou contar essa história para você.

— Se você quiser.

— É segredo. Já faz tempo e eu não tinha nascido. Lá em casa tem o Amaro, depois minhas duas irmãs, depois o Murilo e depois eu.

— Você é a raspa do tacho.

— Isso. E temporão. Meu pai ainda não tinha nada dele, e a família trabalhava de meeiros numa fazenda de café. Na hora de dividir a colheita, o patrão fez umas contas e ficou com dois sacos a mais. Meu pai sabia que ele estava errado, mas ficou quieto para não brigar. Mas, de noite, ele mandou o Amaro ir na tulha e pegar os dois sacos que eram nossos por direito. Um dos sacos estava furado e deixou uma trilha.

— O fio de Ariadne.

— Quê?

— Deixa para lá. Vai em frente.

— O patrão foi lá em casa com um machado na mão, exigindo de volta os dois sacos de café que a minha família tinha roubado, no entender dele. Xingou meu pai de ladrão para baixo. Meu pai foi lá dentro, pegou uma arma que tinha sido do pai dele e que meu avô tinha usado na guerra lá na Europa, e matou o patrão com dois tiros.

— Nossa, chegou a isso?

— Foi, e meu pai tinha uma família inteira para cuidar e não podia ser preso e mandou o Amaro se entregar no lugar dele.

O Amaro, sem reclamar, cumpriu pena trancado, coisa braba, foi até estuprado lá, e muitas vezes, ele era novinho, depois veio para mais perto, na Colônia Penal Agrícola, e depois foi solto na condicional. Mas, desde que os meganhas levaram meu irmão, nunca mais ninguém tocou nesse assunto lá em casa.

— E como você sabe?

— Porque, num dia de desespero, o Amaro bebeu demais, carraspana braba, e me contou. Ele bebia todo dia. Depois se arrependeu e me pediu de joelhos, de joelhos, você acredita, para eu ficar quieto. E eu fiquei. E agora o Amaro vai se casar com a Remédios.

— Com quem?

— Uma das duas irmãs que arranjaram uma aposentadoria lá do estrangeiro, sem nunca pagar nada, coisa lá daquele país delas. Elas moram numa casinha lá em cima, do lado onde a prefeitura está construindo a caixa-d'água, perto do campo de futebol. Duas velhotas que nem falam direito a nossa língua. Dizem que fedem — Zito disse, e se abanou numa careta.

— Acho que sei quem é.

— Ele vai se casar com ela e os dois vão embora para bem longe, onde nunca ninguém soube nem vai saber que ele é um condenado. Já está tudo certo, a outra irmã vai junto, até já venderam a casa. A Remédios e a irmã não sabem nem podem saber do passado do Amaro, senão ela dá um pé na bunda dele.

— Acha?

— Eu disse para ele não se casar, a mulher é horrorosa, nem quer saber da minha família e é mais velha que ele, muito mais. Fica falando mal de italiano, capaz de nem querer se deitar com o trouxa do meu irmão. Mas acho que ele nem vai ligar: ele só vai se casar por causa do dinheiro que ela recebe todo mês, assim ele não precisa trabalhar mais, tem onde se encostar. Ele cansou deste mundo, do pai, da mãe, de nós, de tudo. Nem acredita mais no trabalho. Além do mais, ele nunca pôde ver a filha.

— Ele tem uma filha?

— Tem e não tem. Eu contei para você que ele me mandou gozar fora, senão a moça pegava barriga. E, na vez dele, ele gozou dentro.

— O Amaro teve uma filha assim, numa ida para um baile, numa metida no barranco?

— Foi. A moça morreu no parto. Ele pegou a criança e deu para quem podia criar melhor que nós. Não levou a neném para casa, sabia que com meus pais a menina seria sempre tratada como filha de puta, o que ela era mesmo, mas era filha dele, porra.

— E era uma menina.

— Era, isso tudo eu sei, que ele me contou em outro porre que tomou e depois implorou por meu silêncio. Quando aconteceu, eu ainda nem tinha nascido, como ia saber? Acho que nem o Murilo sabe. Não posso perguntar.

— A menina ficou aqui na cidade?

— De jeito nenhum, ele não queria. Deu para alguém que tem família aqui, mas não disse quem. Levaram a menina embora. Esse segredo, ele diz que leva para a cova onde vai acabar. Os que adotaram a menina colocaram como condição que ele nunca fosse atrás dela, e ele cumpriu a promessa.

— E ninguém comenta nem quer saber do paradeiro dela?

— Não sei se alguém mais sabe o que aconteceu com a menina. Já tinha a história da morte do patrão, que ele assumiu no lugar do meu pai, e da cadeia, onde ele sentiu que não era mais homem, aí teve a história da filhinha. Não, ninguém fala nada. Quem sabe não fala. Nem eu. Parece que toda essa desgraceira com o mais velho cortou a língua do povo lá de casa, entende? Só tem uma coisa boa: Amaro parou de beber, não bebe já faz tempo. Mas nem sobre isso se comenta. Essa é a minha família, não tem conversa.

— E você acha que a minha família é diferente da sua?

— Pelo que eu vejo, é muito diferente.

— Talvez para quem vê de fora, mas nós também somos cheios dos segredos. Toda família é.

— Mas vocês não têm um segredo brabo que nem os nossos.

— Até pior. Aqui temos um assunto proibido, que é a morte dos meus pais.

— Eu nunca soube o que aconteceu com eles.

— Bom, para você ver. Mas vamos dormir porque o querosene está acabando e o lampião vai apagar. Não gosto de conversa triste no escuro.

— Posso te perguntar uma coisa, enquanto tem luz?

— Pode.

— A gaiola de arame em cima do guarda-roupa. Vi que você jogou sua camisa em cima dela.

— Ela tem meu cheiro.

— Para que que ela serve?

— É a minha gaiola.

— Para prender o quê?

— Prendia meu canarinho. Agora o preso sou eu.

— Mas você é livre. Muito complicado para a minha cabeça.

— Para a minha também.

— A luz vai acabar, um dia você me conta. Até amanhã. Ah, feliz aniversário.

9.

Depois de muitos dias de planos, discussões e arranjos, Artur e Madalena chegaram a um acordo sobre o que fazer na casa. Antes disso, receberam a visita de seu Antônio, que examinou com cuidado a construção e avaliou seu estado.

— Esta casa foi bem construída, é sólida, nenhuma trinca nas paredes. Gosto de trabalhar em construções assim porque meu trabalho ganha realce — ele disse.

Dona Madalena foi logo explicando:

— Foi construída por meu avô, num tempo em que aqui só havia umas poucas habitações precárias. As ruas estavam traçadas, mas vazias de casas. Até a igreja que existe hoje foi construída depois.

— Então ele foi um dos fundadores.

— Ah, sim. Ele comprou muitas terras nesta região, sabendo que a estrada de ferro que estava sendo construída passaria por aqui. A estação seria onde hoje fica o matadouro. Ele sabia que o trem traria o progresso. Na mesa do governador tinha um mapa com um xis marcando o lugar exato da estação. Mas sabe como é a política, outro governador foi eleito e mudou os planos. A estação foi construída a uns trinta quilômetros daqui e em torno dela nasceu logo outra cidade, e aqui eles ficaram sem o trem e sem o progresso que ele devia trazer.

— Mesmo assim, a cidade foi para a frente — contradisse o contramestre.

— Mas não como era esperado. Toda a região foi afetada, os fazendeiros estavam endividados e a maioria teve de se desfazer de suas terras. As grandes fazendas foram divididas em sítios de dez a cinquenta alqueires, que atraíram as levas de imigrantes, a maioria italianos, mas também várias famílias de espanhóis e portugueses. E foi essa repartição em propriedades pequenas que salvou a cidade, que quase morreu no berço. Passou a ter muito lugar para as famílias que chegavam do estrangeiro se estabelecerem por conta. Então o senhor vê, seu Antônio, que esta casa tem a história da cidade. Por isso minha família não quis vender nunca.

— Pois agora vamos pôr nela tudo que é moderno e que ela merece.

Com essa expectativa, a reforma começava com o pé direito, pensou seu Artur. Pena que custaria um bom dinheiro. Tinham que escolher a dedo o que era mais urgente e estava dentro do possível.

O mais importante era canalizar a água, dotando o poço com motor elétrico para puxá-la e instalando uma caixa-d'água ao lado do poço, na altura do telhado. Transformariam o menor dos cinco quartos em banheiro interno, mudando a porta que dava para a sala de jantar para a saleta de passagem, onde ficava a Frigidaire. A cozinha contaria com pia de água corrente, e torneiras abasteceriam o tanque de lavar roupa, a bancada da varanda e o jardim. O banheiro teria banheira, pia com armarinho espelhado, *box* com chuveiro elétrico, vaso sanitário e bidê, item que tomou uma semana de discussão. Artur alegava que bidê era peça de bordel francês, onde as putas lavavam as partes depois de cada michê, segundo a máxima "lavou, está nova". Madalena dizia que isso era conversa de ignorante grosseiro e que, se havia bidê na casa do prefeito, do dono do cartório, na casa do doutor Marcelo, o médico que veio de fora, e talvez em outras residências chiques que ela não conhecia por dentro, ela não ia ficar por baixo: era banheiro com bidê ou não ia ter reforma nenhuma. Madá venceu.

O resto era consertar goteiras do telhado, retocar o reboco e pintar as paredes, portas e janelas, envernizar o forro do teto, além de colocar azulejos no banheiro e acima da pia da cozinha. O banheiro recebeu piso de ladrilhos novos combinando com os azulejos das paredes. Canos de metal seriam instalados da rua até a caixa-d'água, e manilhas cerâmicas também da rua até o local onde os novos esgotos se juntavam numa caixa e dali, por enquanto, se encaminhavam à velha privada, que perderia a casinha, símbolo do atraso do país, segundo dona Madalena, e ganharia uma tampa redonda de concreto. Tudo foi pensado prevendo-se a ligação da casa com o sistema municipal de água e esgoto que a prefeitura prometia inaugurar em breve. Para não quebrar o calçamento em mosaicos de caquinhos da lateral, decidiram embutir esses encanamentos no canteiro ao longo do muro. Madalena chorou o estrago do jardim, da "touceira de proteção" e da hortinha, mas não via alternativa. Em contrapartida, exigiu que fossem embutidos os fios que corriam pelas paredes ou tetos e os que desciam do forro pela parede para terminar, junto à cabeceira da cama, numa pera, que acendia e apagava a lâmpada.

Logo pela manhã o pessoal da reforma da casa chegou para dar início ao serviço. Na véspera, o caminhão do armazém entregara a maior parte do material de construção e a serraria tinha trazido a coluna de madeira para a caixa-d'água. Começaram pelos encanamentos e pela bomba elétrica do poço, assim teriam água encanada para fazer a reforma, sem ter que usar o sarilho, que seria aposentado.

Quando dona Conceição veio trazer o almoço dos trabalhadores, ouviu os lamentos de dona Madalena sobre as plantas que seriam destruídas e se ofereceu para ajudar a dona da casa a salvar as mudas, que depois seriam replantadas, acondicionando-as durante a reforma num lugar protegido no fundo do quintal. A salvação dos vegetais cultivados por dona Madalena rendeu uma tarde de trabalho e de conversa.

— Contei seis homens trabalhando aqui hoje, dona Conceição — disse Madalena. — Tirando seu marido e seus filhos, quem são os outros?

— São dois sobrinhos. Além dos três filhos que trabalham aqui com o pai, também tenho o Caio, mas ele não quer saber de trabalhar como pedreiro, profissão de que ele não gosta. Está treinando para o trabalho de escritório, já falamos dele, não foi?

— Isso, o que é amigo do meu neto.

— Ele me preocupa ultimamente.

— Me parece um bom menino.

— E é, mas os meus santos, a senhora sabe, me dão sinal de coisas ruins na vida dele. Honestamente, não faço ideia do que possa ser.

— Vamos rezar para dar tudo certo. Não deve ser nada tão grave assim. Os garotos mais novos, de hoje, dão mais trabalho. Acho que é essa tal de modernidade. Fiquei tão preocupada quando meu marido comprou um rádio portátil para o Mateus.

— Eu soube e achei maravilhoso. Agora ele pode ouvir em todo lugar, até na cama, as músicas de que ele gosta e acompanhar as partidas de futebol.

— É verdade, mas, aonde quer que vá, também escuta as notícias do mundo, e no mundo de hoje acontece muita coisa ruim.

— Mas não podemos esconder deles o que o mundo tem de danoso. Eles têm de aprender a fazer suas escolhas.

— A senhora tem razão.

— Vou indo, mas antes quero lhe dizer, dona Madalena, que é mesmo muito oportuna esta reforma. A família vai crescer, gente nova vai chegar, muita riqueza também virá.

— Ganhamos recentemente meu neto, Mateus. Quem mais haveria de chegar? E riqueza, só se for de amor, de amizade, o que já seria mais do que bom. Mas com base em quê, essa sua previsão, hein, dona Conceição?

— Apenas intuição, dona Madalena. Sou uma mulher que vê o que não deve e fala o que não sabe — disse dona Conceição, com um balanço de cabeça confirmando as palavras ditas.

— Entendi. Andou proseando com seus santos.

— Gosto que a senhora me entende. Mas não leve a sério o que eu disse.

— Claro que eu levo.

Com a reforma quase completa, Artur chamou Madalena, dizendo que seu Antônio tinha algumas ideias e queria que ela ouvisse.

— Se for para gastar mais, nem quero ouvir — disse Madalena.

— Acho que compensa.

Antônio, marido de dona Conceição, era um homem de pele mais clara que a da mulher, alto e parrudo, como se espera de um pedreiro, e exibia com orgulho um dente de ouro em seu sorriso de dentes brancos e bem-feitos. Madalena sabia que ele não tinha necessidade de nenhuma coroa na boca, sua dentição parecia perfeita. Mas deve ter economizado para pagar a colocação daquela jaqueta de ouro num dos incisivos, uma velha moda, ultrapassada, que insistia em não desaparecer completamente. Quando perguntado, ele dizia com satisfação: "Obra-prima do seu Oscar". O consultório do dentista Oscar, talvez por ele ser casado com Aurora, uma preta que fora sua empregada, era procurado por gente mais simples. Pessoas de posição social mais elevada preferiam tratar seus dentes com o doutor Lelinho, profissionalmente menos experiente que o marido de dona Aurora mas que podia ser encontrado no mesmo clube que essas pessoas frequentavam.

— Dona Madalena, se a senhora me permite — disse seu Antônio, tirando o chapéu de palha —, temos material sobrando que daria para fazer uma pequena melhoria para aumentar o conforto da casa.

— E o que seria, seu Antônio?

— Lá no fundo, perto do galinheiro e da horta, podíamos fazer um telhadinho, uma meia-água com uma parede e o chão cimentado, para acomodar um fogão baixo, de boca larga, apropriado para um tacho, para ser usado quando se precisar lidar com porco, derreter a banha, depois fazer o sabão, e também para fazer doce que demora no fogo. Goiabada em tacho de cobre não tem igual, concorda? Eu também podia fazer ali uma base para instalar o torrador de café, uma bancadinha para fixar o moinho e que podia servir para outras necessidades. Puxaríamos um cano até lá para instalar uma torneira, coisa simples. A senhora nem precisaria sujar a varanda quando tivesse que fazer esses serviços. E não ficaria sujeita a tomar nem sol nem chuva! O que a senhora acha?

— Acho a ideia ótima, mas precisamos ouvir a opinião do meu marido, porque aqui em casa quem dá a última palavra é ele, como tem que ser.

Artur, do lado, piscou para seu Antônio e disse:

— Dou meu consentimento.

Madalena pediu licença para ir cuidar do almoço, que naquele dia sairia mais cedo: o neto tinha se comprometido com um amigo a ajudá-lo numas tarefas no sítio. Antes de se dirigir à cozinha, disse ao pedreiro:

— Dona Conceição deve estar chegando. Seu Antônio, por favor, peça a ela para encontrar comigo lá dentro. Ela vai me ensinar a preparar uns temperos novos.

No final das contas, a reforma da casa pouco incomodou Mateus. Não faria muita diferença, tirando-se, é claro, o fato de que não precisaria mais usar o penico de noite e a privada dos fundos de dia. Nem mijar na rua. Sentiria saudades dos desenhos do infinito? Chuveiro elétrico também era superbom. Água nas torneiras sem precisar fazer força era ótimo. O resto, pensou ele, era mais uma questão de melhorar a posição social dos avós, o que era merecido. Casa boa dava prestígio. Para ele, de qualquer jeito estava bom, gostava da casa como era, e pronto.

A reforma veio dos fundos para a frente e, antes que os homens de dona Conceição se aproximassem de seu quarto, Mateus chamou o marceneiro e mandou instalar na porta central de seu guarda-roupa uma potente fechadura. Guardou a gaiola ali, trancou com a chave e a pendurou na correntinha que trazia no pescoço. Com isso voltou a se sentir seguro e tranquilo.

Com gente desconhecida circulando pela casa, seu contato com a gaiola exigia algum esforço: ele tinha que destrancar o guarda-roupa para cobri-la toda noite com a camisa usada e, de manhã, retirar a camisa e a colocar entre as peças que seriam lavadas.

Quando a reforma estivesse concluída, tudo voltaria ao normal, pensou: não se tratava de nenhum drama, mas apenas de uma questão de disciplina, que era o seu forte.

10.

A reforma avançava e, num desses dias, logo depois do almoço, Zito foi buscar Mateus para ir com ele a um dos sítios da família, usado para a engorda de novilhos. Zito tinha que mudar o gado de um piquete para o seguinte, rodízio necessário à preservação do capim, e levar quatro sacos de sal. Por causa do peso, iriam com o carrinho de duas rodas puxado por uma égua. No sítio, Zito queria fazer uma surpresa para o Mateus, e nem adiantava perguntar o que era, que ele não diria. Se quisesse descobrir, era só subir no carrinho. Mateus deu tchau à avó e os dois pegaram a estrada poeirenta.

Depois de guardar o sal num pequeno depósito, e antes de tocar os novilhos de um piquete para outro, Zito sugeriu:

— Vamos dar um pouco de alegria para esta égua? — Disse isso, e deu risada.

Levou a égua até a cocheira e a prendeu numa seringa, o corredor de madeira usado para vacinar e castrar os animais. Fechou a portinhola traseira e baixou uma tábua. De pé em cima da tábua, Zito tinha os quadris mais ou menos na altura do rabo da égua.

— Essa é a primeira parte da surpresa — disse ele a Mateus, que tinha entendido o que estava para acontecer; o amigo já falara das éguas.

Zito abaixou as calças e a cueca. O animal parecia nem aprovar nem reprovar. Quando ele terminou, a égua relinchou, se foi de prazer, alívio, ou por nada, Mateus não saberia dizer.

— Não gozei dentro, ela está limpinha, pronta para te receber, meu camaradinha.

— Obrigado pela consideração, meu chapa.

— Venha, sobe aqui.

— Pensar que nem um mês atrás você era virgem!

— Era virgem de mulher. Era virgem, mas não era tanto e nem tonto — disse Zito, se divertindo.

— Então a história de que pegaram você comendo o Felipe no vestiário é verdade?

— Quem come direto o Felipe é o nosso amigo Caio, o do escritório, não me comprometa. Eu só estava consolando um rapazinho que se sentia solitário, porque o outro estava ocupado no trabalho.

— Você sabe que ninguém aprova esse tipo de coisa.

— Não aprova mas faz. Isso é que é.

— E quem paga o pato é gente como o Felipe, que faz o que ele faz. Quem come pode até contar e tirar vantagem, e ninguém liga.

— É assim em tudo, cara. Tem os de baixo e tem os de cima.

— Pode ser. Mas me diga uma coisa: seus irmãos também fazem essas coisas com os animais?

— Ah, moleque da roça aprende logo. Faz com égua, cabra. Vaca não deixa, ela dá coice. Aprendi com meu irmão Murilo e com o Nino, filho de um empregado do outro sítio, mas agora meu irmão diz que só faz com mulher. Esse filho do empregado, um bitelão com cabeça de rolinha, que agora é casado e pai de um menino, tentou pegar uma novilha e ela deu um coice que deixou o saco dele deste tamanho, parecia que tinha duas laranjas dentro, e a mãe do coitado ficou não sei quanto tempo fazendo uns banhos nas partes dele com erva-de-santa-maria. Se fosse eu, morria de vergonha. Agora, o Murilo, que já foi muito de meter em égua barranqueira, vem me dizer que isso não é coisa para homem-feito fazer, mas eu duvido. Na precisão, vale tudo.

— E chegou a vez de você ensinar, é isso?

Zito riu, e puxou Mateus pelo braço para cima da tábua, dizendo:

— Nós estamos aqui para meter ou para conversar? Vai logo.

Depois, foram cuidar das obrigações e, em menos de uma hora, o serviço estava feito.

— Agora vamos para a segunda parte, a diversão de verdade. Vou te mostrar nossa cachoeirinha.

Andaram pelo pasto por uns dez minutos, suando sob um sol quente de rachar. Chegaram a um lugar bonito, com uma pequena queda-d'água em meio a um bosque de bambus e algumas árvores que forneciam boa sombra. A água, saída de uma mina próxima, caía numa espécie de tanque de pedra e dali corria por uns vinte metros até formar uma lagoinha, da qual uma corrente de água, limpa que só, vazando sobre uma calha de areia branca, dava origem a um riachinho que seguia mato adentro.

— Vamos mergulhar — falou Zito.

Os dois brincavam nus na lagoinha, nadando, um tentando dar caldo no outro, plantando bananeira.

— Já se recuperou da nova experiência? — perguntou Zito.

— Eu já.

— Então como é que foi, melhor do que com a mão?

— Diferente. Mais quentinho, macio, receptivo — disse Mateus, meio tímido.

— Receptivo? Nossa, nem sei o que isso quer dizer. Pela tua cara deve ser uma coisa boa.

— Não seja burro. Legal, mas meio animal — Mateus falou, caprichando no jogo de palavras.

— Ainda não viu nada.

— Nós já vamos embora?

— Daqui a pouco. Vamos tomar um solzinho ali nas pedras da cachoeirinha.

Zito era um varapau branquelo, com o rosto, o pescoço e os braços queimados de sol, o cabelo ruivo marcado pelo chapéu. Tirando as partes avermelhadas em que tomava sol, lembrava uma mandioca descascada. Deitado de costas ao lado da cachoeirinha, mãos sob a nuca, parecia um lagarto, se é que lagarto vira de barriga para cima para tomar sol. Mateus pensou nisso e deu risada. Ele tinha se sentado com os pés na água.

— Rindo do quê, ô bostinha?

— Nada, não, Zito. É que para você tudo parece tão normal.

— Ah, depende, né? Você, peladinho assim, seria normal...

— Sai fora!

— Calma. Brincadeira. Sossega aí, que você não está vendo o que eu estou vendo.

A poucos metros da cascata, uma cerca de arame farpado separava a propriedade da família do Zito da dos vizinhos. Zito fez sinal para Mateus olhar naquela direção. Uma mulher jovem, bonita de chamar atenção, pele branca e cabelo comprido e solto, vermelho como o de Zito, vinha para o local onde eles estavam. Tinha os seios apertados pela blusa de algodão grosseiro, que não escondia o formato petulante dos mamilos. Sua saia era rodada e colada na cintura fina. Tinha cadeiras largas, e as coxas escondidas pelo pano rústico prometiam uma visão esplendorosa. Trazia apoiada no quadril uma bacia que parecia cheia de roupas. Decerto vinha lavá-las na lagoa. Passou a bacia para o lado da cerca em que eles estavam, empurrando-a pelo chão, prendeu a barra da saia na cintura, afastou dois dos arames com um pé e uma das mãos e atravessou sem dificuldade. Pegou a bacia, viu os rapazes e sorriu, descendo a pequena ladeira que a separava deles.

Mateus vestiu a cueca e a calça correndo e apressou Zito.

— Se veste rápido, ela vai pegar você pelado.

Zito sorriu, continuou deitado, se alisando com uma das mãos, como se nada estivesse acontecendo, e fez sinal com a outra mão para Mateus ir se esconder no bambual, apontando com um dedo o próprio olho e depois a cachoeirinha, o que significava que Mateus devia ficar olhando o que ia suceder.

Com o marulhar da cascatinha e porque os outros dois falavam baixo, Mateus não ouviu o que diziam. Estranhou que a moça não tivesse se espantado com a nudez do amigo.

Ela pôs a bacia no chão, se abaixou e começou a acariciar Zito pelo corpo todo. Ele continuava deitado, agora com um mastro apontando para o céu. Viu que ela tirou os chinelos e depois as calcinhas. Viu quando levantou um pouco a saia, posicionou-se com um pé de cada lado dos quadris do Zito e foi descendo, segurando-se nas mãos que ele lhe estendia. Ela se encaixou nele e iniciou o movimento de sobe e desce, até que ele começou a se movimentar também. Ambos emitiam grunhidos cada vez mais altos. Viu quando ele se segurou nos tornozelos dela, dando fortes solavancos para cima com os quadris. No final, gritaram juntos e demorado, ela se soltou dele e os dois ficaram deitados lado a lado, quietos.

Mateus viu quando ela apontou para o bambual onde ele estava e falou alguma coisa para o outro. Zito se sentou e fez sinal para que Mateus se aproximasse. Mateus nem se mexeu, mas Zito

100

fez sinais mais incisivos e, entre temeroso e intimidado, o garoto se aproximou deles.

Não houve tempo para que ele pensasse em nada. Com Zito ali do lado, recuperando o fôlego, a mulher tirou as roupas de Mateus e sorriu ao ver seu estado de excitação, ele de pé, ela ajoelhada diante dele. Ela o chupou, e ele queria que ela não parasse nunca mais. Quando ele gozou, gritou feito um porco apunhalado mas ainda vivo. Ela se levantou, alisou com a mão o cabelo de Mateus e disse apenas:

— É doce! Como a porra de um anjo.

Pegou a bacia e se dirigiu à lagoinha para lavar a roupa.

A meio caminho, se voltou e falou para Zito:

— Daqui a uma semana, quando vier trocar os piquetes, dá um jeito de vir sozinho, mas traz o garoto. E traz uma camisa.

Zito mostrou para ela a camisa que estava para vestir e fez um gesto de que não tinha entendido. A moça se explicou:

— Uma camisa de vênus para ele, seu burro. Ele não é branquelo feito nós.

Por iniciativa de Zito, os dois se vestiram e foram para o mangueirão atrelar a égua aos varões do carrinho.

Na estrada, voltando para a cidade, Mateus tinha muitas dúvidas.

— Você gozou dentro.

— Gozei, por quê?

— Lembrei do que o Amaro falou para você. E se ela pegar barriga?

— Não tem problema, ela é casada.

— Mas o marido podia perceber que o filho não era dele!

— Que jeito? O filho ia parecer com ele.

— Mas como, se o filho seria teu?

— Ele é meu primo, mesma família, tudo branquelo de cabelo vermelho.

— Seu primo? E se ele visse vocês dois ali?

— Meu primo está ajudando meus irmãos em outro sítio, bem longe. Não mora mais ninguém aqui perto. Não tem erro.

— Você com a mulher do seu primo...

— Normal.

— Também não entendi a história da camisa de vênus.

— Não entendeu o quê? Você é mais moreninho, pelado se vê bem. Ela não quer se arriscar a ter um filho que não se pareça com o marido dela. Vai ter que vestir o seu pipi com borracha, com uma camisinha, se quiser fazer com ela o que eu fiz hoje.

— Será que ela quer? Minha Nossa Senhora!

— Sei lá. Ela que sabe.

— E onde você vai arranjar essa tal de camisa de vênus? Na farmácia?

— Eles só vendem para adulto, de moleque ficam tirando sarro. Eu, hein. Mas tenho uma aqui na carteira. Roubei do Murilo para o caso de uma precisão. Entendeu?

— Não estou entendendo direito — Mateus se fez de bobo.

— Tá, sim. Você vai comigo trocar os pastos na semana que vem ou não vai?

— Puta que pariu, ora se vou!

Em seguida, tirou do bornal seu Mitsubishi e um cigarro surrupiado do avô. Passou o cigarro e uma caixa de fósforos para Zito acendê-lo, enquanto ele sintonizava o rádio em seu programa preferido àquela hora. Anísio Silva cantava seu sucesso do mês: "Quero beijar-te as mãos, minha querida, senta junto de mim, vem, por favor. És o maior enlevo da minha vida, és o reflorir do meu amor".

Mateus suspirou, e Zito pensou se o tonto já estaria apaixonado. Passavam o cigarro de um para o outro sem se falar. Não eram grandes amigos, pensou Mateus, mas nunca tinha tido antes alguém que dividisse com ele tantas formas de prazer e sabedoria.

O cigarro foi fumado até o fim e não havia mais assunto a conversar. O rádio continuou tocando: "Sinto nesta ansiedade que minha alma invade, que me faz sofrer. A luz de um divinal querer, eterna glória de viver. Se tu me quiseres tanto quanto eu que vivo para te adorar, será um mundo de esplendor o nosso amor".

Saindo do torpor da canção, Mateus perguntou a Zito:

— Se o teu primo pega a mulher dele ali na cachoeirinha dando para outro, tudo bem?

— Tudo bem, como?

— Como ele reage?

— Ele mata os dois. Na minha família não tem história de corno manso.

11.

Pulando sobre canos, desviando-se de pilhas de tijolos e montes de areia, Artur estava saindo de casa e encontrou Heitor, que vinha entrando pelo corredor lateral à procura de Mateus.

— Oi, Heitor, acho que o Mateus está tocando violão no quarto dele. Vai lá.

Mateus já tinha guardado o violão, que aprendia com uma professora da escola. Ela lhe dava umas aulas particulares e nem cobrava. Mateus recebeu Heitor com festa.

— Quer tocar?

— Quem me dera. Tenho de estudar análise sintática para a prova de português. Acho difícil esse negócio de oração subordinada, conjunção adversativa, nem sei o que isso quer dizer. Para mim, oração era reza, agora é essa gramática do caralho.

— Já sei, precisa de uma mãozinha.

— Quando você explica, eu entendo melhor.

— Vai me pagar?

— Que jeito? Minha amizade não vale nada?

— Vale, mas não enche barriga.

— E o que você vai comer lá em casa, não conta?

— Aí já mudou o panorama. Qual a encrenca desta vez?

— Você sabe muito bem que eu fiquei para a prova de recuperação. Bom, o Giba também pediu para estudar com a gente.

— Ele não morreu?

— Claro que não! Tinham se mudado daqui, mas voltaram esses dias, o negócio não deu certo.

— Ah, bom, é que eu não vejo o Giba desde que enterramos meu canarinho.

— É mesmo. Mas tem outra coisa.

— Mande.

— Estou meio desanimado, com preguiça de pegar no caderno, só querendo dormir. Será que você arranja aquelas coisinhas que põem a gente em ponto de bala, prontos para arrasar nas provas, com vontade de varar a noite estudando?

— Hum, está a fim de rachar mesmo. Posso tentar conseguir, mas isso tem que ser segredo absoluto, porque é mais proibido que cachaça. Não fala para o Henrique, para ninguém.

— Pode deixar — prometeu Heitor, fazendo com os indicadores uma cruz sobre a boca, sinal de juramento.

— O Giba já experimentou?

— Foi ele que mandou eu pedir para você!

— Voltou esperto, ele. Vou dar uma passada ali em cima e encontro você já, já em sua casa. Na ida, passa e leva o Giba. Eu vou dar uma dura nele. Ir embora e nem se despedir, para depois vir chorar que gramática é difícil. Para mim é até bom dar uma saída, porque a minha casa está invadida por uma tropa de uns pretos desse tamanho, fazendo uma barulheira do caralho.

— Pretos desse tamanho? — falou Heitor assustado. — Bandidos?

— Tá doido? Gente muito legal. São os pedreiros que estão reformando a casa, todos parentes do Caio.

— Ah, bom. Eu vi a bagunça que está.

— Você tem dinheiro para pagar os breguetes?

— Nem um puto.

— E quer que eu faça milagre? Assim não dá, né? A coisa custa caro.

— Por favor, nem todos têm a cabeça que Deus te deu.

— Qual das duas?

— Que saco. Eu vou embora...

— Está bem, vou pedir o dinheiro para a minha avó. Vou dizer que é para comprar caderno e coisa e tal. Mas depois você me paga.

— Eu sempre paguei minhas penduras.

— Não vou negar. Nem preciso dizer que essa história de comprar caderno é mais um segredo nosso. Abriu a boca, melou nossa amizade.

Logo depois, na casa de Heitor, os três em volta da mesa, com os cadernos abertos, e preparados para estudar até tarde da noite, pílulas tomadas, Heitor se saiu com esta:

— Antes de começarmos, não vai contar para nós a história do gostinho doce da porra de anjo?

— Filho da puta do Zito. Ele contou para você?

— Contou para nós dois, mas daquele jeito mal contado dele — confessou Heitor —, mas a gente acha que o melhor era escutar tudo da tua boca. Para falar a verdade, achamos que ele estava inventando. Ninguém tem porra doce. Porra é amarga, fede e amarra a língua.

— Quer dizer que agora temos na turma um entendido em porra? Onde vamos parar? Ele já provou a sua, Giba?

— Deixa de me sacanear e conte logo. E depois vamos estudar. Se eu não passar de ano, meu pai disse que me dá uma surra com o fio do ferro de passar roupa. Conta logo, já estou sentindo a animação da pilulinha.

— Tá bom, agora não dá mais para esconder, pelo menos de vocês. Depois eu me entendo com aquele branquelo língua de trapo. Vou contar, mas é para guardar segredo, os dois, está bem? Tem mulher casada na jogada e isso pode terminar em assassinato: o meu assassinato. E não quero ninguém descabelando o palhaço perto de mim, que a história parece aquelas de catecismo de sacanagem, que vocês escondem debaixo do travesseiro. Mas primeiro vamos jurar guardar segredo.

— Juro.

— Você também, Giba.

— Juro.

Mateus contou nos mínimos detalhes que havia conhecido no sítio da família do Zito, onde engordavam o gado, uma mulher casada com um primo dele que tomara um coice de uma vaca bem no meio das pernas, na frente, e que por isso ficara impotente. Foi levado para um hospital da capital, onde seus testículos esmagados pelo casco do animal foram trocados por duas grandes bolas de gude, de vidro, para que ele pudesse pelo menos manter as aparências, caso tivesse que se despir na presença de outras pessoas.

O membro viril não sofreu nenhuma avaria física, porque o coice pegara por baixo, acertando apenas as bolas. Mas, como as bolas originais não existiam mais, o dito membro praticamente morreu. Assim, as coisas que o marido da prima fazia com ele, quando em bom estado, agora tinha que fazer usando os dedos da mão. Eis então que o mocorongo, que conhecia um pouco das artes do entalhador, esculpiu em madeira uma réplica do seu órgão que, carinhosamente, chamavam de "o belo adormecido". Ele o reproduziu ereto, duro como o pau de que era feito e, Zito desconfiava, maiorzinho que o original. A base era enfeitada por uma cabeleira produzida com crina de cavalo, enquanto, no outro extremo, brilhava a cabeça, tingida num tom rosa-pálido. Um pequeno saco de pele de cabra, sob o falo falso, continha o líquido precioso, o qual, evidentemente, não passava de uma imitação, que levava água, leite, Maizena e mel. Um estreito canal que atravessava a peça desde a base até a cabeça, liberava jatos da porra de mentirinha. Era só apertar o saco com jeito. Tudo tão perfeito que parecia o modelo usado por Deus quando fez Adão, acharam eles.

Mateus contou ainda que no sítio havia uma cachoeira e um laguinho por ela formado, onde o casal costumava realizar intercursos conjugais sob o céu ensolarado ou estrelado, a depender da hora. Quando Mateus foi ao sítio com o Zito, eles visitaram a tal cachoeira e lá assistiram à cena de penetração da mulher pelo marido, que usava, evidentemente, preso em suas partes baixas, o pau feito de pau. Estando a mulher pronta para praticar o prazer maior, depois de muito esfrega-esfrega, ele a penetrava com o falo artesanal e, no momento certo, se posicionava de modo que ela colhesse na boca o leite do amor. Era nesse justo instante que a mulher dizia: "É doce! Como a porra de um anjo".

Ainda naquela tarde, o marido foi trabalhar num pasto distante — continuava o caso —, e Zito convidou a prima à cachoeira, onde lhe pediu que provasse o leite do amor de Mateus, pessoa que ela cismava tratar-se de um anjo disfarçado. Ela concordou e a experiência do instrumento marital foi repetida, mas agora usando um instrumento de verdade, o do Mateus. Quando chegou o gozo, ele deu de beber à mulher e ela proferiu a frase já famosa: "É doce! Como a porra de um anjo". Sim, tratava-se de criatura caída do céu, por qual razão, não se sabia. Como uma curiosidade leva a outra, Zito pediu à prima que repetisse a experiência com o instrumento dele, mas, dessa vez, as palavras com que ela definiu a qualidade do líquido precioso foram outras, a saber: "É amarga! Como a porra de um demônio".

— E foi assim, meus amigos, que tudo aconteceu e eu perdi a virgindade.

— Desculpem, mas eu tenho que ir ao banheiro — disse Giba, se levantando.

— Aproveito e vou depois do Giba — falou Heitor, também se pondo de pé.

— Aconselho os dois a irem juntos ao banheiro. Aproveitem, e experimente cada um o gosto do outro — propôs Mateus. — Assim podemos ir mapeando toda a porra da cidade, e acabaremos por saber se somos majoritariamente de porra doce ou de porra amarga, ou, nos termos da prima do Zito, se a cidade está mais para anjo ou mais para o diabo.

— Só que você, Mateus, não passa de um mentiroso cara de pau — disse Heitor, reagindo à provocação. — Não tinha nada de pinto falso na história que o Zito contou, e o fim era muito diferente: você continua virgem que nem nós. Querendo contar vantagem... Quer saber? — E, sem combinação prévia, proferiu juntamente com Giba um enfático "Vai tomar no cu".

Mateus não perdeu a compostura e disse:

— Mas os dois adoraram a história, aí estão suas cuecas meladas que não me deixam mentir. Agora, tem uma coisa: eu bem que avisei que essas pílulas eram muito poderosas, e quem pediu foram vocês dois. Se a verdade saiu um pouco diferente na ponta da minha língua, a culpa não foi minha, ou não foi só minha.

Deu risada deles, que saíam às pressas da mesa, e completou:

— E voltem rapidinho, porque temos à nossa espera as orações subordinadas reduzidas de gerúndio.

12.

Às catorze horas, de segunda a sexta-feira, Mateus sintonizava uma rádio da capital para ouvir o programa *Telefone Pedindo Bis*, líder nacional de audiência, comandado por Enzo de Almeida Passos e transmitido diretamente da loja Eletroradiobraz. Tocava os sucessos da temporada e repetia, no final, as três músicas mais pedidas pelos ouvintes que telefonavam durante o programa e votavam em sua preferida. Mateus, embora nunca ligasse, pois não tinham telefone em casa, em geral acertava as campeãs do dia. Os ouvintes podiam escrever antecipando quais seriam as três campeãs do mês seguinte. Dentre os que acertavam, três eram sorteados e cada um recebia de prêmio um disco *long-playing*, em que estava gravada uma de suas músicas indicadas. O ouvinte podia escrever quantas cartas quisesse, bastando juntar a cada uma delas uma embalagem do sabonete Vale Quanto Pesa. Mateus escreveu uma carta só, pois dona Madalena costumava comprar o sabonete Lever, "o preferido por nove entre dez estrelas do cinema".

Nem quis acreditar quando seu nome foi anunciado como

o ganhador, aliás, o único acertador, o que lhe daria os três LPs, e mais dois, de brinde, estes à escolha da produção do programa. Quem sabe agora seu avô não se animava e comprava um *hi-fi*, imaginou. Mas havia um problema: os discos deviam ser retirados pessoalmente pelo ganhador, ou por um portador autorizado, na loja e durante o programa. Isso era impossível. Uma viagem à capital, só em caso de cirurgia no coração, daquelas que apenas o doutor Zerbini podia realizar. Mesmo assim, ele contou para os amigos.

A solução veio da casa de Heitor, que comentou no almoço a triste história do amigo que "ganhou, mas não levou". Por acaso, Hélio estava em casa, e pediu ao filho os pormenores do caso. Sem demora se prontificou a resolver o problema: sua viagem seguinte incluía uma entrega na capital, justamente num endereço muito próximo do local onde o programa era transmitido. Não lhe daria trabalho algum. Ele traria os discos. Era só o Mateus escrever a autorização e esperar por sua volta. Hélio ficou todo orgulhoso ao saber que, como representante do ganhador do mês, seria entrevistado e deveria dizer ao microfone, o país inteiro ouvindo, que em sua casa só se usava o sabonete Vale Quanto Pesa. Mandou Helena comprar logo um desses sabonetes, para que ele experimentasse e pudesse falar com conhecimento de causa sobre o perfume, a cor e a espuma do produto. Hélio disse que acrescentaria: "Depois do banho com Vale Quanto Pesa, eu me sinto limpo, renovado e muito mais atraente". Helena achou um exagero e mandou que ele cortasse o "muito mais atraente".

Quase um mês depois, já conformado com a ideia de que o *Telefone Pedindo Bis* não daria em nada, Mateus foi surpreendido por Heitor, que entrou correndo em sua casa com um grande pacote nas mãos.

Rasgaram o embrulho e foram conferindo os discos, logo

separando aqueles indicados por Mateus como campeões dos pedidos de bis: *Paul Anka*, com Paul Anka e a orquestra de Don Costa; *Estúpido Cupido*, com Celly Campello; e *Hollywood in Rhythm*, com Ray Conniff. Já dava para endoidecer. Não querendo riscá-los com a agulha da vitrola velha, Mateus pediu a Heitor que pegasse sua bicicleta e fosse em busca do Turco e sua vitrolinha *hi-fi*. Dos LPs que vieram como brinde, o *Sabrás que te quiero*, do cantor argentino de boleros Roberto Yanés, era indispensável num bailinho, para a hora do mela-cueca. Suas músicas "La barca", "La puerta", "Tú me acostumbraste" e outras joias eram para dançar agarradinho, eita! Nos outros discos ainda tinha "Túnel do amor", "Estúpido Cupido", "Diana", "Jambalaya", "Crazy Love", "Love Is a Many Splendored Thing". Não havia concorrente na cidade. Ninguém mais por ali dispunha de tão amplo e atual repertório de *rock and roll* americano, *rock and roll* brasileiro, foxtrotes, boleros, baladas e qualquer outro tipo de música romântica: tudo o que é bom para dançar. O baile estava pronto.

O quinto disco era um mistério: *Chega de saudade*, de João Gilberto. Mateus nunca ouvira falar nem das músicas nem do cantor, mas ter uma coisa assim tão diferente, que ninguém na cidade nem pensava em ter, o encheu de orgulho. Vai ver que era o futuro chegando e ninguém tinha se dado conta.

Quando o Heitor, o Turco e sua vitrola, mais a Cristina e o Caio, encontrados pelo caminho, chegaram para ouvir as novidades, a seleção do que tocariam no bailinho foi se formando naturalmente.

Do disco-brinde de João Gilberto, Mateus fez questão de ouvir pelo menos a faixa-título "Chega de saudade". Em seguida ouviu de novo, prestando atenção na letra, que dizia no começo: "Vai, minha tristeza, e diz a ela que sem ela não pode ser". E mais adiante: "Chega de saudade, a realidade é que sem ela não há paz, não há beleza, é só tristeza e a melancolia…". Mateus não sabia o que significava ter uma namorada tão amada e a perder. Mas sabia o que era a perda e a tristeza, e sentia ser possível acreditar nas chances de ser feliz. Acreditou que os autores diziam a verdade quando João Gilberto cantava: "Mas se ela voltar, se ela voltar, que coisa linda, que coisa louca, pois há menos peixinhos a nadar no mar do que os beijinhos que eu darei na sua boca". E depois: "Dentro dos meus braços os abraços hão de ser milhões de abraços, apertado assim, colado assim, calado assim, abraços e beijinhos e carinhos sem ter fim...".

— É música de Tom Jobim e letra de Vinicius de Moraes — disse Mateus, lendo a contracapa.

— Mas qual é o ritmo? Nem samba nem nada que eu conheça — disse Cristina, filha de um músico amador, tocador de saxofone e bateria, de modo que de ritmos ela entendia desde o berço.

— Não sei, e o violão é cheio dos truques — disse Caio, que tocava pandeiro em família —, e não tem nada a ver com os acordes do Mateus nas serenatas que a gente faz. Você sabe que ritmo é, Mateus?

— Também não reconheço. Deve ser coisa nova.

— De qualquer jeito, vamos tocar essa faixa no baile — propôs Caio. — Com ela, os namorados brigados vão voltar.

— E quem não namora, vai ficar prestando atenção nos peixinhos — falou Cristina. — E nos muitos beijinhos para dar.

Foi vaiada e todos caíram na risada.

Caio disse que queria ser o *disk jockey* da brincadeira dançante que, com certeza, eles iam organizar.

— Vou tocando as faixas que nós vamos escolher e, durante a brincadeira, aceito pedidos de outras músicas disponíveis, para atender o gosto de todo mundo.

— Quem fica só na vitrola não dança — comentou Cristina. — Você vai se chatear.

— Nada — disse Caio. — Eu não tenho com quem dançar.

— Caio, vamos arranjar alguém para dançar um *rock and roll* com você — disse Mateus.

Caio respondeu rápido:

— Pode deixar, que eu mesmo gosto de escolher com quem eu danço.

Ficaram um bom tempo ouvindo os discos e fazendo a lista. Se o baile estava chocho, punham um *rock* para animar; se o clima geral era de namoro, caprichavam nos boleros. Para não estragar a reunião, dona Madalena tratou de preparar um superlanche. Principalmente porque mais tarde outros amigos foram aparecendo. Notícias corriam como o vento.

Quem reclamou foi o seu Artur. Ele tinha comprado uma vitrola modelo alta-fidelidade, com falantes de cada lado, um móvel na cor marfim, de linhas elegantes, que estava para chegar, e agora, com Mateus insistindo que ele comprasse um aparelho desses, pareceria que a iniciativa havia sido do neto e não dele. Tinham estragado a surpresa. Também achou que faltavam uns discos de tango, o da Dalva de Oliveira seria o máximo, alguma coisa mais clássica, por que não Cascatinha & Inhana?

— Você pode comprar seus preferidos, Artur. Eu vou comprar os meus, do Chico Alves, da Marlene, da Linda Batista. Mas estou preocupada com uma pequena coisa, ou grande coisa, não sei. O dinheiro do terreno que vendemos está dando para tudo isso, reforma, móveis e até vitrola nova?

— Falta um pouco, mas damos um jeito.

— Não seria melhor suspender a compra da vitrola?

— Não. O Mateus ficaria decepcionado. E nem daria, ela já está chegando.

— Vem quando?

— Já chegou na estação ferroviária. Fui avisado que virá no próximo caminhão da estrada de ferro. Mas ainda é um segredo. Foi só falar, e o caminhão parou na porta.

Na tarde do dia seguinte, Mateus saiu de bicicleta, avisando aos amigos que a brincadeira seria no sábado, com vitrola nova e tudo. Seria na casa dele, e estava chamando os mais chegados para uma reunião à noite, para tratarem dos preparativos e da lista de convidados.

Cada um tinha seus nomes preferidos, que somavam perto de trinta. Mateus quis chamar os irmãos Neia e Felipe, que não faziam parte da turma mas eram considerados os melhores dançarinos da cidade. Aos sábados, com o carro do pai e Neia ao volante, os irmãos saíam para dançar onde quer que houvesse um baile. Neia ensinaria muitos a dançar, e isso era uma coisa que ela gostava de fazer, tendo até recebido no ano anterior, numa cidade vizinha, o troféu de Professorinha do Foxtrote. *Rock and roll* era com Felipe, melhor que ele não tinha.

Cristina chamou Mateus e Heitor à cozinha para dizer:

— Eu não quero pichar ninguém. Convidar a Neia tudo bem, mas falam que o Felipe gosta de garotos. Só estou falando porque você é o dono da casa. Depois vão dizer…

— Deixe falar, cada um fala o que quer — se esquivou Mateus.

— Mas é verdade. Pegaram ele chupando o Zito no vestiário da quadra da escola e o Felipe foi suspenso uma semana por causa disso — disse Heitor. — Não é só falatório.

— Olha a Cristina aí, Heitor, cuidado com o que fala — alertou Mateus.

— Tudo bem, Heitor, eu não ligo — liberou Cristina.

— Mateus, se você quiser, faço uma lista de quem já comeu o Felipe — acrescentou Heitor. — Eu não estou na lista, não. Não me olhem com essa cara. Tá louco, sô!

— Saber dessas sem-vergonhices, eu sei, mas aqui em casa, no meio de nós todos, quem vai ter o topete de sair da linha? Depois, se alguém falar, a gente faz cara de surpresa e diz que não sabia, pronto — disse Mateus. — Também, se for olhar os defeitos de cada um, ninguém passa na peneira.

— Oh, por mim tudo bem — disse Cristina. — Se ele é bom de *rock*, é do que nós precisamos: aqui é tudo perna de pau. O que ele faz por aí não interessa. Desde que não seja com meu irmão.

— Então ponha os dois na lista.

Difícil foi convencer seu José, o pai do Japinha. Massao iria com certeza, era homem e devia se integrar na vida da cidade. Michiko e Mikiya ainda eram pequenos demais para sair, e Yoko, apesar de ser uma jovem quase adulta, devia ficar em casa cuidando da irmãzinha e do irmãozinho e fazendo companhia para a mãe. Mateus, Cristina e Heitor passaram quase uma tarde na chácara do seu José, que os levou para visitar a plantação. Ele arrendara, no limite da cidade, um alqueire de terra antes da subida para o cemitério, onde plantava de tudo, desde tomate a abobrinha, pepino e quiabo, alface, couve, enfim, tudo que era legume e verdura. Antes da chegada dele, o abastecimento era precário, o que obrigava as famílias a manterem suas hortas, pelo menos para garantir um pouco de almeirão e cheiro-verde. Com a chácara do japonês, agora havia fartura, e seu José se orgulhava muito disso. O pessoal da roça trazia aos sábados aves e ovos para vender na cidade, mas hortaliças eles não cultivavam. O açougue vendia carne de vaca três vezes por semana e de porco, duas. Frutas saíam dos quintais e chácaras das famílias, cada estação do ano com suas espécies.

Seu José não tinha empregados fixos e cuidava de sua chácara com a ajuda da mulher e dos dois filhos maiores.

Seu José, cujo nome japonês era Hiroshi, depois da visita à horta, levou os meninos para tomarem um chá de jasmim em sua casa, que ficava na entrada do terreno. Ele era nascido no Brasil, mas dona Maria, ou Mioko, sua mulher, nascera no Japão e sabia escrever o idioma japonês. Eles lhe pediram seus nomes e os de alguns amigos e parentes escritos em caracteres kanjis. Mateus aprendeu a contar de um a dez em japonês, e fizeram tanta festa, mostraram tanta alegria, se mostraram uma juventude tão confiável, que seu José liberou Yoko para o bailinho, mas ela devia ir e voltar com o irmão.

Tudo seguia conforme os planos de Mateus. Cristina tinha uma queda pelo Japinha, e foi fácil demais convencê-la a se grudar nele a brincadeira toda. Cristina era bonita de rosto e de corpo e compunha um belo casal com o japonezinho, que também exibia seus encantos. O par estava formado, Mateus tinha certeza. Ficaria bem mais fácil para Zito se aproximar de Yoko, e Cristina concordara em manter o Japinha sempre do outro lado da sala. O resto era deixar rolar, o disco girando na vitrola sem parar.

Para iniciar o bailinho, Mateus foi à cozinha e trouxe a avó, proclamada a madrinha da festa, e com ela abriu solenemente a dança ao som de "Love Is a Many Splendored Thing", no embalo da orquestra e coral de Ray Conniff. Quando a avó voltou à cozinha, onde os mais velhos seguiam a brincadeira apenas pelo som que vinha da sala, a festa começou de verdade, com Neia e Felipe se fazendo invejar aos apelos de "Diana", cantada por Paul Anka.

— Nunca que vou conseguir dançar esse treco — disse Zito, discretamente, no ouvido de Yoko.

— Eu menos ainda — disse ela.

Enquanto todos se voltavam para o centro da sala, Zito segurou a mão de Yoko, que retribuiu. Não muito distante deles, Cristina percebeu o perigo e tocou com a pontinha da língua o pescoço do Japinha, que se arrepiou todo e se esqueceu do mundo. Mateus chamou Heitor de lado e criticou o fato de ele estar de calça branca.

— Não estou bonito?

— Com calça branca não dá para esconder se ficar de pau duro dançando apertadinho. Quando a música parar, é vexame garantido.

— Que se dane — respondeu Heitor.

— No clube você nem entrava.

— Mas aqui quem manda é a gente.

— Mas toma cuidado, os velhos estão para lá e para cá, de olho.

Do outro lado da rua, em nome do frescor da noite e da beleza do luar, dona Nena manteve sua cadeira na calçada. Não havia nenhum motivo para que fosse convidada à casa de dona Madalena, mas de seu posto podia, ao menos, ver quem chegava e quem saía, principalmente quem saía com quem.

Como as meninas ficavam adoráveis com suas saias rodadas, as saias godês, com barra abaixo dos joelhos e cintura de vespa, umas poucas em seus vestidos tubinhos, moda mesmo sob medida para aqueles corpos jovens que brotavam como flores para alegrar os olhos e o coração. Especialmente o coração e o sexo dos rapazes, que ensaiavam suas posturas de galinhos conquistadores, o rosto cheio de espinhas e a cabeça cheia de ilusões e topetes engordurados.

Ah, a juventude!, sonhava dona Nena, de sua cadeira na calçada. Os cabelos longos e cheios ou curtos com ondas fixadas e topetes mantidos na cabeça das meninas exigiam laquê e, muitas vezes, a mão especializada das cabeleireiras do salão de beleza da Regininha, que também eram peritas nos rolinhos e permanentes. Sapatos baixos nas brincadeiras dançantes seriam trocados, depois, nos bailes de formatura, pelos de saltinho fino. Os garotos se exibiam com suas calças de brim azul de pernas apertadas, brilhantina Glostora ou Gumex no cabelo à Elvis Presley, com topetes caprichados, os pés metidos em mocassins, tênis Conga, Keds de cano alto e outros pisantes de lona com sola de borracha. As camisetas de malha, brancas e com mangas bem curtas, tinham seu lugar, mas ainda levavam a má fama da rebeldia mostrada pelos filmes de Marlon Brando e James Dean.

A camiseta branca colada no corpo acabava realçando os bíceps, asas e peitorais dos garotos, mas dona Nena aprovou seu uso somente por Caio e Mateus, que tinham o que mostrar, na sua avaliação. Pena que o Hélio já não fazia parte dessa turma, *deixado para trás pelo tempo, agora gordo e largado*, lamentou ela, atiçando as próprias lembranças. *Aquele, sim, sabia se mostrar e tinha o que exibir*, pensou. *E o filho dele, então, o finado Hermes, Deus o tenha, puxou o pai, saiu melhor ainda, que perda, que perda.* Ela não podia ver, mas a garotada usava cuecas largas, de pernas até o meio da coxa, como os calções dos jogadores de futebol, confeccionadas por suas mães ou pelas costureiras em tecidos de algodão, fáceis de lavar, ou branco, ou de cor clara e discreta com estampas miudinhas. Alguns espertinhos procuravam usar as recém-chegadas cuecas cavadas e justas, com elástico na cintura, que não deixavam "o bicho solto", evitando eventuais situações constrangedoras ao dançarem juntinho.

De seu lugar fora da festa, dona Nena via também que rumo tomavam os que iam embora acompanhados. Meu Zé saíra de carro, o que significava que tinha algum importante compromisso de trabalho em outro município, pois costumava caminhar quando estava na cidade. Que saudades ela sentiu daqueles anos em que os bailinhos aconteciam em sua casa, e eram organizados por Meu Zé, que a tirava para dançar tantas vezes que ela nem podia ir ao quarto para ver como estava se sentindo o marido, sempre tão doente, coitadinho.

Na sala do bailinho, Alice, Glória, Cidinha e Ana Cláudia iniciaram outra brincadeira dentro da brincadeira. Distribuíram envelopes azuis e cor-de-rosa aos garotos e às garotas, respectivamente. Quando a música foi interrompida, cada um abriu seu envelope e leu em voz alta o nome escrito num cartão. Os envelopes traziam nomes de personagens da história, do cinema ou da literatura. Nos azuis estavam Romeu, Marco Antônio, Napoleão, Pedro I, e tantos outros. Nos rosa, as amantes correspondentes: Julieta, Cleópatra, Josefina, Domitila, e assim por diante. Todos deviam encontrar seus pares.

— Os mais burros perguntem para os menos burros quem forma par com quem — sugeriu Mateus.

— E quem não souber ler, pede para quem está perto — aconselhou Heitor, rindo da própria bobeira.

E os pares foram se formando ao acaso. Algumas falcatruas de Mateus, porém, puseram Zito de par com Yoko e Cristina com Japinha.

Todos os pares formados, Caio soltou "La barca". A música funcionou como grude: "[...] *Cuando la luz del sol se esté apagando y te sientas cansada de vagar, piensa que yo por ti estaré esperando, hasta que tú decidas regresar...*". Mateus estava sem par, o que acontecia ao dono da festa quando os dançantes somavam número ímpar. Era o costume. Ao lado da vitrola, esticou o pescoço e disse ao Caio, que cuidava da trilha sonora:

— Esse é o mela-cueca aleatório.

— O que é isso?

— Promovido pelo acaso, neguinho burro.

— Neguinho burro mas gostoso. Quer dançar comigo?

— Sai pra lá. E pode escrever: eu estou sacando os pedidos de música que você está atendendo. Entendi por que quis ser o *disk jockey*. Carinha vem aqui pedir música, põe discretamente o dinheirinho no seu bolso, e você, sem dar na vista, põe a música pedida no bolso dele, ou dela.

— E daí? Por acaso também não sou testemunha das tuas tramoias de hoje?

— Só para juntar quem precisa ser juntado.

— Tá certo. Mas eu...

— Ah, para de falar, Caio, e toca "La barca" de novo, que todo mundo está no embalo. Estão chegando lá.

— Mandou, está feito.

Sob o luar, mais claro nessa noite do que a luz que vinha do poste de iluminação, a observadora solitária em sua cadeira na calçada disse consigo mesma: *Parece que diminuíram a luz e estão tocando a mesma música pela terceira vez.* E suspirou, pensando nos seus tempos de juventude.

O último a sair foi Heitor, e Mateus o acompanhou até a porta da rua, onde ficaram ainda um pouco conversando. Viram que, em seu posto sob a sete-copas, dona Nena mantinha sua vigilância.

— Será que ela não vai dormir hoje? — comentou Heitor.

— Agora vai, assim que você for embora.

Viram que a mulher acenava para que eles se aproximassem. Mateus e Heitor se entreolharam e atravessaram a rua.

— Boa noite, meus garotos — disse ela. — Mas que bela festa.

— Obrigado — disse Mateus, e perguntou, com a mão esquerda enfiada no bolso, dedos indicador e médio cruzados: — A senhora não quis dar uma chegadinha para apreciar? Não precisa de convite para ir à minha casa.

— Quem dera. Enquanto meu Zé não chega, eu não saio de casa.

— A gente já vai dormir também — disse Mateus, puxando Heitor.

— Antes me façam um favor. Um de vocês me leva a cadeira para dentro e o outro me dá o braço. Ando com as pernas meio fracas. Ah, Heitor, dê lembranças minhas a Helena, minha querida amiga.

— Sim, senhora.

Depois de se livrarem de dona Nena, os amigos caminharam rapidinho até a esquina, onde pararam um instante para trocar umas palavras.

— Deu tudo certo — falou Mateus. — Ainda bem que Felipe não marcou em cima do Caio, nem olhou para ele. Zito falou que o Caio estava pegando o Felipe. Convidei e depois fiquei com o pé atrás.

— Isso é coisa antiga, já foi. Mas você nem sabia que o Felipe está de mudança? A família vai para longe. Hoje foi a despedida dele, está dando adeus.

— Vai ver que foi por isso que ele saiu antes de acabar o baile, tinha um encontro marcado com alguém para se despedir. Agora, eu sou muito burro: quando penso que estou sacando alguma coisa, descubro que não pesquei patavina.

— Deixe de ser metido a saber das coisas, meu chapa. Nem Deus sabe de tudo.

— Ainda bem.

Felipe nunca se mudou e não voltou para casa nessa noite nem em outra. Neia saíra da festa por volta das nove horas, conforme posterior depoimento de dona Nena, e ele um pouco antes das dez. Deveria ter subido duas quadras pela rua que dava no largo da matriz, atravessado o largo em diagonal, passando bem na frente da igreja, para em seguida subir mais quatro quadras pela rua paralela à de Mateus, até chegar em casa, que ficava depois do campo de futebol. Como o irmão não aparecia, Neia julgou que ele dormiria na casa de Mateus ou de outro amigo. Era comum Felipe dormir fora sem avisar, confiavam nele. Na sua casa todos foram dormir despreocupados.

No dia seguinte, o rapaz foi encontrado morto atrás da pequena arquibancada do campo de futebol. Seu corpo estava bastante machucado. Nu, de bruços, coberto de arranhões e hematomas, mostrava sinais de estrangulamento. Tinha marcas profundas no pescoço, afundado na região da traqueia, lesões provocadas por mãos fortes e determinadas a matar. Um crime que só podia ser sexual, que deixou a cidade pasma, uma tragédia horrenda, a primeira que acontecia ali.

Dona Nena foi capaz de fornecer muitos álibis, além da pista que levou à solução do caso. Sabia o nome de todos os que permaneceram no baile após a saída do Felipe, e o horário em que cada um foi embora. Disse ao delegado-substituto, que Meu Zé foi buscar porque a mãe havia se lembrado de um detalhe: logo depois do Felipe, saíram a Cristina e o Marcos, "o irmão dela que todo mundo chama de Turco, ou Turquinho. E olha, delegado Bel, que eles moram perto do menino assassinado, uma pequena coincidência de que me lembrei quando já tinha dado o meu primeiro depoimento. O rapaz que mataram mora um quarteirão depois do campo de futebol, seguindo em frente, enquanto os dois irmãos moram a uns cinquenta metros do mesmo campo, virando à esquerda. Se eles caminhavam logo atrás do que foi morto, devem ter visto alguma coisa que vale a pena o senhor saber, eu acho. Se eu fosse o senhor, ia já ter uma conversa com eles, claro que na frente dos pais, e com sua autorização, para depois não dar confusão com o juiz de menores da comarca".

Os irmãos, que ainda dormiam e foram acordados por ordem do delegado-substituto, contaram que, ao sair da brincadeira na casa de Mateus, fizeram o caminho mais curto, subindo até o largo da matriz, onde viram, não muito longe, o Felipe puxar pela mão um rapaz mais velho, que parecia ter uma barba vermelha por fazer e que estava sentado num banco ao lado da igreja, aparentemente meio embriagado. Eles logo o reconheceram como sendo o irmão mais velho do Zito, o Amaro, que tinha acabado de se casar com a dona Remédios e estava de mudança não sabiam quando nem para onde. Disseram ainda que viram os dois, uns cinquenta metros à frente deles, andando lado a lado na rua depois da praça, às vezes um tocando o outro e rindo como bons amigos. Antes de virar a esquina para a rua da sua casa, Cristina e o Turco viram quando Felipe e Amaro entraram no campo de futebol, que ficava sempre com o portão destrancado porque tinha gente que levava a montaria para pastar lá durante a noite. Depois foram dormir.

Remexendo na caixa de papelão onde seus auxiliares tinham juntado as roupas e os sapatos da vítima e uns punhados de grama e terra com sangue coagulado recolhidos no local do crime, material que seria enviado à Regional com a papelada toda, Bel achou o canivete com o nome Amado gravado num dos lados do cabo, que ele mesmo recolhera. "Amado" certamente significava que o canivete fora um presente dado a um dos dois por uma pessoa apaixonada, mas dona Nena tinha posto umas ideias na cabeça dele, e a partir daí o Turquinho e a irmã lhe deram uma pista forte. Bel foi à casa da família do Amaro, e todos reconheceram o objeto. Decerto, no rola-rola, o canivete caíra do bolso de seu dono sem que ele percebesse, concluiu o delegado-substituto. Dali, seguindo em seu Ford com os dois soldados da sua equipe, tocou direto para a casa de dona Remédios. Com a irmã, ela embalava a louça para a mudança. A mulher e a cunhada não viam o Amaro desde a noite anterior. Acharam que ele devia estar num dos sítios do pai, resolvendo alguma coisa antes de partirem. Bel procurou pela casa toda, até chegar ao quartinho usado como depósito no fundo do quintal. Amaro estava lá: tinha se enforcado com uma corda amarrada na cumeeira.

Na conclusão do processo, o delegado-substituto registrou que o rapaz assassinado, de costumes sexuais invertidos sobejamente conhecidos na cidade, ao voltar para casa pelas ruas desertas, devia ter seduzido seu futuro assassino, que encontrara por acaso sentado num banco do largo da matriz, completamente embriagado. O rapaz se aproveitou do estado alcoolizado do dito cidadão e o levou para o campo de futebol, onde as únicas testemunhas possíveis eram os cavalos e burros que ali pastavam. Mesmo tendo sido o elemento ativo da relação, o homem mais velho, casado, de boa família, profissão e endereço conhecidos, deve ter se arrependido da prática do ato infame e matado o rapaz para que ele não contasse a ninguém sobre sua impensada fraqueza de caráter. Outro motivo possível, e até honroso, seria o de que o assassino pretendeu, com sua ação extremada, livrar a cidade de um elemento cuja prática sexual ignóbil e pecaminosa emporcalhava a honra das pessoas de bem que lá residiam. Depois da boa ação, e com a mente embotada pela bebida, se matou para não voltar para a cadeia.

Trata-se do que foi ditado pelo delegado-substituto e registrado pelo escrivão, na verdade, pelo cabo, provisoriamente na função, corrigindo-se apenas os mais evidentes erros de datilografia, gramática e ortografia.

Durante a transcrição do relatório, o cabo perguntou ao Bel se não seria possível que o Amaro tivesse feito a parte da mulher na relação que os dois tiveram no campo de futebol e depois, se sentindo envergonhado, tivesse matado o outro que lhe veio por cima, mas o delegado-substituto achou a questão absurda, ao que o cabo argumentou: "Se fizeram ele fazer isso na cadeia, ele pode ter gostado, ficou viciado, e por isso nunca procurou uma mulher para se casar e fazer filhos, como manda a lei de Deus, preferindo agora se casar com uma velhota endinheirada que, certamente, nunca vai exigir dele nenhum tipo de relação carnal". E, sem olhar para a cara de escárnio que o delegado-substituto lhe fazia, tomou coragem e disse mais, animado com as próprias conclusões: "Pensando bem, o crime no campinho pode ter resultado de uma briga feia entre os dois, decerto amantes devassos e pecadores já fazia tempo. Os dois estavam de mudança. Cada um ia de vez para uma cidade diferente, e a separação que logo ia acontecer pode ter deixado muita raiva escapar. Depois, o assassino, arrependido, se enforcou", dedução que o delegado Bel, em seu papel de defensor da moralidade pública, preferiu ignorar.

Dona Nena contou aos que passavam por sua casa seu importantíssimo papel na solução do vergonhoso caso, modestamente reconhecendo não ter feito nada mais que sua obrigação de mulher honesta e virtuosa. Concluía sua exposição dos fatos com um aforismo que esperava servir de orientação para toda a cidade, a qual, segundo ela, devia se cobrir de cinzas, como faziam os antigos do tempo de Jesus, e chorar pelo assassinado e pelo assassino para, depois de muita penitência, tentar se pôr de novo no caminho da salvação. Ela repetia com prazer o pensamento, certamente decorado, que dizia: "Quando uma cidade peca, o diabo toma conta".

Quando soube do acontecido, Mateus comentou com o avô:

— Tem um erro brabo nessa história: Amaro tinha parado de beber.

— Talvez o erro maior esteja na presença do Bel — disse Artur. — O que ele escreve nos relatórios de suas investigações nunca corresponde à realidade. Escrever que o Amaro estava bêbado facilitou a explicação canalha que ele deu. Era só mandar examinar uma amostra do sangue do coitado para se certificar se continha álcool, mas ele lá ia se dar o trabalho?

— Fale, vô, se solte.

— Falar o quê, Mateus?

— "Filho da puta."

— Filho da puta mesmo, meu neto, é o que ele é. E esse crime, por tudo que sei e vi, é mais um daqueles sem solução — disse Artur.

Depois de acender um Luiz xv, acrescentou:

— Os verdadeiros motivos e razões para matar e morrer que levaram ao triste fim dos infelizes Felipe e Amaro continuarão para sempre desconhecidos, como em outros casos ocorridos mais perto de nós mesmos.

E concluiu, após uma longa tragada:

— Talvez uma punição a uma cidade inteira, que fecha os olhos e faz de conta que não tem nada com isso.

13.

Mateus chegou da escola com novidade: contrataram um professor que começaria a dar aulas de artes, as quais incluíam desenho geométrico e música. Também daria aula de trabalhos manuais, uma matéria prática para exercitar as habilidades e despertar vocações criativas, disse o professor, mas só para os garotos. As meninas, em vez de trabalhos manuais, tinham aulas de economia doméstica, dadas por uma professora. Música tinha nota, prova e tudo o mais. Os alunos não cantavam, nem tocavam nenhum instrumento. Isso era com o canto orfeônico, matéria da dona Irene. Com o professor de artes se aprendiam as escalas, as notas musicais, a harmonia e um monte de outras coisas da teoria musical. Tinha que rachar, era difícil, porque deveriam aprender a ler a pauta musical e fazer solfejo à primeira vista em dia de prova oral. Para Mateus, que aprendia a tocar violão, era sopa no mel.

— Não entendi uma coisa — disse Artur. — Como um mesmo professor pode ensinar coisas tão diferentes como ler música, trançar um assento de palhinha e fazer uma caixa de compensa-

128

do com serra tico-tico e cola quente? Não são essas coisas que ele vai ensinar?

— Essas e muitas mais — respondeu Mateus.

— Não seja antiquado, meu velho — disse Madalena. — Se o professor veio da capital, deve ter feito vários cursos de especialização. Ninguém é obrigado a fazer sempre uma coisa só. Mas qual é o nome dele, Mateus?

— É Alexandre, mas prefere ser chamado de Alex.

— E onde é que ele mora ou vai morar? Será casado ou solteiro?

— Se tem mulher, não sei, mas disse que está procurando um lugar aqui na cidade. Por enquanto está no hotel Catanzaro.

— Coitado — disse Artur. — Aquilo é um pulgueiro. Ele vai aparecer se coçando, escreva isso. E a comida, então! Vai ter uma péssima impressão da nossa cidade. Não fica aqui nem um mês, se não achar outro lugar para morar.

— Depois da aula, ele me segurou e ficou perguntando se eu sabia de um lugar bom onde comer — disse Mateus. — Reclamou que a comida do hotel é ruim.

— Claro que é — disse Artur. — E o que foi que você respondeu?

— Que era melhor comer na casa de alguém, como outros professores, que pagavam pensão. Mas que eu não sabia dizer direito. Falei que talvez a minha avó, que conhece todo mundo, podia dizer.

— Não só conhece — disse Artur. — Também critica. Você pode ajudar o coitado a arranjar um lugar para comer, Madá?

— Acho que sim, algumas amigas fazem marmita e dão comida para quem vem de fora. Mateus, traga o professor para jantar aqui em casa amanhã e podemos conversar e dar umas recomendações, quem sabe. Quer dizer, convida. De repente ele é desses que não querem fazer amizade na cidade.

129

— Madá, pelo amor de Deus, é só mandar um recadinho pelo Mateus. Não precisa trazer o rapaz aqui. Não vai dar uma de dona Nena, se metendo demais. Aliás, ele nem conseguiria chegar aqui em casa. Quando passasse em frente à casa daquela mulher, aposto que ela o cercava e o amarrava ao pé da mesa.

— Ele pode vir direto para a nossa casa, vovô. Ele só anda de carro, pode estacionar na nossa porta. Tem um Fusca novinho, mais bacana que o do doutor Lelinho.

— Um professorzinho que vem para uma escola do interior onde nem o asfalto chegou, e tem um Fusca, que nem os riquinhos daqui ainda têm, a não ser o dentista, que ganhou o carro do sogro fazendeiro? Ah, só pode ser moço de família rica, ou está fugindo de alguma coisa, talvez de uma mulher que ele seduziu, não gostou e deu no pé.

— Para de ser maldoso, meu velho. Pode ser o contrário: quem sabe ele está procurando e não fugindo ou se escondendo!

— Você não me chame de "meu velho", já lhe disse mil vezes. E, querem saber, traz o tal do Alex para jantar, Mateus, que eu gostaria de ter uma conversa com ele.

— Vô, não vai ficar fazendo perguntas indiscretas, vai?

— Claro que não, só quero saber das habilidades dele de professor.

— Até parece que alguma vez você se interessou pela formação profissional de algum professor dos nossos filhos.

— É, mas agora temos um neto para educar, a responsabilidade é maior, e o mundo atual é mais complicado e piora a cada dia, é melhor ficar de olho.

— E o que que eu faço de comida? Tem uma sugestão, Mateus?

— Qualquer coisa, vó. Bom, a senhora é famosa pelas massas, assados e doce de mamão em pedaços.

— Mas isso é o que *você* gosta.

— Então, se eu gosto, ele também vai gostar.

— Hum! Está bem, mas preciso me preparar — disse a avó. — Será que seria educado se você fosse ao hotel ainda hoje fazer o convite, ver se ele pode ou se quer vir jantar amanhã?

— Não precisa. Ele vem, sim. Eu já falei com ele.

— Esse moleque está atrevido demais — repreendeu o avô. — E por que não disse isso logo de cara? Me fez fazer papel de bobo.

— Tenho umas codornas no congelador que posso fazer como prato principal, à moda italiana, e tortelli de moranga ao sugo como primeiro prato.

— Assim o professor vai querer se mudar para cá. Vá com calma, Madá.

— Isso não é tudo. Para meu netinho, dá tempo de eu preparar um doce de mamão verde em fatias descansadas na cal virgem e cozidas em calda de rapadura. Acho que temos dois mamões no ponto num dos mamoeiros do terreno dos fundos, vi ontem. Você confere para mim, Artur, e se eu estiver certa, pode apanhá-los? — pediu dona Madalena, toda animada.

— Que bom que não vai ter salada — comemorou Mateus.

— Vai, sim, uma saladinha verde no final, para uma boa digestão, mas você está dispensado, se se comportar bem durante o jantar.

— Abrimos aquele vinho tinto que estamos guardando para o bispo? — perguntou Artur.

— É uma boa oportunidade. Desde que sua excelência piorou da espinhela caída, ele se esqueceu da gente — concordou Madalena —, mas para Mateus vou fazer um suco de maracujá.

— Ah, vovó…

— Deixaremos você tomar meio cálice do licor de jabuticaba — disse a avó —, não é, meu velho?

Artur fechou a cara.

* * *

Mateus se encontrou com Alex na porta do hotel e seguiram juntos no Fusca para o jantar. Entraram pelos fundos e foram recebidos na cozinha, onde a mesa estava posta. Afinal, não era dia de festa, e dona Madalena queria que tudo transcorresse como num dia comum. O professor devia aprender como a gente do lugar vivia no cotidiano.

Dona Nena já tinha se recolhido, mas seu apurado ouvido novidadeiro deve ter reconhecido um ronco de motor de carro diferente na rua. Voltou apressada até o portão e quase desmaiou de surpresa ao ver um Fusca novo e desconhecido estacionar na frente da casa de dona Madalena e dele descerem o Mateus e um moço que, àquela distância, lhe pareceu o mais bonito que ela já vira fora da tela do cinema. De onde e por que surgia aquela criatura feita por Deus, pelo visto, no capricho? Melhor era trazer a cadeira de volta à calçada.

Dona Madalena também se admirou. Ia com frequência ao cinema e achou que o professor Alex tinha um quê do Marlon Brando no filme *Sindicato de ladrões,* caso o grande ator fosse uns dez centímetros mais alto e tivesse os olhos azuis.

O jantar foi o sucesso esperado. Alex se surpreendeu, não estava tão no fim do mundo como imaginara, pelo contrário. Puxou conversa querendo saber das origens da família, antes que a família quisesse saber das origens dele.

Como chefe da casa, Artur se sentiu na obrigação de assumir o rumo do bate-papo.

— Eu vim parar aqui por acaso, estava de passagem. Era

jovem, não tinha nada, nem mesmo uma profissão. Procurava alguma coisa para administrar, como um barracão de escolha de café, um armazém de secos e molhados, coisas assim. A cidade vivia e vive ainda da produção de café. Aqui tudo gira em torno da lavoura. Fiquei uns dias assuntando e então conheci Madalena. Vi Madalena pela primeira vez no *footing* de um sábado na rua da matriz, me apaixonei por ela e nunca mais quis sair daqui. Dei um jeito de trabalhar para o pai dela, que, infelizmente, já vinha sendo rondado pela falência. Naqueles dias o café estava numa grande baixa e os bancos devoravam os lucros escassos e roíam os bolsos dos fazendeiros, obrigados a vender terras para saldar as dívidas crescentes.

— Sua biografia ia se confundindo com a história do lugar, não é, seu Artur?

— Isso mesmo, professor Alexandre.

— Me chamem só de Alex, por favor. Você também, Mateus, quando não estivermos na escola.

— Está bem. Alex. Pois, até então, eu sempre me julguei um oportunista, mas o amor por Madá me transformou completamente: fez de mim um homem honesto, não que eu fosse um bandido, nada disso. Honesto no sentido que eu agora me achava comprometido, tinha que ajudar, e não dar o fora se a coisa não saísse bem para mim. E decidi ajudar a família a sair do buraco. Tentei e acho que consegui afastar as ameaças mais medonhas da bancarrota. Madá casou comigo e, mesmo que ela negue, sei que foi por amor.

Madá sinalizou com a cabeça que a versão do marido estava certa, sorriu e piscou para o neto, que, pela primeira vez, ouvia contar essa história. Artur continuou:

— E assim eu fiquei para sempre nesta cidadezinha onde o senhor, que também anda à procura de alguma coisa, veio a nos conhecer.

— Isso mesmo, eu também procuro o meu lugar — respondeu Alex, sem se dar conta de que a conversa mudava de rumo. — Eu procuro um lugar sossegado. Cansei da cidade grande, do trânsito, do corre-corre, onde ninguém sabe, nem quer saber, o nome do vizinho. Você pega o mesmo bonde todo dia e não conhece ninguém! Quero ter tempo e companhia para me dedicar às coisas de que gosto.

— Precisa aprender a deixar o carro estacionado e caminhar — disse dona Madalena.

— Pois é, preciso perder os vícios da cidade grande e tratar de achar as coisas a que eu quero me dedicar.

— Por exemplo? — inquiriu Artur.

— Fiz a escola de Artes e Ofícios, e a Faculdade de Filosofia, frequentei cursos de especialização e acho que, no final das contas, sou um apaixonado por artes, artesanato, antiguidades.

— Antiguidades? Que pena, não temos nada disso aqui, Alex.

— Acho que posso contradizer sua opinião.

Artur fez sinal com a testa retesada e as mãos, como quem pergunta "como?".

— Basta olharmos para o chão desta cozinha. Estamos pisando em ladrilhos hidráulicos, ou de água, tanto faz, que são dos mais bonitos que já vi. Pelo padrão e cores devem ser antigos, importados.

— Os das salas são os mais bonitos — disse Mateus.

— Imagino, e aqui na cozinha vejo diante de nós uma preciosidade. Esta cristaleira, nem quero acreditar.

— São vidros antigos, professor, digo, Alex.

— Não, senhora — falou Alex. — São cristais, cristais da Boêmia, centenários, do século passado, tanto os cristais transparentes como os espelhos dos fundos. Minha dissertação de mestrado em Artes foi sobre os cristais tchecos, entendo bem do assunto. Gosto tanto do período que, no outro curso que fiz, o de filosofia, me dediquei mais a autores do mesmo século XIX. Mas voltando à cristaleira...

— Essa peça veio com minha bisavó da Itália, quando emigrou com a família toda, incluindo minha avó, então uma mocinha de quase dezoito anos. A cristaleira e outras coisas vieram no porão do navio, parte da mudança.

— De onde vinham eles?

— Da província de Trieste, nordeste da atual Itália. Embarcaram no porto de Veneza, se consideravam italianos e falavam um dialeto daquela região, mas ainda tinham passaportes do Império Austro-Húngaro.

— Estão vendo, Hungria, Boêmia, uma cristaleira vinda de lá, queriam o quê? — disse Alex.

— Mas que tiro certeiro, Alex — exclamou Mateus. — Arrasou!

— Será que depois, amanhã talvez, vocês me permitiriam examinar a peça com a atenção que ela merece?

— Mas claro — assentiu Madalena, já se sentindo à vontade com o convidado.

— Mateus falou nos ladrilhos das salas, será que posso ver?

— Podíamos ir lá para a frente tomar o licor que vejo que Madá já vai servir.

— Ótima ideia.

O professor ficou tão encantado com os ladrilhos, que passava de uma sala à outra, tentando comparar as cores e os padrões.

— Vieram de Portugal — informou Artur.

— Aposto que as janelas, que já notei estarem cobertas por muitas camadas de tinta, são de pinho de riga, madeira importada da Europa para ser usada nas construções da elite e em marcenaria de custo elevado.

Os donos da casa estavam quase convencidos de que tinham recebido um doido para jantar.

— Vamos ter tempo para pôr tudo isso em pratos limpos — disse o professor, com um sorriso de quem acabara de descobrir a América. — De todo modo, sinto que estou num palácio. — E, deixando os três de boca aberta, proferiu: — Eu vou morar aqui com vocês. — E em seguida tentou remediar: — Isto é, eu gostaria muito de morar aqui com vocês. Vejo que há quartos vagos, e certamente eu pagaria um aluguel justo, à altura deste palácio. Que acham da ideia?

Aí começou uma discussão que duraria dias e dias. Imaginem ter um estranho morando em casa. Imaginem só: um pensionista dividindo a casa com eles. Imaginem o que os outros não pensariam: uma das mais antigas famílias da cidade alugando um quarto para um hóspede que ninguém sabia de onde vinha. Imaginem essa mesma família tendo à mesa um desconhecido no café da manhã, no almoço e no jantar. Usando o mesmo banheiro. *Esse professor deve ser lelé da cuca*, pensou várias vezes Madalena. *Onde é que eu fui amarrar meu burro?*, era a versão mental do Artur sobre o assunto. *Legal à beça*, Mateus contrariava os avós em pensamento.

Ainda na noite do convite, na sala de jantar, o professor fez várias perguntas.

— Além da cristaleira tcheca, seus antepassados trouxeram outros objetos preciosos?

— Acho que não sobrou mais nada, a família vive há tempo nesta casa, e as coisas se gastam com o tempo — disse Madalena. — Tinham meios, compraram terras por aqui, construíram esta casa.

— Vieram da região próxima de Veneza, trouxeram alguma obra de arte, algum quadro?

— Não, quer dizer, pensando bem — Madalena tentava forçar a memória —, ali naquela parede, no lugar daquele quadro que mostra um anjo da guarda protegendo duas criancinhas enquanto atravessam uma ponte segura por cordas sobre o abismo, havia um quadro de que eu tinha medo, quando era menininha. Porque era escuro, sombrio, com homens e animais ferozes. Um quadro antigo, eu acho.

— E onde ele está?

— Um dia o quadro caiu da parede e um canto da moldura dourada ficou bem danificado. Me lembro que meu pai disse que ia guardar até mandar fazer outra moldura, porque o quadro tinha valor. Mas minha mãe também não gostava daquela pintura. preferia um quadro com uma cena católica no lugar. Era uma crente fervorosa. Logo depois, meu pai saiu em viagem de negócios, levou o quadro avariado e, ao voltar, muitos dias depois, trouxe outro. A moldura dourada era a mesma, consertada, ou substituída por outra parecida, mas a tela pintada era essa do anjo da guarda, que está aí até hoje. Minha mãe ficou contente com a troca, e nunca mais me lembrei dessa história. Também não soube o que meu pai fez com a outra pintura. Só agora me dou conta desse episódio, olha que interessante a nossa memória!

— Professor, hum... Alex, volta amanhã. Está ficando tarde e vou me levantar cedo, compromisso com trabalho — propôs Artur.

— Claro, até porque eu ainda preciso preparar as aulas que dou amanhã. E sei que a luz apaga às onze horas. Amanhã venho direto da escola com o Mateus, pode ser, dona Madalena? Não querendo abusar, só para ganharmos tempo, será que posso almoçar com vocês?

— Vou dizer que não? Mas vai ser coisa simples. Logo cedo vou à igreja para a missa das sete, o que faço todos os dias da semana, e depois tenho uma reunião da minha congregação lá mesmo, porque dona Josefina, que é nossa presidente, está de mudança e precisamos indicar alguém para o posto dela. Vou voltar pelas dez horas e improviso uma comidinha.

— Pelo menos o Alex não correrá o risco de se envenenar com a comida do Bel naquele hotel vergonhoso — disse Artur, sempre implicando com o delegado-substituto.

— Acho ótimo, mas até agora não entendi o nome dele. Bel é abreviatura de que nome, Belmiro, Belarmino, Beltrão? Todo mundo me diz que é só Bel.

Os três caíram na risada. Artur explicou:

— Temos um delegado titular concursado, formado em direito, o doutor Mariano, que vive de licença, nunca para aqui. Ele diz que não é doutor, apenas bacharel, bacharel em direito, como todo advogado. E, nos documentos que ele assina, seu nome consta como Bel. André Mariano, ou Bel. Mariano. Bel., com ponto, no modo correto de abreviar "Bacharel". Toda vez que ele sai de licença, um pau-mandado do prefeito assume a delegacia, homem que nem ginásio frequentou, por sinal o dono do hotel Catanzaro, onde o senhor arrisca sua saúde. O delegado-substituto considera a suprema glória ser chamado de Bel Catanzaro, como se fosse um delegado formado em direito, ou simplesmente Bel. Daí, Bel para cá, Bel para lá, o apelido, que ele adora, pegou. Melhor, virou o nome dele.

Alex levou uns segundos para entender e também cair na risada.

— Depois dessa, só indo mesmo dormir — disse ele.

Os três acompanharam o professor até a calçada, onde ele deu partida no Volkswagen. Ainda demorou nas despedidas e foi embora abanando a mão, deixando, do outro lado da rua, uma mulher infernalmente incomodada com uma pulga atrás da orelha.

— Mas como é que um deus grego desse naipe foi cair justamente na casa desse povinho aí? — disse a meia-voz, recolhendo sua cadeira.

14.

Os dias seguintes foram de acordos e arrumações. Alex conseguiu seu intento e acertaram uma quantia mensal que ele pagaria por sua estada, com direito às refeições e roupa lavada. Com parte desse dinheiro, dona Madalena contratou uma mocinha que a ajudaria nos serviços domésticos. Embora a diarista Marinês já a ajudasse com a roupa, dona Madalena, sozinha na cozinha e na limpeza da casa, como preferiria, não daria conta de um hóspede.

Marinês não se importou com a chegada de Alex nem com a contratação de Lindinha, a nova empregada, desde que ela não se aproximasse do tanque, que considerava seu território. Muitas vezes, enquanto lavava roupa, Marinês desatava a cantar sua música de sempre, "Chalana", de Mário Zan e Arlindo Pinto, já bastante antiga. Mateus até decorara a letra, que dizia: "Lá vai uma chalana, bem longe se vai, navegando no remanso do rio Paraguai. Oh, chalana, sem querer, tu aumentas minha dor, nessas águas tão serenas vai levando o meu amor". Marinês gostava de cantar, mas não falava quase nada, com ninguém, como se somente ela existisse no mundo.

139

Um dia Mateus perguntou a Marinês o que era essa tal de chalana, e ela respondeu balançando a cabeça: não sabia. Perguntou se não cantava outra música, e ela deu de ombros. Mateus concluiu que a conversa por ali não iria render nada. Desde então, só acenava com a mão quando topava com a lavadeira, em casa ou na rua. E era assim que ela respondia, com um gesto. Mateus soube pela avó que a moça não tinha dificuldades com as palavras, só não gostava de falar. *E a danada canta bem pra cacete*, disse a si mesmo. Como era previsto, Marinês respondeu apenas com um sinal positivo de cabeça quando dona Madalena comunicou-lhe que ela ganharia um extra para cuidar da roupa do professor.

De todo modo, entre residentes e empregados, a casa ia se enchendo de gente.

Alex ficou com o segundo quarto, que contava com uma bela cama Patente, de casal, com colchão de molas e colcha de crochê, feita por dona Luiza, uma vizinha prendada e prestimosa. Dois criados-mudos, guarda-roupa, cômoda com espelho, escrivaninha com tampo de esteira corrediça cheia de gavetas e gavetinhas, bem antiga, e outras peças completavam o mobiliário. No quarto de Mateus havia uma escrivaninha semelhante. Ficou acertado que Alex poderia usar como oficina para seus trabalhos artesanais o quartinho do antigo banheiro da varanda da cozinha, onde já havia uma bancada com um torno manual e um quadro de ferramentas instalados por Artur depois da reforma. Se quisesse, podia guardar o carro no corredor lateral, na frente do Ford, era só encostar bem, mas Alex achou mais fácil deixar o Fusca na rua mesmo. Ninguém ia mexer.

Em razão disso tudo, Mateus ficou um pouco afastado da turma, não pôde ir com Zito fazer a troca dos piquetes e recebeu recados desaforados da mulher do primo do amigo. Ele próprio se assustou, ao se dar conta de ter deixado de lado, nesses dias ocupados com a mudança do Alex para sua casa, seus projetos pessoais e até mesmo as atividades sexuais que se iniciavam. Nem mais vinha tendo as habituais ereções adolescentes ao acordar. Foi ao banheiro se masturbar, para conferir se estava tudo bem. Fechou a porta pensando na mulher do primo do Zito, e, sim, continuava tudo em ordem. *Graças a Deus!*, pensou Mateus. Mandou recado dizendo que na semana seguinte iria sem falta nadar na lagoinha da cachoeira com o Zito. Será que devia levar o Alex? Claro que não. A prima ia se deixar encantar pelo corpo musculoso e meia dúzia de palavras elogiosas mal-intencionadas do professor, e era bem capaz de deixar o coitado dele na mão. Literalmente na mão. O Alex que ficasse com os cristais, ele ficava com a prima. Na casa do Zito, ainda de luto, a saúde de dona Cleonice, inconformada com a perda do primogênito, piorava. Corria um boato de que, na verdade, ela estava com a doença-ruim, com câncer, palavra que ninguém pronunciava. Mateus sentiu pena do Zito. Ainda bem que ele estava namorando a Yoko, escondido, é claro, e parecia bastante apaixonado e feliz. Dos outros amigos sabia pouco, a não ser as coisas que faziam juntos na escola. Mas logo tudo voltaria ao normal. Chamado, foi ajudar Alex a mudar a cama de lugar, ô trabalheira doida.

— Gosto de dormir de janela aberta e sentir o calor do sol me aquecendo ao acordar — explicou Alex sobre a troca de lugar da cama.

— Cuidado! De repente entra algum urubu — zombou Mateus.

— Urubu? Eu costumo lavar minhas meias. Não sou como alguém que eu conheço, que adora uma roupa sujinha, do jeito que urubu gosta.

Mateus fingiu achar graça, mas por dentro se sentiu desconfortável. *Será que esse filho da puta andou xeretando no meu quarto e viu a gaiola embrulhada na minha camisa? Só pode.* Depois do término da reforma, não se preocupara mais em trancar à chave o guarda-roupa onde mantinha sua gaiola. Mais seguro seria voltar a usar a fechadura. Apalpou o alto do peito, sob a camisa, e, tranquilizado, sentiu que a chave continuava pendurada na correntinha. Pensou: se o professor tinha o direito de mexer no seu quarto, ele também poderia fuçar nas coisas do outro. Apostava que ia encontrar em alguma caixa, escondida no fundo de alguma gaveta, um monte de camisas de vênus. Aquelas embrulhadas em papel dourado, com a marca Regina em alto relevo, que o Nelson, o menino da farmácia, que estudava com ele e fazia entregas, tinha lhe dito que eram as mais caras, porque não machucavam nem se rompiam, eram flexíveis, de tamanho único e, além de tudo, importadas. *Ave Maria!*, disse para si mesmo. Como ele queria pelo menos ver uma de perto! Se o professor Alex tivesse um monte delas, mesmo que fossem de outra marca, ele bem que podia pegar umas para usar com a prima do Zito. Com certeza, por estar de namoro com uma garota séria demais, e ainda por cima vigiada pelo idiota do Japinha, o Zito já devia ter usado com alguma puta a camisinha que tinha roubado do Murilo.

O dia começou difícil para dona Madalena, tanto que à mesa do almoço seu semblante ainda dava mostras de contrariedade, a ponto de Artur lhe perguntar o que estava acontecendo. Com um balançar de cabeça, ela respondeu que não era nada.

— Será que devemos reconsiderar minha estada nesta casa? — perguntou Alex.

— Não, por favor, não é nada relacionado à casa. Foi só um desentendimento acontecido de manhã na reunião da irmandade do Sagrado Coração, que até o momento não fui capaz de superar.

— É mesmo — lembrou Artur. — Hoje vocês indicariam o

nome da pessoa que o padre nomearia para a presidência da irmandade, uma vez que dona Josefina está deixando o cargo. O nome mais cotado não era o seu? Foi eleita, Madá? — Devia ter sido. Era o que esperávamos. As irmãs fizeram a lista de três nomes e o padre escolheu. Há quantos anos eu não sou a tesoureira e o braço direito da Josefina? Mas o vigário achou que eu devia continuar a fazer meu trabalho, que ele diz ser fundamental, e passou a presidência à atual vice-presidente, que é um cargo mais decorativo, ocupado por uma santa mulher; santa, mas inútil e incapaz de liderar quem quer que seja.

— Como todos os santos — interveio Mateus.

— Que eu me lembre, a vice é a dona Aparecida, não é? — falou Artur. — Aquela mulher que é capaz de falar horas a fio sem dizer nada, que quando aparece por aqui você considera o dia perdido?

— Essa mesma — Madalena confirmou, e fechou a cara.

— Sei quem é. É aquela preta magrinha, não é, vó?

— Essa mesma. A vida inteira ela quis ser a presidente da irmandade. Fez de tudo para isso. Ser presidente do Sagrado Coração é o prêmio maior e definitivo que dona Aparecida esperou alcançar antes que a morte a leve de uma vida que pouco tem valido a pena. Desde que o filho casado se mudou daqui e o marido faleceu, tudo o que ela faz é pela igreja, pelo padre e pelo Bel, que é uma espécie de padrinho dela. Aliás, ela também criou duas netinhas, que chama de "as minhas princesas", e que ainda crianças foram estudar fora, com bolsas de uma instituição católica. Depois de formadas, elas acabaram arranjando emprego, lá ficaram e se esqueceram da avó. Uma vida difícil, mas daí a ganhar a presidência do Sagrado Coração, não sei se é justo.

— Será que esse seu inconformismo não tem a ver com o fato de ela ser preta, Madá? Afinal, vocês serão comandadas por uma mulher de cor — falou Artur.

— De jeito nenhum, o que importa a cor de uma pessoa? — reagiu Madalena. — Afinal, sou amiga de dona Conceição, que é da mesma cor. O problema é que dona Aparecida nunca teve um cargo administrativo, não sabe lidar com muitas pessoas ao mesmo tempo, nasceu para ser liderada, não para liderar.

— E daí, isso tem problema?

— Ela é trabalhadeira. Passou a vida trabalhando para o Bel no hotel, onde foi arrumadeira e cozinheira. Para ela é Deus no céu e Bel na Terra. Depois que se aposentou como empregada do Catanzaro, assumiu o cargo não remunerado de governanta da casa paroquial, mas são os coroinhas que a ajudam com as contas, com a escrituração, essas coisas que exigem trabalho intelectual. Ela sabe ler bem, mas não escreve. Quem limpa a casa, lava, passa e cozinha para o vigário é ela.

— E como foi que chegou a ser a vice da irmandade e agora presidente? — admirou-se Mateus.

— Não nego que é uma mulher de fé inabalável, dedicada à igreja, de bondade incomum e muito, muito sofrida — consertou Madalena. — Sua nomeação para ser a nossa vice foi, conforme eu acho, um favor do padre ao Bel, que também deve ter sua mão na recente nomeação para o novo cargo. Claro que pouca coisa vai mudar: afinal, o cargo de Aparecida na congregação é uma espécie de compensação social.

— Pelo fato de ela ser a mãe da maior puta da cidade — completou Mateus, dirigindo sua explicação a Alex, mudo durante toda a conversa.

— Mateus, tenha modos! — manifestou-se Artur, repreendendo o neto.

— Mas ela é a mãe da Graúna, não estou inventando nada.

— Mas não é assunto para ser tratado dessa maneira. Se já terminou, ajude sua avó a tirar a mesa. Só para encerrar a conversa, esse nosso delegado-substituto, não tem onde ele não meta sua mão porca e interesseira. Até na igreja. O padre certamente deve favores a ele. Assim é, Alex, e tudo vai seguindo normalmente.

— Está vendo, Alex? — disse Mateus, se dirigindo ao professor. — Se quiser se dar bem aqui nesta cidade, tem que fazer de conta que está tudo certo.

Depois, os quatro se juntaram para transferir a cristaleira para a sala de jantar, por insistência de Alex, que convenceu os donos da casa que a peça devia ocupar um lugar mais nobre, longe dos vapores e mudanças de temperatura produzidos pelo funcionamento do fogão, que poderiam comprometer a integridade material do móvel.

— Coitado do Miau — disse Mateus.

— Quem?

— O gato, professor. Ele gosta de dormir na pedra da cristaleira.

— Podem deixar que ele vai se mudar para a sala de jantar — disse Madalena.

— Gato em cama de cristal da Boêmia, chique, né? — comentou Mateus.

— Seu Artur, aquele cofre da sala de visitas talvez ficasse melhor num lugar mais discreto… — sugeriu Alex.

— Impossível removê-lo. Já tentamos mais de uma vez. Nem os parentes de dona Conceição, parrudos que nem Sansão, acostumados a fazer muita força, conseguiram movê-lo um milímetro sequer — disse Artur.

— E, já me desculpando pela curiosidade, o senhor guarda coisas de valor nele?

— Pouca coisa. Documentos, algum dinheiro. Só uso o compartimento superior.

— E a parte de baixo?

145

— Nunca conseguimos abrir. Chamei o chaveiro Cícero, mas ele também não conseguiu. Autorizei até que ele perfurasse o disco de segredo com uma furadeira elétrica. Impossível, na tentativa quebrou várias brocas de ponta adiamantada. Parece que a parte de baixo foi fabricada na fornalha do diabo. Cícero me garantiu que essa parte não tinha utilidade, que a porta inferior era só para dar uma estética ao cofre.

— Não sei, não. Posso dar uma olhada mais de perto?

— Claro que pode.

Depois de um rápido exame, acompanhado com curiosidade por Artur e Mateus, Alex explicou:

— É um cofre turco, do tempo do Império Otomano. A divisão inferior não pode ser aberta pela frente. Esta porta aqui, com o disco de segredo que não funciona, é falsa, apenas um disfarce.

— Então para que serve? — perguntou Mateus.

— Aí é que está a graça da coisa, Mateus. Se um ladrão tentar abrir, vai levar tanto tempo que se arriscará a ser apanhado com a boca na botija. Na verdade, você alcança a parte de baixo através do fundo da parte de cima — explicou Alex. — Seu Artur, será que o senhor poderia abrir o cofre e retirar seus pertences, para que eu possa examinar o fundo?

Mateus adorou a investigação detetivesca e foi buscar a avó para acompanhar alguma possível descoberta.

Artur abriu o cofre e transferiu sua papelada e outros objetos, além de algumas notas de cruzeiro amarradas com elástico, para uma caixa de papelão, que foi buscar na despensa. O professor apanhou sua lanterna e se pôs a examinar detidamente o interior do cofre. Os demais contribuíam com o clima de suspense, extravasando com palavras de incentivo a crescente expectativa comum a todos.

— Achei — gritou Alex. — Aproximem-se.

146

Eram quatro cabeças tentando se enfiar pela porta quadrada do cofre.

— Estão vendo esta pequena fenda aqui neste canto? Seu Artur, me empresta seu canivete, está com ele?

A lâmina do canivete penetrou na fenda até encontrar resistência.

— Façam figa — pediu Alex, e forçou a lâmina com um pequeno tranco.

Um clique se ouviu e a chapa de aço que constituía o fundo do compartimento se levantou de um dos lados, como uma portinhola destravada. Com muito cuidado, Alex ergueu a tampa até sua posição vertical, e iluminou com a lanterna o compartimento de baixo, agora totalmente revelado. Um após outro, eles enfiaram a cabeça no cofre para olhar.

— Eureca! É a caverna do Ali Babá — gritou Mateus.

— Pena que não esteja cheia de joias de ouro e pedras preciosas — disse Artur, decepcionado.

— Será? — duvidou Alex. Com meio tronco dentro do compartimento iluminado, esticou o braço e tirou de lá um porta-joias. — Alguma coisa temos, sim. Talvez cartas de amor — ele gracejou para os demais, espantados.

A caixa oval de madeira laqueada, com um palmo de comprimento, forrada por dentro de veludo preto, guardava um colar que parecia ser de rubis verdadeiros, pedras de sangue de brilho sereno e ao mesmo tempo esplêndido, montadas sobre ouro.

— O colar de minha mãe! — disse Madá. — Desde sua morte nunca mais vi esta joia, e achei que teria sido vendida por meu pai para pagar dívidas. Os rubis são autênticos. Que surpresa maravilhosa!

Em seguida, Alex voltou a enfiar a cabeça no compartimento secreto e dali tirou uma velha lata quadrada de biscoitos Aymoré, de cerca de vinte e cinco centímetros de lado por oito de altura. Estava bem pesada e foi difícil destampá-la. A lata continha grande quantidade de moedas de ouro e prata. Se fossem mesmo esses os metais, era fortuna certa.

— Não falei que era a caverna do Ali Babá? — disse Mateus, dando pulos de alegria e abraçando os que assistiam atônitos, cada um querendo pegar umas moedas na mão para ver e sentir. As moedas faiscavam, por natureza. Os olhos também, de satisfação.

— Alex, morde uma amarela para ver se é de ouro — disse Mateus.

— Isso só se faz no cinema — contradisse Artur. — Não morde nada, vai quebrar os dentes.

— Devem ter sido trazidas quando minha família veio da Europa. Guardadas para uma eventual situação financeira difícil. Meu avô e meu pai foram homens previdentes — explicou dona Madalena.

— Eu também sou — se incluiu Artur.

— Pelo que se pode ver — explicou Alex —, estas moedas são coroas de ouro e prata do antigo Império Austro-Húngaro, evidentemente dinheiro fora de circulação desde o desmoronamento do império. Entretanto, valem muito, tanto pelos metais em que foram cunhadas como por seu significado histórico.

— Minha vontade é pegar o merda do chaveiro Cícero, que me disse que na parte de baixo do cofre não tinha nada, que era só de enfeite, cortar a cabeça dele e trancar aquela cabeçorra vazia para sempre no compartimento de baixo — desabafou Artur.

— Calma, seu Artur. Ainda tem mais — disse Alex, puxando lá do fundo um canudo de latão.

Tirou com cuidado a tampa do canudo e dele retirou uma tela enrolada.

— Vamos abrir na mesa da cozinha, precisamos de uma

superfície grande e plana — disse, dirigindo-se ao local apressadamente, seguido pelos demais.

Dona Madalena, só por garantia, limpou bem a mesa, Alex fechou a janela e as portas, desligou a chama do fogão a querosene, onde a água fervia numa chaleira para um provável café, e todos se posicionaram de pé em torno da mesa. Com bastante tato e bem devagar, Alex foi abrindo o rolo. Mateus segurava uma ponta da tela, depois de ter lavado as mãos, a pedido do professor. Quando a tela fora desenrolada em cerca de dois terços de seu comprimento, dona Madalena começou a passar mal, e tiveram que lhe dar um copo d'água e fazê-la sentar-se numa cadeira. Artur a abanou e, já parcialmente recuperada, ela disse:

— É o quadro da parede que me dava medo, quando eu era menina.

A tela foi aberta completamente e examinada pelo professor, que disse:

— É cedo para uma palavra final, mas tenho algumas ideias. A família de dona Madalena veio de Veneza, ou melhor, de uma cidadezinha próxima, e trouxe objetos valiosos. Não eram camponeses, como a maioria dos imigrantes vênetos que fugiam da fome, mas gente de posses, tanto que compraram terras logo que chegaram. Na época, impossível trazer dinheiro vivo, em cédulas, que aqui não valia nada, e não se podia contar facilmente com transferências bancárias. O melhor era trazer coisas de valor, como a cristaleira, mas a cristaleira era uma simples peça de uso da família. O dinheiro para os negócios, o capital da família, deve ter sido trazido na forma de joias, peças de ouro e objetos de arte. Venderam o que foi necessário para se estabelecer no país, mas ainda sobrou parte da riqueza, reservada para o futuro, talvez. Numa vila no fim do mundo, quem, por exemplo, daria valor a um quadro pendurado na parede? Estaria seguro ali, bem à vista de todos.

Os outros se olhavam, boquiabertos. Alex prosseguiu:

— Se não estou enganado, temos diante de nós uma tela de Ticiano, um dos maiores mestres da Escola de Veneza do Renascimento Italiano. Ticiano já no seu tempo foi chamado de "o sol entre as estrelas", imaginem. O colar de rubis é bem valioso, as moedas nem se fale, mas este quadro deve valer uma fortuna.

Dona Madalena começara a se abanar, seu Artur balançava lentamente a cabeça de um lado para outro, Mateus, nervoso, perguntou:

— Uma fortuna, tem certeza? Quanto, fortuna de quanto?

Alex disse que era difícil estimar o valor correto.

— Tenho que fazer muitos estudos e testes — respondeu —, e consultas sobre o mercado de arte, mas estou pensando na casa do milhão.

— De cruzeiros? — perguntou Mateus, estupefato.

— De libras esterlinas!

— Porca Madonna! — reagiu Artur.

Madalena olhou para o marido com cara de censura, por puro hábito. Dava para ver que seu ar era de indisfarçável júbilo.

Alex falou:

— Vou mandar buscar meus livros de arte, equipamentos especiais e uns produtos químicos. Vamos transformar nossa oficina num laboratório de autenticação de objetos artísticos, seu Artur.

— Que seja.

— E, se depois de tudo o que tiver que ser feito estiver feito, e eu acho que a conclusão pode não ser diferente do que estou pensando, meus queridos, sabem o que vou dizer?

— O quê? Fala, Alex — implorou Mateus. — Você vai dizer...

— Vocês estão milionários!

150

Uma vez devolvidos ao cofre o tubo com a tela, a lata de biscoitos e o porta-joias, dona Madalena reacendeu o fogão e passou o café. Estavam todos sentados, pensando na aventura da grande descoberta. Será que a suspeita se confirmaria?

— Madá — perguntou Artur —, você nunca soube dessa herança guardada no cofre?

— Meu pai — ela respondeu, enxugando os olhos — sofreu um derrame cerebral e ficou incapacitado na cama por semanas, sem se comunicar. Pouco antes de falecer, abriu os olhos e, num enorme esforço, tentou dizer a mim, que guardava seu leito, alguma coisa, mas das frases entrecortadas, ditas com muita dificuldade e sofrimento, eu só entendi algumas palavras muito enroladas. Lembro de ouvir: "Está... no cofre... no cofre". Ele falava também "o anjo" em meio a frases ininteligíveis. Tive a impressão de que ele falava que estava vendo um anjo que viera buscá-lo, ciente de que sucumbia; eu segurava sua mão. E em seguida meu pai fechou os olhos e morreu. Eu sabia o segredo do cofre, e nele encontramos as escrituras das propriedades e uma boa quantia em dinheiro vivo. Achamos que era a esse dinheiro que ele se referia. Com ele mandamos construir um jazigo novo para a família, todo em mármore de Carrara, encimado por um anjo esculpido também em mármore, uma beleza. Ele merecia um túmulo bem bonito para descansar, ele e minha mãe. Meu querido pai — completou dona Madalena — era um homem discreto, e morreu cedo. Acho que não teve tempo ou oportunidade de nos falar sobre muitas coisas, inclusive sobre seus guardados, sobre o que deixou, essa herança toda que estamos descobrindo agora.

Terminado o café, Alex se dirigiu a Artur:

— Me empresta de novo seu canivete mágico. — Riram com o "mágico". — Quero fazer um teste numa janela.

Lá foram os quatro contornar a casa por fora, parando na

primeira janela. Enquanto Alex trabalhava, os demais observavam. Com habilidade certeira, ele removeu as diferentes camadas de tinta de uma pequena área, do tamanho da unha de um polegar, de uma das venezianas do quarto do casal. Quando chegou à madeira nua, disse:

— Não falei? É pinho de riga, madeira de lei trazida da Europa nos velhos tempos. Há muitas espécies cultivadas desse tipo de pinho, mas esta, que vinha do Norte europeu, está extinta. As janelas desta casa valem mais que a casa inteira.

Mais tarde, depois de estudar um pouco e de meia horinha de exercícios de violão, Mateus repetiu o que vinha fazendo ultimamente: ouviu algumas vezes suas faixas preferidas do disco de João Gilberto, que ganhara do *Telefone Pedindo Bis*, tentando imaginar como poderia reproduzir o som daquele violão. Já mostrara o disco para dona Irene, e ela disse que poderia encomendar no nome dele, pelo reembolso postal, com o pagamento no ato da retirada no correio, um novo método de violão, que ensinava acordes dissonantes, segundo ela, diferentes dos tradicionais acordes perfeitos maiores e menores, e os de sétima, que todo violonista costumava usar no acompanhamento de músicas cantadas. Mateus concordou com o pedido, é claro. Demoraria algum tempo para chegar. Ele esperaria, ansioso. Precisava se lembrar de comentar as batidas e os acordes do violão estranho de João Gilberto com Alex, que, sendo seu professor de harmonia na escola, devia saber sobre isso também.

Mateus guardava o violão no quarto quando o avô entrou, fechou a porta atrás de si e perguntou se ele tinha um lugar secreto para esconder uns números, os segredos do cofre.

— Pode ser dentro do violão, é só tirar as cordas, escrever os

152

números no fundo e depois repor as cordas. Ninguém nunca vai olhar lá dentro à procura de nada.

— Não vai dar muito trabalho?

— Aproveito e troco as cordas. Tenho as novas, já comprei. Só estava com preguiça.

Fizeram isso, escrevendo os números sobre a etiqueta interna do instrumento.

— Segredo absoluto de nós dois, nem Deus pode saber — disse Artur. — Se me acontecer alguma coisa ruim, quem é que sabe, só você terá acesso ao possível tesouro da família. Jura que não vai contar para ninguém.

— Juro. Não seria bom cortarmos os pulsos e misturarmos nosso sangue num pacto de silêncio?

— Não precisa, é cinema demais. Nós dois já temos o mesmo sangue. E trate de decorar os números. Caso o violão se perca.

— Deixe comigo, vô.

Antes de voltar aos livros, foi se sentar no peitoril da sua janela, tomar um ar. Lá estava dona Nena, que lhe acenou com gestos de que queria conversar sobre aquele Fusca estacionado bem em frente à janela dele, mas Mateus respondeu fazendo um sinal com as mãos juntas, abertas na forma de livro: tinha de estudar. E deu um tchau. Mas viu Meu Zé, todo emperiquitado, como se fosse à missa dominical, sair de casa, de chapéu e guarda-chuva. Mateus olhou para o céu apenas para se certificar: não, não estava com cara de que choveria nem naquele dia nem nos seguintes. Será que usar o guarda-chuva como bengala era uma nova moda, inspirada naqueles filmes curtos, corridinhos e engraçados do Carlitos, que ele já tinha visto em matinês do Cine Santa Clara? Não podia ser, Meu Zé não combinava com o personagem de Charles Chaplin. Carlitos representava um pobre-diabo; Meu Zé queria ser um diabo rico.

* * *

Mateus estava deitado, mas, antes de chegar o sono, ouvia seu radinho de pilha, que tocava o sucesso "Volare", com Domenico Modugno. Mateus não entendia a letra: *"Penso che un sogno così non ritorni mai più... e incominciavo a volare nel cielo infinito... volare... nel blu dipinto di blu"*, mas gostava tanto que estava decorando a música para tirar no violão. A canção acabou e ele ia desligar o radinho, quando bateram de leve na porta. Ele reconheceu a voz de Alex, que perguntou baixinho:

— Posso entrar?

— Entre.

Mateus fez sinal para Alex se sentar na beira da cama, abaixando um pouco o volume do Mitsubishi.

— Sua avó não deve gostar que ninguém se sente na cama.

— Ela não está aqui para ver. Sente aqui.

— Dia cheio de emoções, hoje, estou cansado — comentou Alex. — Estava ouvindo música?

— Agora sim. Antes ouvia o jornal do Corifeu. Gosto de saber o que se passa no mundo, tão longe de nós, enfiados aqui, esperando chegar não sei o quê.

— E quais são as novas?

— Lembra do caso do tal *playboy* que anda de Lambretta e usa óculos escuros, e que, junto com um colega e um porteiro, jogou uma moça do alto de um prédio, em Copacabana, depois que abusaram dela?

— Claro, a famosa curra da Aída Curi, horrível! Mas o Ronaldo de Souza Castro parece que está preso...

— Mas quer sair da cadeia de qualquer jeito. Puta sacanagem, já teve três julgamentos e os assassinos da moça continuam apelando, querem outro. Família rica. Mas o que é "curra", mesmo?

— Um ato de violência sexual premeditado e cometido por mais de uma pessoa.

— Aqui nunca aconteceu. Também estava ouvindo que começou um campeonato brasileiro de futebol, com dezesseis campeões estaduais disputando a taça Brasil. Em comemoração ao aniversário do campeonato mundial, em que ganhamos a taça Jules Rimet. Aqui esqueceram de comemorar.

— Mas vai ter uma festa.

— Por outra razão. Vai ser a Festa da Luz. Você sabia que agora já tem avião com motor a jato que nem precisa mais de hélice?

— Sim, já chegou o Caravelle, da Varig.

— Um dia vamos voar nele?

— Claro que vamos, ainda mais agora, que seremos ricos.

— Você também? Dando aula numa escola pública?

— Não nego que sou um professor de escola pública, mas estou me incluindo na família!

— Ah, entendi.

Mateus acabou a frase e adormeceu. No Mitsubishi sobre o criado-mudo, Agostinho dos Santos cantava baixinho: "Tristeza não tem fim, felicidade, sim. A felicidade é como a pluma, que o vento vai levando pelo ar. Voa tão leve, mas tem a vida breve, precisa que haja vento sem parar". Alex desligou o rádio, ficou ainda alguns minutos olhando para o garoto e saiu sem fazer barulho.

15.

O dia seguinte começou morno, aulas sem graça de manhã, preguiça depois do almoço, o ar quase parado, o vento fraco arrastando a poeira ao rés do chão sem vontade de maiores movimentos. Alex passou a tarde escrevendo uma carta e, toda vez que Mateus entrava na oficina, ele disfarçava e escondia o que estava escrevendo. Depois foi ao correio, e Mateus também não conseguiu ler o sobrescrito. Ele até se ofereceu para ir postar a carta, mas Alex agradeceu e disse que preferia ir ele mesmo, a pé, para espichar as pernas.

— Por falar nisso, preciso achar um jeito de me exercitar fisicamente aqui.

— Pode jogar bola, pode correr, nadar na represa. Pode pegar minha bicicleta e dar uns giros.

— Obrigado, acho que queria exercício mesmo; aqui ainda não deve ter academia de ginástica.

— Não tem, não.

— Estou pensando em encomendar um livro com o método

do Charles Atlas, nem pensei em trazer um. Com esse método a gente exercita os músculos sem precisar de equipamentos.

— Para que serve?

— Para não ficar um magrela feito você — debochou.

— Olha aqui o muque — disse Mateus, e dobrou o braço, subindo a manga curta da camisa.

Caio apareceu com novidades. Fora ao correio, como todo dia, postar e retirar a correspondência do escritório de Meu Zé, e dona Nilce, a responsável, lhe perguntou se ele podia entregar dois envelopes na casa de dona Madalena. Não havia carteiros na cidade, e Caio disse que levaria com prazer. Era uma carta dirigida à própria Madalena, que o rapaz fez questão de entregar pessoalmente, sabendo que ganharia um elogio. Ele já tinha o corpo de um homem bonito e as garotas logo estariam correndo atrás dele, foi o que ouviu dela, e respondeu:

— Já estão, dona Madalena, já estão. Brotinhos à beça — disse, e riu.

— Sempre crente que está abafando — criticou Mateus.

— É só não dormir de touca, meu chapinha — disse Caio.

Dona Madalena raramente recebia cartas. Os documentos oficiais vinham sempre em nome do marido, e suas poucas primas distantes não eram muito de escrever. Quase caiu de costas ao ler o nome da remetente no verso do envelope.

O outro papel informava que chegara uma encomenda para Mateus, que ele devia ir retirar, pagando o valor do reembolso postal.

— É o meu método de violão moderno — festejou Mateus.

— Então vamos ter outro Dilermando Reis? — gozou Caio.

— Falei que é de violão moderno, não escutou, não? Mas minha bicicleta está com o pneu furado.

— Vem comigo na garupa. Depois te trago de volta. Já acabei meu trabalho hoje — disse Caio.

Mateus foi pegar o dinheiro com o avô, que já sabia da encomenda, e os garotos foram para o correio. Antes ele disse ao avô:

— Não conte para o Alex. Quero fazer surpresa.

Subiram na bicicleta, com Caio zoando:

— Põe a mão boba para trás.

— Não passo a mão em veado.

— E no teu cuzinho não vai nada?

Mais tarde, Mateus e Alex experimentaram os novos acordes mais fáceis de executar, mas acharam o som esquisito. Vai ver que Mateus não segurava direito as cordas com a ponta dos dedos. Fizeram alguns testes comparando os sons. Primeiro Mateus tocava a sequência natural de dó maior, lá menor, ré menor e sol com sétima. Aí passava para dó maior com sétima maior, lá menor com sétima menor, ré menor com sétima menor e ré menor com sétima aumentada.

— É o próprio João Gilberto... depois da gripe — zombou Alex.

— Ter um amigo da onça nesta hora só vai bagunçar meu coreto — irritou-se Mateus. — Estou com os dedos em carne viva — disse, esfregando a ponta dos dedos na camisa.

— Tem que formar calo nos dedos, chapinha. Tem que se exercitar mais.

Enquanto Mateus e Alex brigavam com o violão no quarto da frente, Madalena e Artur, sentados na cozinha, falavam sobre a carta que ela acabara de receber.

— Há quanto tempo não temos notícias deles — comentou Madalena.

— Anos. Desde que Isabel morreu.

— Foi quando Mateus teve catapora. Eu só fui avisada da morte da minha irmã depois do enterro. Também nem sei como me apresentaria, depois de tanto tempo.

— Eu não iria mesmo. Na verdade, meu contato com eles era quase nulo. Depois que Isabel e Américo adotaram Teresa e trataram de ir embora, para preservar a origem da filha, que registraram como se fosse deles, nunca mais tivemos notícias. Preferiram romper com o passado. E só agora, pela carta, ficamos sabendo da morte do Américo, que também não tem parentes na cidade. Quase não me lembrava mais que a menina adotada por sua irmã se chamava Teresa. Ela deve ter agora mais ou menos a idade do professor Alex, um pouco menos.

— Isso mesmo. E vai chegar a qualquer momento. Diz na carta que quer reencontrar suas origens.

— Que origens?

— Do nosso lado, sobramos nós dois, uns primos distantes que nunca vemos e o Mateus, que Teresa nem sabe que existe, penso eu. A mãe biológica morreu no parto e o pai teve aquela morte horrível, tirando a própria vida depois de matar aquele menino. Mas tem os parentes do pai, toda a família do Zito, o amigo do Mateus. Minha santa Maria Madalena, o que vamos fazer, meu velho? — choramingou Madalena.

— Só podemos recebê-la bem. Nossa família é tão pequena e essa moça é parte dela. Mas pare de me chamar de meu velho; será o Benedito que vou ter que repetir isso por não sei quantas vezes?

— Vou ajeitar o quarto para ela, pelo menos pode ficar bem acomodada. Pena que a carta não diz quando ela chega. Vamos avisar o Mateus? Eles são primos em segundo grau, e Mateus, coitado, além de nós dois e agora de Teresa, não tem nenhum outro parente por perto.

— Vamos esperar. De repente ela não quer que ninguém saiba de suas verdadeiras origens. Afinal, como ela ficou sabendo que é nossa sobrinha, se Isabel e Américo queriam manter tudo em segredo? — disse Artur.

— Não sei, mas com certeza ela vai nos contar.

Depois do jantar, a noite estava clara e a temperatura, agradável. Mateus sugeriu a Alex:

— Vamos dar uma volta de Fusca pela cidade? Eu nunca ando de carro.

— Vamos.

— Assim mostro para você tudo por aqui.

— A escola já sei onde é — disse Alex, brincando.

Avisaram que iam sair um pouco, e Artur pediu a Mateus que, na volta, lhe comprasse um maço de cigarros Fulgor, dizendo que podiam tomar um sorvete no Eliseu com o troco da nota de vinte cruzeiros que deu ao neto. E acrescentou:

— Recomendo o de ameixa, Alex.

Saíram para o passeio e o sorvete. Rodaram por todas as ruas, pela única avenida, e chegaram até os limites da cidade; passaram pelas praças, pelo matadouro. Mateus mostrou o clube novo, em construção, o cinema velho e, na esquina de baixo, o cinema novo que estava pronto para ser inaugurado, as casas de seus amigos. Apontando um palacete: "Aqui mora o prefeito". Na esquina de baixo: "Aqui, o doutor Mundico". Viram do carro o campo de futebol, o asilo, o Clube dos Italianos, e foram até a represa, em cujas margens Mateus disse que ele e os amigos costumavam se sentar para fumar e jogar conversa fora. Juntavam seus trocados e compravam um maço de Luiz XV ou Mistura

Fina; não suportavam Fulgor, de que seu avô gostava, era um estoura-peito brabo. Compravam também um punhado de balas Pipper, de hortelã, porque em casa não podiam chegar com cigarro nem com o cheiro dele.

— É bronca na certa. Só eles podem fumar, os adultos.

— Vocês vêm nadar aqui?

— Também, mas em fim de semana não é bom, tem muita gente quando faz calor. Eu prefiro nadar na Cascatinha, onde a gente pode nadar peladão, porque, por isso mesmo, menina lá não vai, e a gente fica mais à vontade. O lugar que eu mais gosto para tomar banho de rio é num sítio do Zito, aquele meu amigo, sabe? Qualquer dia conto uma história que você não vai acreditar.

— Conta agora.

— Agora não, você ia dar risada de mim. Tenho uma pendência para resolver lá. Quando eu conseguir, eu conto. Pode ser até que eu leve você lá depois.

— Você me deixou curioso.

— Pois vai continuar curioso.

Mateus contou que, para repassar a lição em véspera de prova, gostava de ir à represa sozinho, sem ninguém para encher o saco. Procurava um lugar sob uma árvore, longe da cancha de bocha, onde os velhos faziam muito barulho, com as bolas e os berros.

— Velho brocha se distrai com a bocha — comentou ele.

— Isso foi maldade — disse Alex.

— É, tentei fazer uma graça e acho que não funcionou, mas não foi por maldade. Na hora pensei no meu avô e me arrependi. Será que meus avós ainda metem?

— Têm relação sexual, fazem sexo. Teu linguajar em matéria de sexo é chulo, pura grosseria de mau gosto, Mateus. Podia melhorar, né?

— Mas a gente aprende tudo na rua, vai querer o quê? Sabe

que chegou na escola uma diretora que achava que a gente devia ter aula de educação sexual? Nossa, ficamos numa puta animação, mas a decepção logo veio: contrataram o padre para professor.

— Tiveram aulas com ele?

— Uma só, mas com os meninos separados das meninas. Aula de sexo com o padre, acredita? Se ao menos fosse o professor de biologia, mas ele se recusou. Sabe como a gente se livrou do padre?

— Posso imaginar.

— Ficou por conta do Zito, que de sacanagem entende e tem a maior boca suja. Perguntou ao padreco se era pecado ter com a namorada apenas relações anais, para evitar fazer filho. Mas o Zito falou de um jeito porco, caprichando no vocabulário, coisa assim: "meter no cu do broto cabacinho".

— Que grosseria! E o padre se assustou...

— Teve um ataque de tosse, pediu licença, saiu da classe e nunca mais voltou.

— Pudera.

— E a nossa tal de educação sexual continuou mesmo na rua.

— Os pais não falam com os filhos sobre sexo?

— Nunca. Assunto proibido total.

— Sei. Mas difícil eu ouvir você falar palavrão na frente dos seus avós.

— Se falar, é tapa na boca. Na escola o professor põe a gente para fora da sala se a gente falar grossura, e a diretora chama o pai e a mãe e passa um sabão, dá suspensão, o caralho. Mas com você posso falar do meu jeito, somos amigos, ou não posso?

— Pode, mas sou mais velho, posso até orientar você um pouco. Você é um garoto inteligente e informado, praticamente um adulto. Bem mais que os outros da sua idade. Esse linguajar sujo que você usa precisa de uma polida. E não precisa exagerar só para se exibir, não vou começar a tossir como o padre quando você vomita essas lindas palavras.

— Também não é tanto assim.

— Pior.

Da represa, Mateus apontou, na subida do morro, o cemitério da cidade. Tinha os muros recém-pintados de branco e, ao luar daquela noite, emitia um ar fantasmagórico, que Mateus disse achar bonito, como num filme de Boris Karloff.

— Na entrada do cemitério, bem em cima do portão, tem a inscrição "*Morituri mortuis*".

— "Os que vão morrer, aos que estão mortos" — traduziu Alex. — Uma homenagem dos vivos aos defuntos, acertei?

— Isso mesmo. Mas o povão, que vai à missa a vida inteira e escuta toda essa rezaiada em latim, sem nunca aprender essa língua, acha que é "Morada dos mortos" — disse Mateus.

— Seus pais estão enterrados ali?

Mateus não respondeu. Como se não tivesse ouvido a pergunta.

Da represa voltaram ao centro, ficaram rodando pelas ruas e então, numa esquina quase fora da cidade, Mateus pediu a Alex que estacionasse o carro em frente a uma casa de janelas fechadas e em mau estado de conservação, com um jardinzinho coberto de mato. Mateus disse:

— Aqui é a zona.

— O quê? Só estou vendo uma casa.

— É a nossa zona. Aqui tem mulher, é só pagar.

— Entendi. A zona de meretrício.

— Não quer entrar?

— Não.

— Não gosta de mulher?

— Gosto.

— Então, você entra e me leva com você.

163

— Eu não estou a fim. Além disso, você é menor de idade.

— Aqui não ligam para isso, não tem problema, Alex.

— Não, Mateus, não é assim que resolvo minhas necessidades sexuais. Eu prefiro ter uma namorada bacana.

— Aqui namorada bacana é para casar, não faz essas coisas antes do casamento.

— Sei lá, mesmo assim.

— Se você me levasse, eu podia — fez uma pausa e continuou, hesitante e envergonhado — perder a virgindade.

— Levado por mim? Ah, não. Já pensou o que seus avós pensariam de mim, se ficassem sabendo?

— Eles iam agradecer. Eu não tenho pai para me trazer pela primeira vez aqui na zona. Podia ser você.

— Fica tranquilo, Mateus, ser virgem não é defeito — Alex riu, dando partida no Fusca. — Tudo tem sua hora certa. A sua vai chegar, está bem?

— A gente podia adiantar essa hora.

— Não foi muita esperteza de sua parte querer me aplicar esse golpe. Rodar, rodar, rodar até cair nessa casa aí sem querer.

— É a casa da Graúna.

— Então, até cair *sem querer* na casa da Graúna.

— Foi sem querer mesmo, juro.

— Esquece, está tudo certo. Gostei de você achar que eu podia ser seu pai.

— Mas só para me levar para a zona. Não vem querer mandar em mim, não.

— Certo. Apenas amigos. Quer dizer, amigos fora da aula. Na escola não tem essa de amizade, você é o aluno e eu sou seu professor — disse Alex, assumindo um ar de superior.

— E em casa eu sou o neto do dono e você é o hóspede — rebateu Mateus, para não ficar por baixo.

Alex despenteou o cabelo de Mateus e arrancou com o carro.

— Vamos ao sorvete de ameixa?

— Já que não tem nada melhor...

Em casa e sem sono, Mateus foi para a janela. Olhou a rua escura e deserta, dona Nena recolhida, o guarda Romeu apitando ao longe. Bom para fazer um infinito no meio da rua, talvez de pé no peitoril, seria bacana, mas não tinha vontade de mijar. Levantou o olhar para o céu, e lá estavam suas estrelas faiscantes e indiferentes às paixões humanas. Sentiu dó de ter que fechar a janela. Nisso, viu uma bicicleta se aproximando. Logo reconheceu Caio, que parou em frente à casa de dona Nena, sem perceber a presença do amigo, e furtivamente entrou. Não bateu. Devia ser esperado, porque alguém que Mateus não viu quem era lhe entregou alguma coisa e Caio saiu do jeito que chegou. Enquanto Mateus pensava que merda acontecia na escuridão, Caio voltou. Dessa vez entrou e ficou na casa, aguçando a curiosidade de Mateus. Caio guardou a bicicleta do lado de dentro do portãozinho, e Meu Zé, lamparina nas mãos, abriu-lhe a porta. Passados uns minutos, saiu, mas dessa vez Meu Zé o acompanhou até o portão, falando sem parar, baixo. Meu Zé viu Mateus, acenou para ele e disse qualquer coisa a Caio, que assentiu. Meu Zé entrou e Caio empurrou a bicicleta até a janela de Mateus. Aproximando-se, disse:

— Acordado?

— Sem sono. E você, por aqui, fazendo o quê?

— Trabalho não tem hora. Papéis para o patrão assinar.

— O escritório não fecha às seis?

— Fecha, mas é que antes ele não podia, estava fora, e amanhã cedo tem que estar tudo assinado. Já vou, está ficando tarde, só parei para te dar um oi. Tchau, Mateus.

— Tchau. Te vejo na escola — despediu-se, e pensou: *Documentos para assinar, o caralho.*

Da esquina, Caio se virou e acenou mais um tchau. *Ficou preocupado. Não contava ser visto.* Mateus fechou a janela.

Caio não trazia nem levava nada, como um envelope ou uma pasta, que serviria para transportar documentos. Nos bolsos podia ter muitas coisas, não papéis. Na segunda vez, saiu da casa com um guarda-chuva que pendurou no guidão da bicicleta, como se o maior temporal estivesse se armando. Mateus desconfiava do leva e traz do guarda-chuva em época de estiagem. *Acho que sei de onde vêm as coisinhas que Caio vende para nós debaixo dos panos,* pensou.

16.

A Festa da Luz começaria às seis da manhã e se estenderia até altas horas. A partir das onze da noite, chegariam ao fim as velas, lamparinas e lampiões. A cidade seria ligada ao sistema nacional de distribuição de energia elétrica e deixaria de depender dos geradores a óleo cru, que seriam desligados para sempre. "É o fim das ruas escuras de madrugada", comentavam. "A noite vai virar dia. Podemos trabalhar nas máquinas elétricas vinte e quatro horas sem nunca ter que parar: é o progresso, o mundo a nossos pés! Vamos ser parte da humanidade que não se apaga com o pôr do sol." E daí para mais, multiplicavam-se os comentários como abelhas na saída de enxame novo.

A prefeitura distribuiu um panfleto com a programação da festa. Às seis horas, alvorada, com a fanfarra da escola; às dez, missa solene em ação de graças, celebrada por sua excelência reverendíssima o bispo diocesano e concelebrada pelo pároco do lugar; às quatro da tarde, no Clube dos Italianos, conferência sobre energia elétrica proferida pelo professor de física e química da escola, seguida de coquetel oferecido pela fábrica local de refrigerantes, vinagre e aguardente; às sete, inauguração do moderníssimo Cine Universo, dotado de tela panorâmica, com a projeção do filme *O céu por testemunha*, estrelado por Deborah Kerr e Robert Mitchum, produzido em Cinemascope, o máximo em tecnologia cinematográfica, o último grito de Hollywood; às nove horas, ligação oficial da rede elétrica ao sistema nacional de energia, direto do palanque armado em frente à prefeitura, com a bênção do pároco e discurso inaugural do prefeito anunciando o ingresso da cidade no mundo moderno.

Mateus acordou mais cedo, vestiu a farda da fanfarra, com pluma no quepe e tudo, tomou café e foi para o desfile da escola. Nas calçadas, já se aglomeravam os curiosos. O dia prometia.

À mesa do café, os moradores do lar de dona Madalena conversavam à espera da alvorada que passaria em frente à casa. Alex reclamou de dor nas costas. Devia ter dormido mal.

— Ficar sentado muitas horas na oficina, lendo e escrevendo, dá dor nas costas. Precisa voltar a se exercitar, como me disse que costumava fazer — comentou Artur.

— Vou lhe fazer um cataplasma de arnica. Se amanhã continuar mal, vou levar o senhor na dona Rita, que é ótima benzedeira — prometeu Madalena.

— Dona Madá, não acredito em benzimento — retrucou Alex.

— Não precisa acreditar. Recém-nascido também não acredita em batismo. No entanto...

— Eu não sei essas coisas.

— Ela vai usar um ramalhete de diferentes ervas, que vai passar nas suas costas várias vezes. A cada passada, ela diz: "O que que eu curo?", e ela vai ensinar o senhor a responder: "Osso quebrado, nervo encolhido, carne amassada". Só isso.

— Se é tão fácil, por que não fazemos aqui, nós mesmos?

168

— Tem que ter o dom, professor, o dom — explicou Madalena.

— Eu não acredito, mas é dona Rita que me cura sempre que preciso — confessou Artur.

— Diz que não acredita para não dar o braço a torcer — criticou dona Madalena.

— Agora, o irmão dela, o Bento, curador também, não recomendo. Especialmente às mulheres. Conta para ele, Madá — provocou Artur.

— O Artur não aprova porque seu Bento usa umas fitas coloridas que vai enrolando no corpo da gente — disse Madá.

— Principalmente medindo os quadris e os seios das mulheres! Além do mais, é mentiroso. Fica falando do tempo em que dirigia, aqui nesta cidade, uma congada espetacular, de onde vem seu nome, Bento da Congada. Mas nunca teve congada aqui. O que temos é a Folia de Reis, uma maravilha! Começa em dezembro e vai até 6 de janeiro. Eles cantam diante do presépio das casas e se exibem na rua. O senhor vai ver. Todo ano dou uma novilha para o churrasco dos Santos Reis. Todo mundo vai.

— Já ouvi falar dessa folia, não vou perder.

Nisso, já se ouvia o som da fanfarra se aproximando. Saíram todos à janela. Mateus vinha tocando sua caixa de guerra, empertigado como um soldadinho de chumbo. Passou sem olhar para eles. Alex reclamou.

— Se olham para os lados, vira bagunça, e o professor Edu ralha com eles — explicou dona Madalena. — Mas ele nos viu aqui, com o rabo do olho. Se não nos visse, ele é que ia ralhar conosco depois.

A missa foi realmente solene, a não ser por uma pequena decepção, já esperada aliás: o bispo mandou avisar que tinha piorado da espinhela caída e guardaria o leito em seu merecido padecimento, mas se lembraria da cidade em orações.

Na igreja matriz saía gente pelo ladrão. As irmandades acorreram devidamente paramentadas: a Cruzada infantojuvenil São Tarcísio; os Congregados Marianos; as Filhas de Maria, todas de roupas e véus brancos e fitas azuis; e as senhoras do Apostolado do Sagrado Coração de Jesus, em roupas escuras, véus pretos e fitas vermelhas. Os demais fiéis sentavam-se nos bancos conforme o protocolo permanente: os homens à esquerda do altar e as mulheres à direita. As casadas e viúvas com a cabeça coberta de véu preto; as solteiras, de véu branco. "Honrem o véu branco com a castidade. A virgindade é a principal virtude da mulher, e do homem solteiro também, dádiva a ser colhida apenas sob a proteção sacramental do matrimônio", advertia sempre o padre. De costas para os fiéis, ele e os coroinhas tomavam seus lugares nos degraus do altar. Às dez em ponto entraria o prefeito com sua comitiva para ocupar os assentos reservados na primeira fila de bancos, e o celebrante daria início à cerimônia.

Alex não conseguiu escapar, teve de ir à missa com o resto da cidade, mas preferiu ficar atrás, de pé. Mateus quis ficar ao lado dele, o que desagradou um pouco o avô, que conseguiu um lugar para se sentar. Madalena recomendara que levassem um lenço cada um para forrar o chão na hora de ajoelhar.

— Como eu vou saber a hora certa? — perguntou, aflito, Alex.

— Toda vez que o coroinha tocar a campainha. É só seguir os demais. O Mateus sabe direitinho, pode ensinar o professor — lembrou dona Madalena, com uma pitada de sarcasmo.

Na igreja, dona Nena sentou-se no último banco, no corredor, seu lugar de sempre. Dali via quem entrava, onde se sentava, quem comungava e quem ficava com a cabeça nas nuvens torcendo para a missa acabar logo. Ao seu lado sentava-se Marinês, a filha do açougueiro. Marinês trabalhava dois dias por semana na casa de dona Nena e a acompanhava à missa aos domingos, já que o horário era impróprio a Meu Zé, que preferia dormir de manhã e pagava por sua companhia à mãe. A mesma Marinês que lavava e passava roupa na casa de dona Madalena em outros dois dias da semana.

Voltando à missa: o padre, rigorosamente paramentado para a celebração solene, ostentava batina preta com colarinho clerical, coberta por alva de tecido leve; estola caída do pescoço ao peito, presa por cordão amarrado à cintura; manípulo pendente do antebraço esquerdo; e sobre os ombros a casula em seda adamascada. Quando de braços abertos, lembrava a imagem de um escudo, escudo de Deus, claro.

O celebrante era acolitado por sete coroinhas, garotos com batina vermelha e cota branca três-quartos de mangas longas. Ao lado do altar, junto a um pedestal com microfone, postava-se um jovem distinto, em batina preta. Era seminarista de família tradicional da cidade, trazido do seminário de um município distante especialmente para o ofício. Caberia a ele a caridosa missão de explicar ao populacho, notadamente os desvalidos de intelecto, a sacrossanta liturgia da celebração: o que o padre, de costas para os fiéis, rezava e dizia em latim, bem como seus gestos e movimentos.

Mateus conhecia todos os coroinhas, colegas de escola ou de vista. Numa cidade tão pequena era difícil desconhecer algum morador. Ele chamou a atenção de Alex para a figura de seu amigo Caio, o filho da dona Conceição, que liderava os coroinhas e as obrigações durante a missa. Regularmente, os coroinhas deveriam portar, movimentar ritualmente e manter asseadas e reluzentes as peças sacras e litúrgicas em metal: castiçais para as velas; cálice para o vinho a ser consagrado; âmbula para as hóstias consagradas; patenas do cálice e da âmbula; turíbulo para incensar as espécies, o altar e os fiéis; naveta contendo o incenso; colherinha; galhetas com vinho e água para consagração; caldeirinha para água benta, com seu aspersor, o hissope; campainha para salientar os momentos de exaltação e recolhimento da missa. Por seu toque se sabia, por exemplo, o momento exato de baixar a cabeça, voltar os olhos para o chão e, de joelhos, elevar a alma em prece, enquanto o sacerdote procedia à consagração, comendo do pão e bebendo do vinho ritualísticos, levantando o cálice sobre a cabeça, sempre de costas para a assembleia. Sobre o altar deveria estar o missal, que trazia as orações ordinárias da celebração e as leituras dedicadas à festa do dia. Na primeira parte da cerimônia, o missal, aberto sobre um suporte móvel, ocupava ora o lado direito ora o lado esquerdo do altar. Essa movimentação, bem como o ritual de incensação do altar e dos fiéis com o balançar do turíbulo, exigia dos coroinhas um verdadeiro balé, sempre em atitude de recolhimento, o olhar baixo. A manipulação da âmbula e do cálice, coberto com a pala e o véu, era prerrogativa exclusiva do sacerdote.

Na hora da comunhão, quando os fiéis se aproximavam do altar para receber a hóstia consagrada, Mateus observou que Caio, mais uma vez, acompanhava o sacerdote segurando a patena sob o queixo dos comungantes ajoelhados. Ele não se conteve e comentou baixinho com Alex:

— O Caio tá que não se aguenta. Safado!

Vinha observando fazia algum tempo que Caio e Henrique competiam, no altar e fora dele, pela atenção e protagonismo junto ao padre. Notou que várias vezes Henrique tentou tomar a frente de Caio. Num desses enfrentamentos, Henrique empurrou Caio, que por pouco não perdeu o equilíbrio e se esborrachou diante da plateia religiosa. A disputa também não passou despercebida aos olhos atentos de dona Nena. Para os demais, tudo parecia corriqueiramente normal, uma vez que os coroinhas destrambelhados costumavam se atrapalhar com os objetos, quando não tropeçar na frente da mesa sagrada. Mesmo de costas, o sacerdote percebia o fiasco e sussurrava aos descuidados palavras de censura.

Finda a missa, Alex e Mateus deixaram a igreja rapidinho à espera de Madalena e Artur a fim de voltarem juntos para casa. Heitor os viu e se juntou a eles. Enquanto aguardavam, Mateus comentou:

— Caio um, Henrique zero.

— O que foi que eu te disse? — reafirmou Heitor.

— Do que vocês estão falando? — perguntou Alex.

— Deixa para lá — desconversou Mateus. — Aí vêm meus avós.

Às duas da tarde, a conferência do professor doutor Gallo foi concorrida, embora poucos estivessem inteirados do assunto. A maioria estava mais interessada nos comes e bebes que seriam servidos a seguir, com os insuperáveis salgadinhos de dona Helena, mãe do Henrique, que os fazia por encomenda para aumentar a receita doméstica. Na saída, a fábrica de bebidas patrocinadora do coquetel distribuiu a todos miniaturas das garrafas de refrigerantes que produzia, envoltas num laço de fita azul onde se lia: "Deus disse: 'Faça-se a luz' e a luz se fez (Gênesis, 1:3)". A Festa da Luz, no entanto, prometia mais. A maioria dos fabricantes de bebidas oferecia miniaturas de seus produtos, garrafinhas colecionadas por muitos enquanto outros preferiam exibir na parede do quarto sua vistosa coleção de flâmulas. Diziam alguns entendidos que a passagem da infância à adolescência e desta à idade adulta era marcada por etapas sucessivas representadas pelo amor às coleções de bolinhas de gude, flâmulas e, finalmente, miniaturas de bebidas. Com a chegada dos namoros, as preciosas coleções eram abandonadas à sanha dos irmãos e primos mais jovens.

Grande êxito representou a inauguração do Cine Universo, cinema que já tinha sua história. Um fazendeiro local vendera o muito que possuía e apostara todo o dinheiro na vitória de um dos candidatos ao governo do estado. Em campanha, o tal candidato estivera na cidade, passando por pobre e honesto. Recusara o banquete oferecido pela elite local, para almoçar um sanduíche de mortadela, sentado numa caixa de bacalhau numa pequena venda. De sobremesa, comera uma banana-nanica, que recebera de dona Rosa, a mulher do comerciante, maravilhada com o despojamento do candidato. No bolso do paletó ensebado, ele levou para comer mais tarde uma paçoquinha que fez questão de pagar. "Ele fede de longe", diziam os opositores. Resultado? Ele ganhou estourado e o fazendeiro apostador dobrou seu dinheiro.

O apostador era amante inveterado das atrizes Brigitte Bardot, Gina Lollobrigida, Elizabeth Taylor, Sophia Loren, Deborah Kerr, Grace Kelly, Rita Hayworth, cujos filmes novos não chegavam à localidade porque o Cine Santa Clara não dispunha dos requisitos técnicos exigidos pelos avanços da sétima arte. O velho cinema, aliás, só contava com um único e antiquado projetor, que exigia a interrupção das sessões sempre que necessária a troca do rolo de celuloide. Além do mais, sua tela era quadrada, com os cantos arredondados. Foi por isso que o fazendeiro, cheio de dinheiro, deu à cidade, como gostava de dizer, um cinema para se orgulhar. Para a inauguração, escolheu o filme *O céu por testemunha*, por si só uma maravilha: atores extraordinários, locações paradisíacas à beira-mar, uma história de partir o coração. Quase ocorreu um tumulto quando os bilhetes se esgotaram, mas o dono prometeu que haveria uma segunda sessão à meia-noite. Afinal, a partir daquela data a energia elétrica estaria disponível o tempo todo. "Se preciso, faremos sessões até o dia amanhecer. Ninguém vai ficar sem ver a magnífica Deborah Kerr sofrendo por um amor impossível", completou, sossegando os retardatários.

O filme em trinta e cinco milímetros, *color by deluxe*, som estereofônico, com imagem firme e nítida, era de abafar. Melhor ainda agora, que o cinema dispunha de dois projetores sincronizados, não havendo mais, portanto, a tal interrupção para troca dos rolos. A sala, estrategicamente bem projetada, impedia que o espectador sentado à frente de outro atrapalhasse a visão da tela, graças à inclinação do piso. Pena que as poltronas não fossem estofadas e que não houvesse ventilação alguma. Para atenuar o desconforto do calor daquela noite, o proprietário optou por deixar abertas as portas laterais de saída durante toda a sessão. Falha que seria remediada pelas senhoras, que passariam a trazer, prevenidas, leques e ventarolas. Dona Nena, uma das primeiras a entrar, gostou de tudo e demarcou seu lugar estratégico. Como sempre, houve quem falasse mal do filme, gente do contra. Onde já se viu uma freira católica e um soldado americano sozinhos, trocando intimidades, perdidos numa ilha do Pacífico durante a Segunda Guerra Mundial? Nada edificante para os jovens e as senhoras da cidade!

— Pena que o Universo não vai passar os seriados. Dizem que nem são mais filmados — lamentou Mateus a Henrique.

— Não seja por isso. Na terça, a gente vai continuar frequentando o Santa Clara.

De todo modo, os hábitos com relação ao cinema mudariam. O Santa Clara mantinha cada dia da semana reservado a um tipo de filme. Os de *cowboys* do Velho Oeste sempre aos sábados, com reprise na matinê do domingo, por exemplo, e sempre um filme brasileiro às quintas-feiras. Mateus e seus avós costumavam ir juntos ao Santa Clara nas noites de quinta, mas tinham gostos diferentes. Mateus gostava dos filmes com Oscarito e Grande Otelo, Artur preferia os de Mazzaropi, e Madalena tinha paixão pelos atores Anselmo Duarte e Eliana Macedo. O dono do Universo achava essa divisão por dia da semana uma bobagem, e talvez o Santa Clara não sobrevivesse para manter o velho costume. Nem as tabuletas amarradas nos postes de iluminação das principais esquinas, que anunciavam o filme do dia no Santa Clara, seriam usadas pelo Universo. Quem quisesse saber que filme passaria, que fosse espiar os cartazes dispostos na entrada do cinema recém-inaugurado. Ou podia ir para lá direto, sem saber qual era a programação: não importava que dia da semana fosse, seria exibido sempre um filme estupendo, propagandeava o Universo.

— Se acabarem com as pulgas, talvez o Santa Clara continue a funcionar — disse Henrique.

— Não é questão de com pulga ou sem pulga — retrucou Mateus. — É a tal da tecnologia.

— Essa tal de tecnologia tem tudo isso de força, até para acabar com o nosso cinema?

— E muito mais.

Chegou a grande noite tão esperada, hora da inauguração da luz elétrica permanente. A população em peso compareceu com a melhor roupa e as bijuterias mais chamativas, as joias mais valiosas no caso dos ricos, aglomerando-se no largo da matriz, em frente à prefeitura, onde o palanque oficial foi erguido. Nele, instalou-se, especialmente para o ato público, uma chave que, ao ser movida dos encaixes da esquerda para os da direita, desligaria a eletricidade fornecida pelos geradores a óleo e estabeleceria a conexão com a rede nacional de distribuição de energia elétrica. "Num movimento do meu braço, passaremos direto do passado ao futuro", repetia o prefeito a quem estivesse por perto. E girava o braço na altura do cotovelo.

O amplo palanque, com uma fileira de cadeiras ao fundo, em nível mais elevado, foi sendo ocupado por políticos e autoridades.

O padre chegou paramentado com sobrepeliz, estola, capa de asperges de tafetá branco bordado com fios de ouro e pedras semipreciosas, que desenhavam três cruzes. Vinha seguido por uma fila de coroinhas. Postaram-se no palanque e foi dado início à cerimônia. Haveria um discurso inaugural, depois a bênção e, finalmente, a troca definitiva das fontes de eletricidade.

Mateus estranhou que Henrique viesse à frente do cortejo de coroinhas e do vigário, turíbulo em mãos, seguido por Claudinho, que levava a caldeirinha de água benta com o aspersor, e pelos demais coroinhas. No fim da fila vinha um Caio cabisbaixo, de mãos abanando e, para quem o conhecia bem, aparentemente fulo de raiva. A cena também chamou a atenção de dona Nena, aboletada na fileira das pessoas ilustres, graças aos acordos e negócios que Meu Zé mantinha com o prefeito. Não porque gozasse de algum privilégio.

De pé ao lado de Alex, próximo ao palanque, Mateus cochichou:

— Eita! Parece que a coisa na trupe do padre se inverteu. Eu, hein! Caio é legal, mas não leva desaforo para casa.

— Não estou entendendo nada do que você está dizendo. Que que é? — reagiu Alex.

— Esquece, a discurseira vai começar.

Diante do povo e da chave miraculosa que abriria as portas da civilização, e de costas para a elite atenta, o prefeito se aproximou do microfone e falou, falou, falou... demais e como de costume:

— Estamos hoje adentrando o futuro. — Recebeu os primeiros aplausos e continuou: — Já, já teremos o nome da nossa cidade nos anais da civilização. Eletricidade é progresso. — Só não disse "... e socialismo", como o velho líder soviético.

Agradeceu ao ex-governador e ao atual por todos os benefícios à cidade já concretizados, bem como pelas promessas de

177

incluí-la sem mais delongas na rede das rodovias asfaltadas. Reafirmou a inauguração próxima do serviço de água encanada tão logo ficasse pronta a caixa-d'água, e que não tardaria o asfaltamento das ruas, a ser iniciado assim que se completasse a construção da rede de esgotos.

— Hoje, a cidade se junta ao mundo, quando o homem está quase pondo os pés na Lua, com os Sputniks cada vez mais perto! A vacina contra a pólio mostra que estamos à beira de dominar as pestes e doenças transmissíveis para a derrota da morte precoce de crianças e adultos. Em breve cada órgão doente do corpo humano poderá ser trocado por outro. Não é o que antevemos com os recentes avanços das cirurgias do coração? Não esqueçamos que a televisão já bate à nossa porta. Minha luta é instalar para já uma antena retransmissora na cidade. Quem poderia imaginar todos esses milagres uma década atrás? — ufanava-se o prefeito, que de vez em quando se voltava para a parte de trás do palanque a fim de receber os sinais de aprovação da elite ali acomodada em cadeiras confortáveis.

E, então, de novo se virava sorridente e orgulhoso para a população à sua frente, que o aplaudia com entusiasmo ainda maior. Lembrou também a recente chegada das fábricas de caminhões e automóveis ao país, bem como a substituição do braço humano por máquinas na agricultura.

— Essa transformação a favor do povo não vem por acaso. É resultado da boa política, da nossa política, do nosso partido.

Aproveitando-se de uma diminuta pausa do prefeito e se sentindo protegido pela impessoalidade da multidão que tomava a praça, alguém gritou:

— Cala a boca, prefeito ladrão!

O prefeito fez que não ouviu e tratou de encurtar o discurso antes que outra voz se levantasse. E concluiu, subindo o tom de voz:

— Para coroar os novos tempos, teremos em breve a inauguração de Brasília, a nova capital federal, a mais moderna cidade do mundo! Nova capital, nova política, novas perspectivas de administração do bem público em benefício do povo. À noite, pela televisão, vamos vigiar tudo o que se passa em Brasília, a capital da esperança, esperança que se realiza e se concretiza também agora, aqui, em nossa cidade, em nossas casas, como testemunharemos em poucos minutos.

Acrescentou a notícia que calculava ser do maior interesse:

— Estive outro dia com sua excelência o governador, que, conosco sentados frente a frente na sala de despachos no palácio dos Campos Elíseos, me garantiu que a ambulância que há tanto esperamos já foi comprada. Nossos doentes terão seu veículo especial para levá-los aos hospitais da região com todo o conforto da medicina moderna.

Parou aí e agradeceu.

Cansado, o povo aplaudiu por menos tempo. Ao prefeito, no entanto, estava reservado o *grand finale*, com a ligação da luz à rede permanente. Passou a palavra ao padre para o ritual da bênção.

Silenciada a multidão que o aplaudia, o padre entoou em latim as orações antes da bênção. Tomou do hissope, que Henrique, agora a seu lado, trazia na caldeirinha de água benta. Aspergiu com essa água a chave de ligação, marcando no ar os cinco pontos da cruz, enquanto dizia: "*In nomine Patris et Filii et Spiritus Sancti*". Ao que todos responderam: "*Amen*".

Num átimo o prefeito, estouvado, tomou da mão do padre o aspersor, mergulhou-o na caldeirinha e repetiu o gesto do celebrante. Passou-o ao vice-prefeito, o qual já se adiantara com a mão estendida, que em seguida passou ao presidente da Câmara, que passou ao delegado-substituto, que passou à primeira-dama, que reclamou da falta de representação das mulheres. A ela seguiram-se, sempre repetindo os gestos da aspersão, o tabelião,

· 179

o proprietário do cinema novo e a longa fila de interessados em participar da bênção. Para a posteridade, decerto. Por sua vez, o fotógrafo Serginho batia uma chapa atrás da outra, ajudado por sua experiente mulher, que trocava velozmente a lâmpada do *flash* gasta a cada clique da Rolleiflex. O padre parecia tomado por uma crise de imobilidade, enquanto o coroinha Henrique, entre surpreso e estarrecido, segurava firme junto ao peito a caldeirinha praticamente esvaziada, feito um são Tarcísio tentando proteger dos incréus o cálice eucarístico.

A certa altura, encontrando-se a chave elétrica severamente encharcada pelo excesso de água benta, ouviu-se um estrondo ensurdecedor. Dos equipamentos, subiram fagulhas enormes e assustadoras, produzindo fumaça e forte cheiro de queimado. Fios, cabos elétricos e conexões incendiados derretiam.

E a escuridão total desceu sobre a cidade.

17.

Durante sete noites a escuridão fez da cidade seu refúgio. Tudo que era elétrico deixou de funcionar por uma semana: o acidente danificara também o sistema de energia por geradores a óleo. O prefeito não deu as caras enquanto faltou luz e, quando procurado na prefeitura ou em sua residência, a informação era que estava fora, tratando da questão da eletricidade e de outros negócios de interesse do povo. Só apareceu com o defeito reparado para repetir a quem quisesse ouvir: "Demorou, mas o futuro finalmente chegou para ficar".

No período sem energia, o dono do serviço de alto-falantes, do partido de oposição, divulgava, usando baterias que carregava na cidade vizinha, uma espécie de editorial lido todas as tardes, às seis horas, no início do programa *A Hora da Ave-Maria*. Conclamava o povo a rezar para a volta da luz e do prefeito, que deixara todos na escuridão sem saber o que fazer da vida.

De fato, o consumo de querosene aumentara, e parte da população passara a dormir com as galinhas, isto é, assim que o sol se punha. Até então, o dono do cinema não tinha conseguido cumprir a promessa de sessões extras do filme inaugural. Por causa da escuridão, pressentia-se que o perigo rondava as ruas livre e solto, e ninguém saía de casa desacompanhado. Os analfabetos não estavam tendo suas aulas noturnas de alfabetização, e a escola de corte e costura, também noturna, fora temporariamente fechada. A de datilografia prosseguia com suas aulas apenas nos cursos diurnos. "Parece que estamos numa guerra", diziam uns, "ou então numa pandemia", diziam outros. A única instituição noturna que continuava a funcionar regularmente era a casa da Graúna, até mais animada, mas com os preços aumentados.

— As putas conhecem bem as leis do mercado — comentou seu Artur em conversa com Alex, rindo.

E então, com a cidade ainda às escuras durante a noite, aconteceu a grande desgraça, o crime horrendo que abalou os piedosos e até mesmo os não crentes.

— Parece que estava escrito — disse seu Artur.

— Valei-nos, minha santa Maria Madalena — benzeu-se em cruz sua mulher.

— Eu acho que sei de alguma coisa. Achava que ia dar bode — disse Mateus.

— Melhor calar a boca — disse o avô.

A tragédia veio a público nas primeiras horas de uma das manhãs em que a cidade seguia imersa em seu obscuro retorno à Idade Média, nas palavras de dona Ivone, a professora de história. Um pequeno grupo de devotas dedicadas chegou à igreja bem cedo, para varrer, limpar, enfeitar e deixar tudo pronto para a missa das sete, celebrada diariamente durante a semana e completada no fim da tarde com a reza do terço e a bênção do Santíssimo. Mal abriram a porta da frente, notaram algo estranho. A igreja estava amplamente iluminada por velas acesas em todos os altares laterais e, sobretudo, no altar-mor. Teriam se atrasado, alguém chegara antes e preparara a igreja para alguma cerimônia de que não foram avisadas? Fora dos momentos de celebração, apenas a lamparina a azeite que iluminava o sacrário costumava permanecer acesa. Mas então todos os castiçais exibiam velas queimando. O altar-mor estava ataviado com a melhor e mais rica toalha branca de que a paróquia dispunha, bordada pelas monjas enclausuradas do mosteiro da Luz da capital, presente de uma devota endinheirada.

Não era tudo. No centro do altar, repousava o cálice, coberto com a pala e o véu que, com suas dobras características, o assemelhavam a um trapézio. Com certeza, pensaram as devotas, tratava-se do cálice de ouro dezoito quilates, cuja haste continha um diamante lapidado em forma de coração, circundado por dezoito rubis, joia oferecida à paróquia em seu jubileu de prata por todos os moradores.

A mais velha das devotas, fazendo valer sua autoridade de decana do pequeno grupo, subiu ao altar para verificar se havia hóstias consagradas no cálice. Em caso positivo, teriam que despertar imediatamente o padre para as providências cabíveis.

Levantou com todo o respeito o véu e a pala e, mal teve tempo de gritar: "Louvado seja o Santíssimo Sacramento", caiu desmaiada aos pés do altar. Novas tentativas, novos gritos, novos desmaios. Até que a última sobrevivente correu ao hotel Catanzaro e mandou acordar o Bel.

— O cálice, o cálice... — ela repetia.

— Roubaram o cálice de brilhante? — perguntou, assustada, a cozinheira que preparava o café da manhã, única alma desperta no hotel no momento.

— Muito pior, minha amiga. Acho que é o fim do mundo começando por aqui.

Meia hora depois, entrava na igreja o delegado-substituto acompanhado do cabo, que ainda enfiava as fraldas da camisa cáqui para dentro das calças também cáqui.

Demoraram para entender o que havia dentro do cálice.

— Deus do céu — gritou o Bel, ao se dar conta do que tinha diante dos olhos. — Alguém perdeu a genitália!

— Que é isso, Bel?

— Genitália? É o que um homem tem no meio das pernas: o que faz do homem um homem.

O cabo, inconscientemente, levou ambas as mãos à sua região genital, temeroso de que os seus instrumentos pudessem ter ido parar no cálice do altar.

Bel perguntou às devotas pelo padre.

— Ele chega uns minutinhos antes de começar a missa. Ainda não está na hora. Deve estar na casa paroquial se preparando.

— Vou já para lá — decidiu o Bel. — Cabo, traga os soldados, desconfio que a coisa é das grossas, mas antes dispense as beatas, apague as velas e tranque a igreja. Tranque a boca também, bem trancada.

— Sim, senhor.

Enquanto o cabo cumpria suas ordens, Bel foi até a casa paroquial. Bateu e ninguém abriu. Testou a maçaneta e, como sempre, a porta se achava destrancada. Entrou. O padre estava morto, caído ao pé da escada que dava para o andar superior. Vestia uma camiseta, mas as calças de brim que usava estavam arriadas, caídas sobre os tornozelos. Seus órgãos sexuais haviam sido decepados. Bel esperou seus homens chegarem e deu novas ordens. Enquanto os dois soldados revistavam a casa, o cabo foi buscar o doutor Marcelo, que não era legista e sim pediatra mas acabava resolvendo também os casos de identificação da causa da morte. Gostava de dizer que tinha formação em patologia.

184

Quando o delegado titular se encontrava na cidade, o doutor Marcelo ficava limitado ao trato da vida, nunca da morte, e um médico-legista da polícia era chamado na Regional.

O outro médico da cidade, o doutor Mundico, não tratava de crianças nem de cadáveres. Clínico geral, atendia no posto de saúde estadual de manhã e, à tarde, dava consultas particulares em sua casa, encaminhando os casos mais graves aos especialistas e hospitais da região. Homem discreto, perdera a mulher cedo para o câncer, e criou a filha até que terminasse os quatro anos do curso primário no grupo escolar. Em seguida, a matriculou no colégio interno das freiras agostinianas, onde ela concluiu os cursos ginasial e científico. Médica num município distante, a filha do doutor Mundico o visitava no Natal. Ele se mantinha recluso, pouco interessado nos acontecimentos locais. Passava muitas horas por dia em sua poltrona vermelha de veludo gasto, olhando, embevecido, o retrato a óleo de sua mulher, pendurado na parede sobre a lareira, a única da cidade, que jamais foi acesa. Escolhido paraninfo de uma turma de formandos do ginásio, escreveu seu discurso e o encaminhou para ser lido pelo aluno aprovado com a melhor nota média. Presenteou cada formando com um livro de Machado de Assis, com a dedicatória "Sem literatura a vida se apequena". Sua presença nunca era solicitada nos casos em que a morte exigia atenção médica antes de merecer o devido atestado sobre sua causa. O doutor Marcelo sempre se adiantava.

E as conclusões do doutor Marcelo não tardaram.

— Levou uma pancada na nuca, que foi afundada, olhe aqui — mostrou o pediatra-legista ao delegado-substituto. — Pode ter sido resultado de uma queda na escada e consequente pancada com a cabeça num dos degraus, ou o resultado de uma coronhada ou de um golpe com objeto contundente. Uma coisa ou outra foi suficiente para provocar hemorragia interna seguida de morte. A extirpação dos órgãos genitais foi feita depois do óbito, caso contrário teríamos mais sangue.

Viraram o cadáver de todos os lados e não acharam vestígios de queda, e o exame da escada, degrau por degrau, reforçou a ideia de que o padre foi atacado no piso térreo, onde o encontraram. O doutor Marcelo disse:

— Para mim, alguém matou o padre com uma pancada na cabeça e depois cortou suas partes, querendo com isso deixar um recado.

E disse mais ao delegado-substituto, o único policial presente, enquanto os demais tratavam de outras averiguações:

— Parece que ele se deixou matar, sem nenhuma reação, não se defendeu. Não há sinal de luta, tudo arrumadinho. Não vejo marca de arranhão, hematoma, nada. Ele talvez conhecesse quem fez a coisa toda.

Os dois soldados que examinavam as portas e janelas da casa trouxeram a notícia de que estava tudo em ordem, sem arrombamentos.

— De fato — disse Bel —, nem porta arrombada tem. A da frente, aliás, estava só encostada. Pudera, tem essa molecada que entra e sai quando e como quer, de dia e de noite, os tais coroinhas do padre... Garotos bem crescidinhos em cio permanente e de bolsos vazios.

— Pois é. Chamamos o legista e os técnicos da seção de homicídios da Regional? — perguntou o médico, já ciente da resposta.

— Não, não, não. De jeito nenhum, doutor Marcelo. O bispo jamais me perdoaria. Seria péssimo para a Igreja se essa morte fosse explorada por gente de fora. Nós ficaríamos mal com o bispo, e o bispo, mal com o cardeal, e assim por diante. O caso poderia chegar ao Vaticano, Deus nos proteja! Vamos agir do nosso modo: com a minha inteligência e a sua discrição, chegaremos lá.

186

— Acho que o senhor quis dizer o contrário, delegado Bel, mas deixa para lá. Se há alguma coisa que podemos fazer, vamos fazer. Sem dizer do que se trata, vou mandar uma amostra do sangue da vítima para análise do laboratório da Delegacia Regional: antes de ser golpeado, o padre pode ter sido dopado, ou embebedado, mas precisamos ter em mãos uma confirmação oficial. Caso alguém se interesse.

— Vai pôr tudo isso no atestado de óbito? — assustou-se Bel.

— "Morte em consequência de queda na escada com afundamento da base posterior do crânio seguido de hemorragia interna." Está bom assim para o senhor? — perguntou o médico, sabendo o quanto valia aquele favor às autoridades do lugar.

— Acidente... — refletiu o delegado-substituto.

— Acidente na escada é diferente de coronhada na nuca, mas para um padre acho a queda mais adequada, menos chocante. Mais respeitosa, digamos — disse o médico, sem esconder o sarcasmo. — Mas só use este relatório se for comprovado, de fato, que se tratou de acidente, sem a implicação de nenhum assassino. Pensando bem, acho melhor manter o atestado de óbito comigo, por enquanto, caso seja necessário fazer alguma mudança.

— Para mim está ótimo e também para o bispo, que não será perturbado no tratamento da espinhela caída. Ao padre daremos todas as honras fúnebres.

— Limpe tudo, cuide para que haja um enterro caprichado, encante a cidade com o cerimonial, e ninguém vai sequer lembrar de se perguntar como morreu o padre — recomendou o doutor Marcelo. — Todos vão se lembrar, isso sim, da grandeza de seus funerais.

— Já vou providenciar — concordou o Bel.

— E se alguém falar dos ovos e do pinto do padre no cálice, deverá ser desmentido. A cena é interessante, mas melhor apagar.

— Tem toda a razão, doutor. Este inquérito é daqueles: a

conclusão pelo acidente é a melhor, mas precisa se apoiar na confiança máxima do povo, não dá para encerrar sem uma boa investigação.

— Sem dúvida. Exiba suas habilidades policiais, meu caro Bel, sem economia.

— Para começar, tenho uma dúvida sobre o senhor, doutor.

— Pode perguntar.

— Tem certeza que a pediatria é o seu lugar?

— Foi para ser o pediatra da cidade que o governador me nomeou, não foi?

— Acho que foi.

A notícia correu como fogo em rastilho de pólvora. Ninguém engoliu a narrativa do acidente na escada, revelada oficialmente pela delegacia. À boca pequena se comentava: "Cortaram o saco do padre". Apesar dos desmentidos oficiais, a história das partes do sacerdote decepadas e colocadas no cálice, sobre o altar iluminado da igreja matriz, já era contada em voz alta, com pormenores maliciosos e acréscimos inusitados. Mas ninguém ousava falar em voz alta do possível motivo da morte. "Plantou o que colheu", sussurravam. "Um dia alguém com vergonha na cara teria que fazer alguma coisa", era outro dos cochichos que rodavam pela cidade. "Eu sinto pena e não gosto de violência, mas que foi merecido, foi", e assim por diante. Enquanto isso, o pessoal ligado à igreja cuidava dos funerais. De todo modo, Bel devia investigar a possibilidade de existir um eventual assassino, ou mais de um. O padre poderia ter sido empurrado escada abaixo, não podia? O relatório devia ser conclusivo, absolutamente conclusivo.

Dona Josefina interrompeu os preparativos da sua mudança para organizar as exéquias. Encomendou ao dono da funerária a confecção de três caixões: o primeiro, de sândalo, que comportaria o corpo paramentado; o segundo, em pinho, que conteria o primeiro; e o terceiro, de imbuia, encerrando os anteriores. As alças, as tarraxas e o crucifixo deviam ser de bronze. O padre seria enterrado com pompa igual à do funeral dos cônegos holandeses que o precederam no cargo, ou talvez maior. No cemitério, o jazigo dos vigários foi lavado e polido para receber o novo morador. Na igreja, diante do altar-mor, construiu-se em madeira forrada com veludo e cetim pretos, acabamentos em fita dourada, o catafalco sobre o qual o tríplice esquife seria exposto. Dois dos sinos usados nas ocasiões fúnebres tiveram seus badalos envolvidos em sacos de estopa, para que soassem abafados e compungidos. A rapaziada foi organizada em turnos de modo que o badalar não fosse interrompido durante todo o tempo do velório, nem à noite, observando-se a sequência dos toques mortuários: o sino agudo--médio tocava três batidas longas e em seguida o mais grave tocava uma única batida mais prolongada. Com a adesão dos vigários das cidades vizinhas, seria rezada missa de corpo presente de duas em duas horas. Entre uma missa e outra, as irmandades rezariam os terços do rosário. No cortejo ao cemitério, as mesmas irmandades, usando suas vestes características, levariam suas bandeiras e estandartes com o mastro na posição horizontal, sinal de luto. O prefeito já decretara luto oficial, e as bandeiras nacional, estadual e municipal estavam hasteadas a meio pau nos prédios do governo. Pedia-se aos católicos em geral, os quais eram a esmagadora maioria da população, que vestissem roupa preta.

Tudo tem o outro lado. Nem todos concordavam com as homenagens, sobretudo os que sabiam ou desconfiavam da causa da morte e suas motivações. Temendo que esses tentassem boicotar as cerimônias, o prefeito tomou suas providências. Fez circular o carro de som do serviço de alto-falantes, conclamando todos para os funerais. Decretou o fechamento do comércio e das repartições públicas. Suspendeu as aulas. Avisou pelo carro de som que aqueles que não dispunham de roupas de luto deveriam retirar na porta da matriz uma faixa preta e amarrá-la no braço esquerdo. Veículos da prefeitura transportariam as crianças e os idosos na ida para o cemitério e na volta. Os homens mais jovens foram convocados para formar o batalhão que levaria o sarcófago à sua última morada: o corpo seria conduzido a pé e as famílias deveriam dispor flores e velas nas janelas das casas por onde passaria o cortejo. Foi fácil concluir que ninguém tinha desculpa para não participar.

Era de esperar que, numa cerimônia em que o corpo era benzido e a alma encomendada seguidamente, durante dia e noite, a água benta fosse bastante usada pelos diferentes celebrantes e seus acompanhantes ilustres, que subiriam ao catafalco para aspergir o cadáver. Entretanto, apenas um celebrante pôde cumprir esse rito. Após a primeira aspersão, as senhoras organizadoras deram um jeito de sumir com qualquer caldeirinha e aspersor que houvesse ali, decerto ainda impressionadas pelo ritual fracassado de inauguração da luz, ocorrido dias antes, em consequência do abuso de água benta e que deixou todos no escuro. Para compensar a restrição imposta à aspersão, o uso do incenso foi liberado, e muitos turíbulos, certamente trazidos na matalotagem dos vigários visitantes, cercavam o catafalco e se espalhavam pelos múltiplos cantos da igreja de planta octogonal.

Em pouco tempo o ambiente ficou irrespirável, e muitos abandonaram, tossindo, a câmara-ardente para ocupar os bancos da praça e ali conversar com amigos e conhecidos. Outros, alegando sofrer de bronquite, asma ou qualquer outro mal respiratório, foram para casa. Os que, à socapa ou não, falavam mal do padre e denunciavam seus supostos pecados, contabilizavam, com o orgulho próprio dos vencedores, o número cada vez menor de presentes no interior da matriz.

A fumaça perfumada expelida pelos turíbulos invadiu inclusive o coro, e dali foi se concentrar na base da torre, onde a rapaziada se revezava para puxar ritmadamente as cordas que moviam os sinos, silenciados por completo quando a tosse se instalou também na garganta dos sineiros.

Quando na igreja matriz restou apenas o defunto suspenso em seu estrado mortuário e uns poucos gatos-pingados que tentavam, em vão, reconduzir o cerimonial ao plano elaborado cuidadosamente, agora arruinado, alguém lá na praça disse para quem quisesse ouvir:

— Quem vai dizer que Deus não existe?

18.

Alheio ao que acontecia na igreja e no largo que a circundava, Bel iniciava sua teatral investigação. Começara a assuntar aqui e ali, pisando em ovos para não entrar de mau jeito em matéria tão delicada: uma coisa era tratar de um assassinato qualquer, outra era tratar da morte do padre castrado, com tudo dele contido no cálice mais precioso e sagrado da cidade. "Além de tudo, uma heresia, mesmo em se tratando de vil fofoca", conforme lhe tinha afirmado o bispo, no telefonema secreto que trocaram horas antes. Melhor dizendo, telefonema quase secreto. Afinal, o município era servido por dez telefones de manivela que eram conectados à mesa da telefonista, que também ligava os telefones da cidade aos de outros lugares, de modo que todas as conversas passavam pela mesa telefônica e pelos ouvidos de dona Marieta do Telefone, a encarregada. Assim, era impossível garantir se o secreto era mesmo secreto. Se um dia dona Marieta do Telefone fosse canonizada, o que ela merecia, pensou o delegado-substituto, a virtude da discrição não poderia ser levada em conta no processo de santificação.

Foi pensando nessas bobagens que Bel recebeu um chamado urgente de dona Nena, trazido por um moleque. Que ele fosse imediatamente à casa dela. Sentindo-se incomodado em sua autoridade policial, Bel retardou o quanto pôde o atendimento do chamado, até que o cabo chegou correndo à delegacia e lhe disse:

— Doutor Bel, a dona Nena diz que faz duas horas que está esperando o senhor ir lá na casa dela.

— Ela que espere.

— Não acabei ainda. Ela mandou dizer que, se o senhor não chegar em quinze minutos, ela aluga o carro de som, sobe no carro, pega o microfone e sai pela cidade contando tudo.

— Contando tudo o quê? — Bel reagiu, sem disfarçar o ódio que sentia.

— Eu é que sei? Deve ser do padre que perdeu os colhões. Quando o carro de som passar aqui em frente, a gente fica sabendo — respondeu o cabo na maior tranquilidade.

Levando consigo o cabo, Bel pegou seu Ford e foi para a casa da mulher.

Ela o recebeu placidamente sentada em sua cadeira na calçada à sombra da sete-copas.

— Bom dia, doutor Bel. Que bom ver o senhor e saber que, apesar de tudo, a cidade está segura em suas mãos.

— Bom dia, dona Nena. Infelizmente não posso ficar muito, porque tenho um inquérito complicado para tocar.

— Eu sei. Uma coisa horrível.

— É.

— Então, eu gosto de saber tudo que se passa na minha cidade, o senhor sabe. E sabe que gosto de saber tudo porque amo minha cidade.

— Eu sei, sim.

— Então, delegado, o senhor pode me dizer quem fez essa barbaridade com o nosso vigário?

— Infelizmente eu não sei.

— Mas eu sei.

O delegado teve um ataque de tosse que devia ser consequência do uso furioso dos turíbulos, e desculpou-se: ele detestava incenso. Na verdade, só estivera na matriz por poucos minutos. Sua cara, mais que tudo, demonstrava inquietação.

— Pois a senhora poderia me adiantar?

— Por isso mandei chamar o senhor. Na verdade é uma suspeita, e suspeita forte, quase uma certeza. Vou até pedir ajuda de uma testemunha.

— Quer dizer que a senhora não sabe quem matou o nosso vigário e decepou seus bagos? Mas não disse agora mesmo que sabia?

A causa da morte e o conteúdo inusitado do cálice no altar já eram de conhecimento público. A morte do padre logo virou um jogo de afirmação e negação. Nem todas as beatas que presenciaram a cena da igreja iluminada e seu cálice com o estranho conteúdo contavam a mesma história, até se contradiziam.

— Doutor Bel, primeiramente, sou uma mulher de respeito. Meu Zé não vai gostar de saber que palavras de baixo calão penetraram os ouvidos de sua mãezinha. Em segundo lugar, levo a sério o ditado que diz que o bom cristão não deve dar um peixe ao pobre, mas ensiná-lo a pescar.

— Desculpe, corto minha língua se tive a intenção de magoar seus suaves ouvidos com meu linguajar de homem simples.

Bel já estava perdendo a paciência, e logo acabaria mandando aquela mulher horrorosa para aquele lugar.

— Não quero tomar seu tempo. Posso pedir um favor ao cabo? — disse ela.

194

— Pois não.

O cabo tremeu nas pernas.

— Senhor Maneco, é esse seu nome, estou certa? — ela disse, e ele assentiu. — Por favor, entre em minha casa e traga duas cadeiras. Acho que a conversa pode demorar.

Bel fez força para não bufar.

O cabo trouxe as cadeiras, deu uma para o Bel e se sentou na outra.

— Desculpe, cabo Maneco, essa cadeira tem outro destinatário. — O cabo se levantou, encabulado. — Quero que vá ali na casa de dona Madalena e peça ao rapaz Mateus que se junte a nós. Diga que a presença dele é importante.

— Será que ele está em casa? — perguntou o cabo.

— Se não estivesse, eu não faria o senhor ir até lá.

Dali a pouco, o cabo voltou trazendo Mateus acompanhado por Alex, que foi saudado com efusão por dona Nena.

— Mas que prazer tê-lo conosco, professor Alexandre. Há tempos espero uma visita sua. — E dirigindo-se ao cabo: — Mais uma cadeira, seu Maneco? Não vamos deixar o ilustre mestre de pé.

— Espero não estar atrapalhando — desculpou-se Alex.

— Nunca, professor.

Os quatro estavam sentados; o cabo, de pé, se roendo por dentro.

Dona Nena falou olhando alternadamente para cada um dos quatro:

— Estamos aqui conversando sobre a tragédia que caiu sobre nós, e acho que o menino Mateus tem o que dizer. No mínimo ele poderá dizer se presenciou o que eu presenciei.

— Não sei do que a senhora está falando, dona Nena — disse Mateus.

— Sabe, sim. O padre morreu vítima de uma disputa de poder, vamos dizer assim, que se desenrolava a olhos vistos. Uma disputa entre seus prediletos, entre seus coroinhas é a palavra certa.

— Mateus é amigo dos coroinhas e tenho certeza de que ele acha que a competição entre eles era tão normal quanto a competição entre os empregados de um escritório, ou de um armazém de secos e molhados — interferiu Alex.

Mateus aquiesceu.

— Também acho — disse dona Nena —, mas nem todo mundo aceita ser passado para trás, perder a vez, digamos, e muito menos ser humilhado em público. Especialmente quando essa pessoa já carrega o fardo da discriminação por ser diferente, de uma raça considerada inferior, de uma família cujos antepassados pertenciam a uma religião vista como atrasada e selvagem.

— Seja mais objetiva, dona Nena, por favor. Tenho uma longa investigação a fazer — falou Bel, impaciente.

— Eu sei. E serei breve. Para isso pergunto ao Mateus qual dos coroinhas estava à frente dos demais na missa da luz e qual estava atrás.

— Tenho que pensar — mentiu Mateus, para ganhar tempo.

— Pois eu lhe digo e você confirma: à frente estava Caio, o filho da Conceição, e, atrás, o Henrique da Helena. Estou certa?

Mateus olhou para Alex, como quem pede socorro. Alex devolveu um sinal positivo com a cabeça. Afinal, eram fatos que qualquer um poderia confirmar sem comprometer nem a si nem aos demais.

Mateus repetiu o gesto de concordância, olhando para Bel e dona Nena.

— Muito bem — ela retomou a palavra. — Cerca de dez horas depois, naquela desastrada inauguração da luz, tudo se inverteu: Henrique foi para a frente e Caio ficou para trás. Não foi só uma mudança de responsabilidades, foi também uma mudança entre a vitória e a derrota. Achou isso normal, Mateus?

196

O cabo, quieto até aí, resolveu se intrometer:

— Dá licença? Fui coroinha no tempo do cônego Albert e a gente vivia brigando para ver quem puxava mais o saco dele. — Ao se dar conta das últimas palavras pronunciadas, emudeceu e só conseguiu dizer: — Desculpem.

— Também penso assim — disse Alex. — Sou professor e eu mesmo incentivo a competição entre meus alunos...

Dona Nena o interrompeu:

— Mas, depois da aula, o senhor dorme com eles?

— Dona Nena! Claro que não. Durmo na casa do Mateus não porque eu seja seu professor e ele meu aluno, mas porque sou pensionista de seus avós. Dos meus outros alunos nada sei, cada um vai para sua casa.

— Aí é que está a diferença. De jeito nenhum eu confundiria o seu comportamento com o do pobre padre, professor Alexandre.

— Alex.

— Sim, professor Alex. O que todo mundo, ou quase todo mundo, diz é que a competição não acontecia somente no altar. A castração, de todo modo, sugere que o crime tem motivação sexual. Vingança motivada por violação sexual? Pode ser. A profanação do cálice, por sua vez, talvez represente uma afronta religiosa ao que foi punido com a morte, morte que não pareceu ao vingador punição suficiente. Não pode haver vingança maior: ao mesmo tempo ele é destruído como ser humano e como representante de Deus. Seu papel biológico, como reprodutor, e seu papel espiritual, como sacerdote, são ambos aniquilados. Ele não é mais nada, não pode dar nada, não pode escolher.

— Sou amigo dos coroinhas, de todos eles, mais do Henrique e do Caio, e não vejo as coisas assim — disse Mateus.

— Talvez a senhora esteja montando uma história muito bem amarrada, cada coisa em seu lugar, como os dados se encaixando numa teoria perfeita — disse Alex.

— Não sei... — disse o delegado-substituto.

— Bem, era isso que eu tinha a dizer, meu caro delegado Bel. Se eu fosse o senhor, conversaria com esses seis ou sete meninos; se não com a fila inteira, pelo menos com o seu começo e o seu fim, aliás, com seus lugares trocados entre a manhã e a noite. Talvez possam confirmar se o padre encontrou um inimigo tão feroz, alguém desejoso de uma vingança tão radical e definitiva. Alguém capaz de afrontar o altar divino e negar a missão maior que Deus atribuiu ao homem e à mulher, conforme lemos no livro do Gênesis em seu capítulo 1, versículo 28: "Sede fecundos e multiplicai-vos".

Bel se levantou atordoado, não sabendo exatamente o que dizer. "Mas que falação dos diabos! Essa mulher não sabe é de nada, é só para encher meu saco", era o que gostaria de dizer.

— Agradeço o interesse de todos, vamos tirar tudo a limpo.

Empurrou o cabo na direção do carro e os dois foram embora. Nem se despediram.

Por um momento Alex e Mateus continuaram sentados, embasbacados. Alex tomou a frente:

— Dona Nena, o Caio não é empregado ou aprendiz de seu filho? Já o vi entrando aqui em sua casa.

— Sim, e é um ótimo garoto, além de ser um belo rapaz, uma escultura de ébano — ela disse.

— Não querendo de modo algum censurar seu depoimento — disse Alex —, fiquei surpreso que a senhora chamasse a atenção sobre o Caio e o Henrique, que, afinal, são pessoas próximas ao seu filho e à senhora. Especialmente o Caio, que acabou na berlinda e é ajudante de confiança de seu filho, frequenta esta casa...

— Exatamente. Por tudo isso me preocupo com eles e sugeri que fossem investigados e limpos de qualquer juízo errado. Não quero nenhuma mácula cobrindo esses meninos, nenhuma suspeita que possa prejudicá-los agora e no futuro. E a nenhum dos outros coroinhas, é claro. — Dona Nena se levantou. — Professor Alexandre...

— Alex.

— Professor Alex, será que o senhor pode me ajudar a pôr as cadeiras para dentro? Preciso entrar e preparar o banho do meu Zé. Ele deve estar chegando.

Em casa, Mateus comentou:

— Você viu. O Caio trabalha feito doido para o filho dela, até altas horas, indo de lá para cá, fazendo o que Meu Zé não faz, querendo fazer tudo direito, e só faltou ela acusar o coitado de assassino e profanador. E ainda acontece de o Caio ser preto, e o povinho fala coisas brabas deles.

— Sei, aquela ideia de jerico de dizer que preto quando não faz na entrada faz na saída.

— Pior: caga!

— Pois é, mas dona Nena foi esperta: ela só relatou o que nós também vimos e comentamos e até reafirmamos na frente do Bel. Para a polícia, sabe como é... qualquer coisinha vira logo uma prova. Agora, com nosso testemunho, o Bel é obrigado a ir atrás dos teus dois amigos. Eu fiquei com a impressão de que, com essa denúncia disfarçada contra o empregado do Meu Zé, ela queria punir o próprio filho. Por quê, não sei. Acho bom a gente ficar de olho, aí tem algo que precisamos entender.

— Essa casa deles é bem diferente da nossa — disse Mateus.

— É verdade, tem uma coisa ruim lá dentro.

— Preveni você desde o começo, lembra?

— Claro que sim. Mas vamos torcer pela inocência dos garotos — propôs Alex.

— Não sei se vai adiantar. Essa história tem outros lances que você não conhece.

— Vai me contar?

— Também não sei.

19.

O delegado-substituto e seu efetivo praticamente invadiram a casa de dona Conceição logo depois da conversa que ele teve na calçada de dona Nena. Seu Antônio e os três filhos mais velhos tinham saído para trabalhar, apesar do feriado. Caio estudava na mesa da cozinha.

— Mas o que é isso, Deus do céu!? — exclamou dona Conceição.

Ela vinha se preparando para uma situação como essa. Lera nos búzios que seus santos a avisavam sobre os momentos difíceis pelos quais a família passaria. A sombra no fundo do olhar de Caio mostrava o que a sensibilidade de dona Conceição não queria ver. As mensagens que recebia, contudo, a deixavam menos atormentada: no fim, a situação se acalmaria, ela que cuidasse de suas obrigações religiosas e tudo estaria bem. Assustou-se mesmo assim.

— Preciso levar seu filho Caio. Sei que ele é menor de idade, e não está preso. Só uma conversinha. A senhora me autoriza?

Ou a cidade cai em cima de mim como urubu na carniça,

pensou o Bel. *Dona Nena vai espalhar a ideia dela*, ele tinha que se virar. Pensando bem, lhe ocorreu que até seria bom ter um culpado à mão, principalmente se fosse menor de idade: ninguém ia para a cadeia, e ficava tudo por isso mesmo. Melhor do que mais uma morte acidental, que podia levantar desconfiança.

— Eu vou junto. Meu marido não está.

— Então pode se preparar enquanto damos uma olhada no quarto do rapaz. Pode me mostrar onde é que ele dorme?

— No quarto da frente — ela disse, temerosa.

— Cabo, faça companhia ao rapaz, enquanto vamos dar uma vistoria aqui.

Reviraram de ponta a ponta o quarto em que dormiam Caio e Tércio. Lúcio e Cássio, os outros dois filhos, dormiam num segundo cômodo, e o casal, no dos fundos. Concentraram-se no primeiro. Vasculharam armários e gavetas, fuçaram bolsos, caixas, sacolas e pastas. Enfiado num rasgo na parte de baixo do colchão de Caio, havia um frasco com pílulas brancas, que Bel, sorrateiramente, pôs no bolso interno do paletó.

Dona Conceição mudou de roupa e, pela janela, conseguiu pedir à vizinha que corresse avisar ao Antônio que a polícia estava levando o Caio para a delegacia e que ela ia com ele.

Em seu veículo, Bel acomodou dona Conceição no banco do passageiro, enquanto Caio se sentou atrás, entre os dois soldados. O cabo foi a pé, devendo passar na padaria e comprar um maço de Luiz xv para o Bel.

— Pega também uma caixa de fósforos. Não sei onde deixei meu isqueiro. Diga para pôr na conta, depois eu pago.

Na delegacia, dona Conceição foi acomodada na recepção e Caio levado para a sala do delegado. Até então Caio não havia dito nenhuma palavra. E continuou mudo, por mais perguntas e

202

acusações que Bel lhe dirigisse. Tinha o olhar distante, a cara fechada e as mãos sobre o colo com os dedos entrecruzados. Sentado numa cadeira, mantinha o tronco reto, numa postura firme que, ao delegado-substituto, parecia atrevida.

— Moleque teimoso, conta logo essa putaria que acabou dando no que deu. Você ainda é menor de idade. Então pode ficar tranquilo, que na cadeia você não vai ficar. Nem vai ser processado, nada, nada, não cometeu crime nenhum, só umas infrações penais, que vou esquecer. A culpa toda é do padre, que já foi punido. Você e os demais coroinhas são vítimas, são inocentes. Só precisa me contar o que acontecia; preciso achar uma base para os acontecimentos. Mas desembuche logo, que não tenho o dia todo. E nem tente bancar o espertinho.

Com Caio completamente alheio, Bel subiu o tom:

— Abre a porra dessa boca — berrou, agora tão alto que dona Conceição ouviu e se sentiu cada vez mais desesperada; torcia as mãos e fazia grande esforço para não chorar.

Bel continuou em sua inútil tentativa de fazer o coroinha falar.

— Você não gostou de ser passado para trás. Não adianta negar, tenho testemunhas. Bom, ninguém gosta de perder o lugar, mas é a vida. Aí você e não sei mais quem, se teve ajuda dos seus coleguinhas, encheu o padre de vinho, fez ele dormir, vai ver que usando outras tramoias que ainda desconheço, e depois deu uma pancada na cabeça dele. A parte do cálice bento com os colhões e o membro decepado do padre você conta depois. Eu não vi nada disso, mas o povo anda falando, e quando o povo fala… Ah, não foi nada disso? Então me conta direito como foi. Você me ajuda a esclarecer e eu te ajudo a se livrar. Somos praticamente da mesma família.

Caio continuava mudo. O olhar, incrédulo. *Mas o que esse Bel de bosta está querendo? Caralho!*

— Fala comigo, seu putinho preto!

Conceição, na outra sala, começou a chorar. Os ajudantes do Bel mantinham as orelhas em pé. Na sala do delegado, começaram as ameaças:

— Se não confessar o que já sei, vou pedir uma ordem para o juiz da Regional, que é meu compadre, sabia?, e vou transferir você para o recolhimento de menores infratores de lá. Você vai ficar com um monte de moleques criados nas ruas, desse tamanho, todos na mesma cela. Eu, infelizmente, não tenho poder suficiente para impedir que os marmanjos, bandidos de verdade, usem de violência com você. Tem muita gente que tem tara por uma carne escurinha, sabia?

Bel deu um tempo. Vendo que nada conseguira, foi descendo o tom:

— Eu não quero que nada de mal aconteça a você, sou amigo de sua família, vi você crescer, Caio. Só preciso que você fale comigo, filho. Vamos conversar, o povo está tirando conclusões.

O cabo, que já entregara os cigarros ao Bel e fazia companhia à mãe do acusado na recepção, abriu a porta da sala do delegado e entrou aflito.

— Licença, doutor Bel. O pai desse rapaz está aí e disse que vai entrar aqui na sala nem que for na marra.

— Mas que porcaria é essa? — disse Bel, e fez sinal ao interrogado de que estava tudo bem.

Caio devolveu ao Bel um olhar de aflição e ódio.

Bel deu sua ordem ao cabo:

— Mande esperar.

Seu Antônio entrou feito um touro bravo. Sem olhar para o filho, disse ao delegado-substituto:

— Vim me entregar!

— Que palhaçada é essa? — desentendeu o Bel.

— Eu matei o padre e cortei as partes dele e pus no altar

porque Deus precisava ver o motivo do meu gesto, que não foi crime, foi só uma questão de justiça.

— Vamos investigar — disse Bel, contrariado.

Bastava o garoto confessar e, menor de idade que era, ele encerrava o inquérito antes de terminar o dia. Tão fácil, mas seu plano agora só ia se complicar! Dirigiu-se ao cabo:

— Tranque este homem e leve o rapaz para ficar com a mãe. Ninguém vai deixar a delegacia até eu pensar direito.

Um chute estourou na porta da sala, que o cabo fechara após a entrada tempestuosa de seu Antônio. Lúcio, irmão mais velho de Caio, entrou doido e foi dizendo ao delegado-substituto, enquanto apontava o dedo no nariz dele:

— Vim me entregar. Matei o padre e mato de novo se o filho da puta ressuscitar.

— Não acredito. Você nem conhecia o fulano.

— Conhecia, e conhecia bem. Biblicamente, como se diz. Quis me sacanear, matei o puto e cortei o que um homem leva no meio das pernas, que é para ele nascer mulher da próxima vez.

Antes que Bel abrisse a boca, entraram juntos os outros dois irmãos de Caio: Cássio e Tércio.

— Vim me entregar — gritou um.

— Vim me entregar — gritou o outro.

— E eu não estou com saco agora para discutir quem fez o que fez — disse Bel a quem quisesse ouvir; e para seu auxiliar direto: — Parece que foi a família inteira, só faltou a confissão de dona Conceição e a do rapaz Caio, que até agora não abriu a boca e foi com quem começou todo este tró-ló-ló. Assim não dá. Cabo, meta todo mundo no xadrez, menos a mulher e o garoto, que depois pode dar rolo para mim.

Bel enxugava o rosto com um lenço amarrotado e acendia um cigarro, sozinho na sala, quando se apresentou seu velho amigo, o pai do Henrique.

— Dá licença, meu amigo. — Hélio abriu a porta e foi entrando, já se explicando: — Eu sei que o Caio e meu filho Henrique estão na sua mira. Dona Nena contou para Helena, minha mulher. Mas no meu filho você não vai chegar, não. Quem matou o padre fui eu. Se quiser saber por quê, pergunte a qualquer um que passe aqui em frente à delegacia.

— Puta que pariu! — exclamou Bel, apagando a contragosto o cigarro no cinzeiro desbeiçado; sentiu um gosto amargo na boca.

Não teve tempo de falar mais nada, ou seja, nada que fizesse sentido ou levasse a algum lugar. A delegacia foi se enchendo de chefes de família que se apresentavam como assassinos do padre. Os pais de todos os demais coroinhas. Vários pais de ex-coroinhas, outros de cruzadinhos de são Tarcísio. Também compareceram pais que só tinham filhas, alegando que agiram em nome dos filhos homens dos amigos e dos conhecidos. E assim por diante. A cidade, em sua metade masculina, ia se transformando numa longa fila de candidatos a assassino do padre. Quando o presidente do centro espírita, que era velho, solteiro e sem filhos, se apresentou como o assassino que agira em prol do bem-estar dos vivos e dos mortos, o delegado-substituto explodiu:

— Fora! Todos vocês. Fora daqui, sua cambada de filhos da puta, canalhas. Fora da minha delegacia, vocês são lixo, a cidade é lixo. Ninguém leva a justiça a sério, a cidade perdeu o rumo? Só falta chegar o capeta em pessoa e se declarar o verdadeiro assassino do vigário.

E continuou a gritar ordens para evacuar a delegacia e frases feitas para difamar a cidade. Nunca imaginara tamanha complicação. Teve até vontade, prontamente afastada, de dizer que o culpado era ele. *Não. Melhor não ter culpado algum. Que a cidade inteira assuma a culpa, e ficam elas por elas. Logo tudo se acalma e o acontecido será esquecido. Afinal, o padre não prestava mesmo.*

Em minutos, só sobraram no prédio da delegacia o próprio Bel e os dois soldados. O cabo saíra correndo no meio da confusão para ir buscar o doutor Marcelo. Dava para ver que o delegado-substituto estava tendo um treco, podia morrer. Estava azul-arroxeado, da corzinha das mortalhas com que as defuntas eram vestidas para a tumba.

20.

A partir da igreja, onde restava solitariamente o corpo de seu sacerdote, o dia solene, triste, compungido, propício à oração e ao recolhimento sofreu uma grande transformação. A tristeza virou alegria; o sofrimento, comemoração. A mudança repentina e impensada foi ao mesmo tempo provocada e anunciada pelo campanário da matriz: decretou o fim das homenagens ao morto e sua súbita contestação. A cidade foi desobrigada de se enlutar por alguém que não teria feito por merecê-lo. Não se sabe quais foram os engraçadinhos, o fato é que os sinos, que antes tocavam a sequência fúnebre e foram silenciados pela nuvem de incenso expelida pelos turíbulos em número excessivo, começaram a repicar o toque de Aleluia, com quatro deles alternando notas graves e agudas num contagiante clangor de vitória e júbilo.

— Parece que hoje é o dia das contradições inusitadas e suas reviravoltas imprevistas — disse o professor de português e lógica.

— Tenho a impressão de que o diabo quer brincar — conjecturou sua esposa.

Mais tarde, um caminhão da prefeitura transportou a urna

mortuária do sacerdote à sua tumba, sem acompanhantes, bandeiras ou estandartes. Vendo o caminhão passar, alguém comentou que parecia mais o enterro de um indigente.

Com todos os autodeclarados suspeitos dispensados, perseverava a pergunta: "Quem matou o padre?". A resposta mais óbvia, mais teórica que prática, e mais genérica que específica, só podia ser: "Todos nós matamos o padre", ou "O padre foi morto pela cidade inteira". Havia quem discordava e dizia: "Foi ele mesmo que se matou". Como sempre há alguém que queira ir às vias de fato, apareceu quem garantisse: "O assassino foi o bispo", não sem razão, uma vez que inúmeras reclamações de pais de família dirigidas ao prelado sobre o suposto comportamento um tanto incomum do padre jamais lograram sequer uma tentativa de explicação. "Foram reclamar para o bispo, o bispo se fez de surdo, o padre ficou e acabaram com ele."

Em tempo hábil, o laboratório enviou uma viatura à cidade com os resultados dos exames feitos no sangue do padre assassinado. Continha uma alta dosagem de álcool, e só. Depois de ler os resultados, Bel, completamente recuperado da suspeita ameaça de ataque cardíaco, foi tomar a opinião profissional do doutor Marcelo, fora dos registros.

— Muito vinho, com certeza. Não lhe sugere uma festinha? Um bêbado pode cair da escada e se machucar, até morrer, não pode? — propôs o Bel.

— Vou concluir o relatório. Já sabemos tudo o que tem para saber. Agora, identificar quem e quantos se divertiam com o vigário nessa celebração de Baco me parece um trabalho inútil, que não levará a nada — disse o médico. — Melhor esquecer.

— Esse acidente me assustou: nunca vi tantos homens querendo ser o assassino. Assassinos demais.

— Porque há motivos demais para ajustar contas, vinganças

demais a cobrar, inocentes demais envolvidos, vontades demais de deixar, quem sabe, a cidade mais limpa — emendou o médico.

— Parece que a cidade inteira gostaria de ter liquidado o desgraçado. Eu não posso indiciar a cidade inteira. Nem mesmo a metade que confessou, os homens.

— A cidade parece ter feito um pacto de silêncio, contra o qual não vejo ninguém se manifestar, nem nós dois — disse o doutor Marcelo, com um gesto conclusivo das mãos, como quem corta alguma coisa. — E o que temos de mais apropriado? Outro caso de acidente inocente. Pelo menos, oficialmente, o senhor já tem um atestado de óbito feito sob medida. Ninguém vai querer conferir nada. Que eu saiba, o padre era órfão, foi criado em asilo católico e mandado direto para o seminário. Não tem família que se interesse por ele. O bispo? Duvido.

— É verdade, ele não tem ninguém. Vou dar o caso por encerrado.

— Acho que é o melhor. Poupará a cidade de sofrimentos desnecessários.

Finalmente, o caminhão da ferroviária parou em frente à residência de seu Artur e descarregou dois caixotes volumosos e pesados, levados para dentro pelo motorista e pelos homens da casa, sob o olhar investigativo de dona Nena.

A partir daí a rotina de Alex mudou. Passava na oficina, que agora chamava de laboratório, todos os momentos livres. A tela era retirada do cofre e levada ao laboratório para exames. Voltava para o cofre quando o professor tinha que sair. Artur se tornou um ajudante valioso de Alex, transportando a tela de um lugar ao outro e acompanhando as análises químicas e outros exames que eram feitos. A amizade entre os dois cresceu. Também Ma-

210

teus passava as horas livres no laboratório. Enfim, havia entre eles três um objetivo comum que os aproximava.

Dona Madalena acompanhava os testes com interesse e curiosidade, servindo lanches, refrescos e café. Quando estava na casa, cuidando da roupa, Marinês cantava "Chalana", o que acabou sendo incorporado à atmosfera doméstica, mas a moça nunca se interessou em saber o que se passava no laboratório, cuja porta, em geral aberta, ficava ao lado do tanque. Quando dona Nena insistiu que Marinês lhe contasse o que acontecia ali, ela disse, e repetiu outras vezes, decerto com sinceridade: "O professor tá limpando os enfeites da casa", o que, se não convenceu dona Nena completamente, pelo menos a acalmou, já que a explicação da empregada fazia todo o sentido. Afinal, o homem era professor de artes e trabalhos manuais, e devia saber tirar as sujeiras dos quadros e dos bibelôs de mau gosto que, na opinião de dona Nena, dona Madalena espalhava pela casa. Ou que ela supunha que a outra o fizesse, pois de fato dona Nena nunca passara da sala de visitas, convidada para algum encontro formal.

O trabalho de análise usava as mais mínimas porções de raspas da pintura, retiradas com cuidado das laterais para não prejudicar a obra, se valendo dos produtos químicos, das lentes e do microscópio, aparelho que Alex, segundo disse, depois doaria à escola.

Algo deixava Artur e Madalena desanimados: embora os livros mostrassem muitas telas de Ticiano parecidas com a deles, em nenhum momento Alex voltou a afirmar que havia grande chance de a tela do cofre ter sido pintada pelo artista veneziano morto em 1576. Ticiano foi autor de centenas de obras de arte, muito variadas, uma vez que exerceu seu ofício por mais de cinquenta anos e percorreu diferentes estilos.

Nesse dia Meu Zé não saiu a pé, mas de carro, e demorou para voltar. Apareceu dirigindo um Chevrolet Impala, novíssimo, vermelho com capota branca, pneus com faixas laterais brancas, e não o guardou na garagem como costumava fazer com o carro velho. Não, o Impala foi estacionado bem na frente de sua casa e parecia gritar: "Cheguei!". Talvez o mais bonito automóvel da cidade. Talvez, não, era o mais bonito, com certeza.

Mateus chamou os avós e Alex para verem a maravilha.

— Meu avô vai comprar um desses — afirmou Mateus, de brincadeira.

— Com que roupa? — parodiou Artur. — Um carro desses na mão de um barbeiro feito o Meu Zé dá pena. Logo vai estar todo estourado.

— Não desconverse. O senhor pode se tornar um homem rico, não fique aí chorando miséria — disse Alex.

— Estou esperando você provar que aquele pedaço de pano pintado vale alguma coisa — respondeu Artur.

— Eu achei o carro uma beleza — disse dona Madalena. — Decerto Meu Zé agora vai tomar mais cuidado ao guiar. Será que ele é mesmo tão barbeiro quanto dizem?

— Sobre isso não tenho dúvida. O que não imagino é onde ele arranjou dinheiro para comprar essa maravilha. Não paga as dívidas de jogo, atrasa o salário dos empregados e está sempre pendurado no armazém do Chico. Bom, felizmente isso não é problema nosso. No mínimo está metido em negócios escusos, faz bem o estilo dele.

— Acho que ele esconde dinheiro no guarda-chuva — disse Mateus.

— Deve esconder mesmo, dinheiro caído do céu — disse Artur, fazendo blague.

Continuavam na janela quando Meu Zé saiu de casa seguido pela mãe.

— Ah, que lindo. Ele vai levar a mãe para estrear o carro novo — comentou Madalena.

De longe deu para entender que dona Nena bem que se oferecia para um passeio, mas Meu Zé a afastou com gestos grosseiros, entrou no carro, bateu a porta e saiu levantando poeira.

— Coitadinha — penalizou-se Madalena.

— Mas que filho da puta! — Mateus deixou escapar.

Os outros três olharam feio para o rapaz, que se tocou e tratou de ir para seu quarto procurar alguma coisa para fazer. Dali a pouco avisou que tinha que estudar com Heitor e foi para a rua.

Na ida para a casa de Heitor, passou pelo escritório Confiança. Caio estava trabalhando a uma mesa, viu Mateus e saiu para a calçada.

— Oi, Mateus.

— Oi, Caio, muito trabalho?

— Tenho um monte de correspondência para envelopar e pôr no correio.

— Tudo bem, só estou de passagem. Aproveito para te dar os parabéns.

— Por causa de quê?

— Do Chevrolet novinho do seu patrão.

— E o que que eu tenho com isso?

— Sinal que o seu trabalho está rendendo à beça, meu chapinha.

— Você não passou aqui para me tirar o pelo, passou?

— Claro que não. Você está ajudando seu patrão a ganhar dinheiro. Até aí, tudo certo. Mas e se o negócio for ilegal?

— Não sei do que você está falando, carinha.

— Não mesmo?

— Sou preto, mas tenho pai e mãe. Não preciso de você no meu pé.

— Sorte sua. Eu não tenho pai nem mãe. Vou nessa. Quando quiser conversar, tudo bem. Tchau.

— Tchau. De noite passo na tua casa. Pode ser?

— Espero você na janela depois da janta.

Mateus deu um tchau com a mão e foi se encontrar com Heitor.

Horas mais tarde, ao chegar da rua, Mateus encontrou Alex em seu quarto, sentado em sua cama, as pernas esticadas, balançando os pés como faz quem espera alguém para uma conversa séria. Mateus não gostou da invasão.

— O que você quer aqui no *meu* quarto?

— Conversar.

Mateus desligou o radinho que vinha ouvindo encostado na orelha e o pousou na cama de solteiro junto com a sacola de brim que trazia, chutou para longe o par de Sete Vidas de lona azul que calçava, demorou um tempo e, de pé, disse:

— Podia ter me esperado em outro lugar. A casa é grande.

— Vai dizer que invadi o seu território, eu sei. Território que você marca com teus cheiros. Mas não entrei com nenhuma intenção ruim. Vim encher minha caneta com sua tinta Parker porque meu vidro acabou. Tive que abrir gavetas, sim, e acabei encontrando o tinteiro e o que não queria encontrar. Achei melhor te esperar aqui mesmo para conversar. Não queria que seus avós vissem a preocupação desenhada na minha cara.

— Não estou entendendo.

Alex se levantou da cama, foi até a escrivaninha, correu a tampa e abriu uma gavetinha. Pegou um vidro com bolinhas brancas e estendeu o frasco a Mateus.

— Isso aqui. Você anda tomando anfetamina?

— Como?

— Vou repetir, Mateus: você anda tomando anfetamina?

— E que interessa a você o que eu tomo ou deixo de tomar?

— Isso é Pervitin, está escrito em cada comprimido. É a droga que os nazistas davam aos soldados na Segunda Guerra, para que eles se sentissem corajosos, se mantivessem acordados, sempre alertas, sem fome, com a sensação de euforia, se imaginando os donos do mundo. Drogados para matar o inimigo, felizes, corajosos e eficientes.

— A guerra acabou faz tempo…

— É, mas ainda se toma essa droga para evitar cansaço, sono, para reduzir o apetite e perder peso, para aumentar a autoestima e melhorar o desempenho e o apetite sexual. Mas ela só pode ser tomada com supervisão médica, só se compra com receita, que fica retida, porque essa droga, tomada sem controle, vicia e mata.

— Cara, mas que puta sermão.

— É isso mesmo. Eu não podia ser seu pai? Você não disse isso, quando quis que eu levasse você para a putaria na casa da Graúna?

Mateus se sentou na cama, ouvindo Alex continuar:

— Pois agora estou, sim, sendo o pai que, infelizmente, você perdeu. Digo mais: antes de matar, a anfetamina destrói o sistema nervoso, provoca alucinações, arritmia cardíaca, insuficiência renal, paranoia, insônia, impotência sexual, irritabilidade, prejudica a visão e a capacidade de discernimento etc. Dependência química total. Quer mais?

Mateus não reagiu.

— Os viciados em anfetamina vivem pelas ruas feito zumbis, você já deve ter visto cenas no cinema. Roubam, se prostituem e até matam para obter a droga, principalmente porque chega um ponto em que a família não aguenta mais e abandona o viciado.

— Mas eu não tomo esse treco. Foi só uma ou duas vezes, só para estudar com os colegas em véspera de prova.

— Ainda bem. Mesmo assim, com as notas que você tem, não precisa ficar se drogando para rachar de estudar durante a noite e fazer a prova de manhã, sem dormir, com a maior disposição.

— Não, tomei de curioso, foi legal às pampas, mas eu sei que não preciso, nem quero. Pode jogar na privada. Mas eu não sabia que era perigoso. Posso contar uma experiência que tivemos?

— Estou ouvindo.

— Eu fui estudar com o Heitor e o Giba, que precisavam de nota. Eles pediram para eu arranjar essas pilulinhas e nós três tomamos. Cara, não sei o que me deu, e eu contei uma história maluca, quando pretendia só contar o que tinha acontecido de verdade, uma ida ao sítio com um dos nossos amigos. Contei uma história que era metade verdade e metade de araque, tudo inventado, muito doido. Saía da minha boca sem eu pensar nada, e eles se empolgaram tanto que acabaram gozando na cueca, acredita? Eu me sentia o maior contador de histórias do mundo, nunca me aconteceu. Loucura braba. Depois estudamos a noite inteira, e eles foram bem na prova. Mas meus avós não podem saber disso, de jeito nenhum. Minha avó vai ficar preocupada, meu avô é capaz de me cortar a mesada.

— Vocês viveram um episódio de euforia, comum no começo. Você entrou numa de herói de um episódio fantástico, não foi?

— Isso.

— E seus amigos foram junto. No começo o mundo e a vida se transformam em grandes maravilhas. Depois que a droga pega você de jeito é que a vaca vai pro brejo.

— Achei que seria sempre bacana.

— Quem vende nunca conta o lado ruim da coisa. Quem te vendeu?

— Não posso contar.

Mateus não diria nada antes de conversar com Caio, não era de entregar ninguém, mas estava assustado com as suspeitas que o invadiam. Voltou a si com a fala de Alex, que pusera uma das mãos em seu ombro, afetivamente:

— Está bem, mas estamos entendidos? Chega dessa porcaria?

Mateus assentiu. Estava zangado com Alex, ou envergonhado, mas se sentia confuso com relação ao Caio, que falava maravilhas da coisa e nunca disse que era perigoso ficar viciado. Será que aqueles viciados que viviam no terreno da prefeitura, onde acharam Hermes no poço, começaram assim? Mateus sabia que não se podia comprar os comprimidos na farmácia sem receita médica e que o médico era um chato e não dava receita nem para quem precisava. Mas para eles parecia que a coisa era livre, fácil e nem custava tão caro assim. Vai ver que os merdinhas dos coroinhas tomaram as bolinhas e ficaram doidos demais e mataram o padre. Mais tarde o Caio ia aparecer e ele falaria com o amigo, o rumo da conversa seria outro. E se o Caio estivesse agindo sem saber das consequências? *Puta que pariu*, pensou, *aquele pretinho metido a besta não pode ser tão burro assim*. Não, idiota o Caio não era, não tinha ninguém de bobeira nessa história, nem mesmo ele. Alex continuava falando:

— Avise seus colegas que andam tomando essa droga achando que vão se dar bem, que não é nada disso. Diga que ouviu a explicação no rádio, não me ponha no meio. E trate de dar um susto neles. Você também foi responsável, quando tomaram juntos.

— Tá bom.

— Se eles quiserem continuar, pare de andar com eles. Livre sua cara, antes que a barra pese de verdade. E é sem moralismo de minha parte. Eu não sou santo, mas anfetamina não dá, não.

Alex foi saindo do quarto e disse:

— Até amanhã.

— Não vai jantar em casa? — perguntou Mateus, de moral baixo.

— Vou pegar meu Fusca e dar umas bandas por aí. Por hoje chega de ver a tua cara. Ter que dizer o que eu te disse não foi legal para mim. Não nasci para ser pai de ninguém.

— Não vai jogar isso aqui fora? — disse Mateus, e estendeu o frasco das bolinhas a Alex.

— Não é meu, jogue você.

— Bacana.

Mateus esperou na janela do quarto, mas Caio não apareceu. Melhor assim, pensou, não se sentia bem para cobrar nada de ninguém. Ele, que pretendia dar uma dura no amigo, acabou sendo o esculachado do dia. Mas muita coisa estava se juntando. O Impala explicava muita coisa. De qualquer jeito, Caio devia saber de muita coisa, depois conversava com ele. Tirou a camisa e cheirou antes de cobrir a gaiola: não tinha cheiro de nada. Jogou a camisa num canto, atirou os sapatos no outro e foi para a cama, espantado. Demorou para pegar no sono, virando de um lado para outro. Parecia que o tempo de mijar na rua desenhando o sinal do infinito estava longe demais. Lembrou no dia seguinte que tivera sonhos ruins, mas não se lembrou o que sonhou.

218

21.

Não adiantava nada encher o pneu da bicicleta, ele murchava de novo em poucas horas. Precisava mandar examinar a câmara de ar e o bico. Mateus levou a bicicleta à oficina do Miltinho. O mecânico fez o teste de mergulho da câmara na banheira cheia de água: havia dois pequenos furos que precisavam de remendo. Ele estava com muito serviço, e Mateus teria que deixar a bicicleta e voltar no dia seguinte à tarde para retirá-la.

— Tudo bem. Pelo menos amanhã eu não volto para casa a pé — conformou-se Mateus.

— Se eu tivesse uma livre, te emprestava, Mateus.

— Não precisa, vou andando, tá limpo.

— Vai ficar em cinco cruzeiros, tudo bem?

— Tá. Então tchau.

Mateus andava sem pressa, passou pela igreja, parou um minutinho para dar um oi para a Cecília. Ela vinha em sentido contrário, era irmã do Turco.

— Fala para o Marcos que estou a pé e amanhã devolvo o livro dele na escola.

A família do Turco não gostava desse apelido, e Mateus fez um esforço para se lembrar disso. Não queria levar uma bronca da irmã dele.

Ao passar em frente ao ponto de ônibus, a duas quadras de sua casa, foi chamado por uma voz bem conhecida:

— Mateus, Mateus!

Era dona Nena.

— Vai indo para casa?

— Vou, dona Nena, precisa de alguma coisa?

— Foi Deus que mandou você aqui. Há um tempão espero a Marinês vir me buscar. Meu Zé não quer que eu ande sozinha, posso cair. Bobagem, mas... Ela me deixou aqui no consultório do doutor Lelinho e se esqueceu de mim.

— Quer que eu diga a ela para vir buscar a senhora?

Marinês continuava a cuidar da roupa na casa de dona Madalena, mas passara a dormir na casa de dona Nena, no quartinho dos fundos, pois Meu Zé andava cada vez mais ausente e dona Nena não gostava de dormir sozinha na casa por conta da idade e da pressão arterial descontrolada, que podia lhe pregar alguma peça à noite.

— Acho que nem precisa. Você se importa de me acompanhar, estamos indo na mesma direção, não?

Ele assentiu, nada empolgado com a ideia, e dona Nena logo pegou em seu braço.

— Ah, mas que prazer ser levada por um garoto tão bonito!

— Obrigado pelo "bonito".

— Gosto demais da cor dos seus olhos. Engraçado, você tem os olhos do professor Alexandre. Não são olhos de uma cor comum, a cor é preciosa e raríssima.

Ai, meu saco, pensou Mateus.

Dona Nena prosseguiu com sua vozinha melosa:

— Não é só isso, o jeito de olhar de vocês dois também é o

mesmo. Aliás, o seu jeito de olhar é muito parecido com o de sua falecida mãe. Que falta ela nos faz, que professora a cidade perdeu. Seu jeito de olhar, como eu já disse, é o mesmo jeito de olhar da sua mãe e igual ao do professor. É o modo de olhar, mais do que a cor dos olhos, que trai a nossa origem, sabia?

— Não sabia, dona Nena. Achava que todo mundo olhava igual.

— Qual o quê! Olhe-se no espelho quando chegar em casa e depois olhe o jeito de olhar do professor Alexandre.

— Ele prefere ser chamado de Alex, dona Nena.

Descendo uma calçada, a mulher pisou em falso e Mateus ficou com medo de deixar a bruxa cair. Segurou-a firme pela cintura até ela se reequilibrar e, em seguida, tratou de prestar mais atenção no passo dos dois do que nas palavras de dona Nena. Mas ela não perdeu o fio da conversa. Dessa vez quem quase tropeçou foi Mateus, quando a mulher disparou:

— Eu acho que o professor é seu tio, irmão da saudosa Antonieta, a sua mãe.

— Quê?

— Eu disse que o Alex deve ser seu tio. Posso ver no olhar de vocês e nas lembranças que tenho do olhar de sua falecida mãe.

— Dona Nena, eu me dou bem com ele, mas Alex é só meu professor, além da amizade que temos um pelo outro. Moramos juntos, mas não somos parentes.

— Às vezes eu me precipito, Mateus. Desculpe se me meto onde não devo.

— Tudo bem, dona Nena. Já chegamos.

— Obrigada, meu garoto. Dê lembranças aos seus avós e ao professor.

— Pode deixar. Ah, seu filho comprou um carro novo bacana — disse, só para mostrar que não estava preocupado com as insinuações dela. — Tchau.

— Ele merece. Trabalha demais. Tchau, meu garoto.

Mateus deixou a faladeira no portão e foi quase correndo para casa. *Mais essa, agora. Era só o que me faltava*, pensou. Ao chegar, trancou-se no quarto e foi direto para o espelho. Depois foi atrás da avó, que estava dando milho às galinhas no fundo do quintal.

— Vovó, a senhora tem uma fotografia da minha mãe?

— Deu saudades, meu filho?

— É.

— Nieta não gostava de ser fotografada. Pode olhar que nos quadros de formatura de várias turmas da sua escola o lugar reservado para a foto dela está vazio.

— Mesmo?

— Mesmo. Mas acho que tenho uma foto de seus pais tirada por um lambe-lambe num parque da capital, logo depois de terem se casado. Durante alguns anos eles moraram lá, onde os dois trabalhavam, se conheceram e se casaram. Nieta não queria filhos, seu pai queria. Ela argumentava que a capital não era lugar para criar uma criança sadia, nem eles tinham recursos para tal. Lucas acabou convencendo Nieta a se mudarem para cá, onde seria mais fácil construir uma família. Ele também queria me ter por perto, porque ambos trabalhavam fora de casa, e ele não deixaria um filho sob os cuidados de nenhuma babá, que, além do mais, eles não poderiam pagar. Então, depois, com a ajuda de amigos que tínhamos no governo, foram transferidos e vieram fazer a vida aqui. E no ano seguinte você nasceu.

— E a foto?

— Acho que está no meu álbum de família.

— Mas se ela não gostava de tirar fotografia…

— Seu pai disse que teve que insistir. Afinal, tirar uma fotografia naquela praça com aquela máquina tão antiga era parte do passeio que faziam naquele domingo. Lucas prometeu rasgar a foto depois, se ela quisesse. Disse que rasgou, mas me deu para guardá-la. E eu guardei. Depois vou procurar, pode deixar.

— Pode procurar agora, por favor?

— É tão urgente assim?

Mateus fez que sim com a cabeça.

— Vem comigo.

Era uma fotografia de má qualidade, mal dava para reconhecer duas das três pessoas fotografadas. Ao fundo se via a estátua de um fauno tocando sua flauta, cercado de árvores majestosas, tudo meio desfocado. Dava para ver que a foto desbotara bastante, consequência de um papel fotográfico barato.

— Tem um garoto com eles. Quem é?

— Alguém da família dela. Não lembro se era um irmão, ou um primo. Ela não falava da família que deixou para trás. Ah, Nieta tinha umas coisas assim. Eu tratava de respeitar para convivermos sem atritos desnecessários.

— Me deixe ver melhor a foto.

Nieta estava entre Lucas e o garoto, de quem pouco se discernia. Seus olhos, que para Mateus poderiam ser a chave de um segredo, eram dois buracos escuros.

— Se o carinha da fotografia fosse um irmão da minha mãe, seria meu tio. Quantos anos a senhora acha que ele teria hoje?

Com as mãos nas costas, Mateus tentava fazer contas nos dedos, imaginando a idade do rapazinho da foto mais os anos passados desde que a foto fora tirada.

— Uns trinta, trinta e cinco? — estimou dona Madalena.

— Acho que sim. Posso guardar a foto comigo, vovó?

— A foto é sua.

A cabeça de Mateus estava a mil. Dessa vez dona Nena conseguira mexer com ele. Pensando bem, a intimidade com que

Alex o tratava não parecia comum, especialmente porque era apenas um pensionista, que conhecera havia pouco e de quem nada sabia. Na escola mal se falavam. Queria confrontar Alex, descobrir a verdade, se é que alguma verdade existia. Para sua agonia, Alex tinha saído de carro e talvez voltasse somente para o jantar. Ele teria que esperar.

Voltou a falar com a avó:

— A que horas Alex vai chegar?

— Não sei dizer. Ele me disse que, se não estivesse aqui para o jantar, não esperássemos por ele. Comeria alguma coisa por aí. Pode chegar tarde.

E agora essa! Onde o cara foi se enfiar? Até parece de propósito, irritou-se Mateus.

Foi para o quarto praticar os novos acordes no violão só para se distrair. Detestava ter que esperar. Mas nem chegou a pegar o violão: a avó chamava por ele da cozinha e ele foi para lá correndo, com medo de estar acontecendo alguma coisa ruim. Aquele dia não estava para brincadeira, *a coisa tá de lascar*, pensou.

Era mesmo um daqueles dias em que parece que as surpresas combinam entre si de surgirem uma atrás da outra, que era para azucrinar a vida de qualquer filho de Deus. Dessa vez, no entanto, a surpresa era boa, ou, pelo menos, bonita.

Uma mulher linda, de uns trinta anos, alta, boazuda, olhos escuros e brilhantes, cabelo preto até os ombros, estava na cozinha com sua avó, de pé, coberta de poeira vermelha da estrada e meio sem saber o que fazer. Sem dúvida chegara na jardineira das quatro da tarde. Com o dia seco, o pó da estrada devia estar de lascar o cano, e a moça nem sequer usara um guarda-pó. Com certeza nem conhecia o costume. Ele teve vontade de rir, porque a recém-chegada não sabia onde pôr as mãos, temerosa de espalhar poeira pelo chão, sujar quem se aproximasse. Mateus pensou em lhe dar um copo d'água, mas, com a atenção presa pelos pés da moça, nem se mexeu. Ela calçava sandálias de salto alto, a cobertura sobre o peito do pé transparente, as unhas pintadas de vermelho-vivo e os calcanhares nus. Os saltos das sandálias eram de vidro. De vidro! Seria a Cinderela? E dentro de cada salto transparente havia uma flor.

Madalena estava encantada com a sobrinha. Achou Teresa parecida com a atriz Elizabeth Taylor, mas com o corpo da Audrey Hepburn no filme A princesa e o plebeu.

— Titia — disse Teresa —, vou tomar um banho para poder abraçar a senhora. Olha, e esse garoto bonito é o meu primo Mateus? Oi, Mateus, sou sua prima Teresa.

— Oi, Teresa, prazer. Você sabia que eu existia?

— É claro. O Alex falou muito de você nas cartas que me escreveu.

— Então vocês se conhecem? Ah! Aquelas cartas misteriosas que ele escrevia escondido e ele mesmo levava ao correio eram para você?

— Com certeza. Depois vamos conversar bastante sobre tudo isso. Mateus, você pode me ajudar com essa bagagem? Depois que eu me livrar do pó, a gente se cumprimenta direito, tá bom? Onde eu vou ficar, titia?

— Mateus — disse a avó —, leve Teresa para o quarto preparado para ela. Sobre a cama deixei toalhas, sabonetes, essas coisas. Mostre onde fica o banheiro e como funciona o chuveiro. Enquanto isso, preparo um chá para limpar a garganta. Ou uma limonada, se Teresa preferir.

Mateus fez o que a avó mandava e voltou para a cozinha.

— Vó, o que é isso, uma reunião da família desconhecida? Até hoje, pensava que minha família se resumia a nós três, e agora começaram a aparecer parentes de todo lado. Parece uma conspiração.

— Como assim? A única parente nova na casa é Teresa.

— Só a Teresa, é? Espere para ver.

Dona Madalena foi para a pia encher a chaleira de água, pensando: *Esse menino gosta de aumentar tudo, mas que mania!*

Banho tomado, roupa leve e sandálias baixas, Teresa preferiu a limonada. Mateus também. Dona Madalena ficou com o chá de erva-cidreira, da touceira do quintal. Artur tinha chegado e se juntou aos três na cozinha. Não quis tomar nada. Conversaram um pouco. Havia muito a explicar, mas antes Teresa quis dar uma volta pela cidade com Mateus, que se ofereceu para servir de guia, orgulhoso de se exibir com aquela mulher que deixaria os homens de queixo caído. Antes de sair, ela vestiu uma saia rodada e trocou as sandálias baixas por seus sapatinhos de Cinderela.

Caminhando com a prima pela cidade, Mateus parava para apresentá-la aos amigos: "Esta é Teresa, minha prima". E contava para Teresa tudo que sabia sobre o que viam aqui e ali, ela sempre demonstrando interesse por um mundo que parecia desconhecer.

22.

Mateus passara a vida enterrado naquele lugarzinho. Conhecia municípios vizinhos, mas nunca dormira fora. Quando saía da cidade, voltava mesmo que fosse tarde da noite. Não era apenas sua cidade, era seu mundo, seu universo. Tudo que estava além, conhecia apenas pelos livros e pelo rádio, ou de ouvir contar. Sabia que um dia teria de ir embora, não caberia mais naquele pequeno espaço, mas, apesar de tudo e dos planos para o futuro, gostava do seu lugar, e foi com esse sentimento que mostrou a cidade para a prima que veio de longe com seus sapatos de salto de vidro. Desde a porta de casa já tinha o que mostrar, e começou chamando a atenção para as ruas. Embora fossem de terra, nelas havia calçadas para pedestres nos dois lados. A prefeitura espalhava uma fina camada de pedregulhos na pista carroçável e, quando não chovia, um caminhão-tanque, com regadeiras atrás, rodava pela cidade molhando a terra para diminuir a poeira. O caminhão era abastecido numa bica que ficava logo abaixo da represa e era usada nos dias de maior calor pela molecada, que se punha sob o jorro de água fria para se refrescar. A cidade tinha cerca de dez ruas cortadas em ângulo reto por outras dez, como um tabuleiro de damas. A avenida principal contava com uma calçada no meio ao longo de sua extensão, mas as duas pistas também eram de terra. Pelas ruas circulavam veículos de todo tipo e montarias. Em meio a carroças, charretes, automóveis importados, caminhões, moviam-se a carrocinha da coleta de lixo, as carriolas dos entregadores, cavalos e burros montados por homens de chapéu, e até boiadas a caminho do matadouro ou de outras pastagens.

— Mas movimento grande só no sábado — explicou Mateus —, quando o povo da roça vem em peso fazer as compras. Cuidado para atravessar a rua no sábado. O pessoal vem a cavalo, de carroça, charrete, então tem bosta de cavalo à beça em tudo quanto é rua. Bom para recolher e adubar hortas e jardins.

Teresa achou a maior graça e caiu na risada.

— Sério — disse Mateus.

O quarteirão central era ocupado pelo largo da matriz, todo ajardinado, com bancos de cimento espalhados ao longo dos passeios revestidos por mosaicos de pedra portuguesa, em preto e branco, bonitos mas pouco adequados ao caminhar das mulheres, o que incluía os pares de namorados e noivos: muitas das moças e senhoras prendiam os saltos finos dos sapatos de noite nos vãos das pedras do calçamento. Por isso, o *footing*, o passeio das moças não comprometidas que, em número de quatro ou cinco, andavam de braço dado numa direção e depois na outra, em mão dupla, ladeadas pelos rapazes que, de pé, formavam uma espécie de corredor, era realizado não nas calçadas do largo, mas no meio da rua em frente à igreja, especialmente fechada ao tráfego, que tinha a terra preparada, molhada e socada por compactadores manuais manipulados por funcionários da prefeitura para não levantar poeira.

Mateus foi explicando a Teresa muitos dos aspectos da cidade, para ela novidades. As calçadas tinham guias e sarjetas, feitas em

228

pedra cortada, e o calçamento variava de acordo com o gosto e o bolso do proprietário de cada casa. Nas ruas mais antigas, as residências em geral davam diretamente na calçada; nas mais novas, um jardinzinho ou um ladrilhado entre a casa e a mureta com portão permitia maior privacidade a seus ocupantes. Moradias antigas e novas, mas não todas, contavam com um alpendre com poltronas de vime e bancos de madeira e ferro. Os postes de iluminação, que também sustentavam a fiação elétrica, eram feitos de troncos aplainados de árvores altas e resistentes. A lâmpada incandescente atarraxada na luminária instalada no alto de cada um deles fornecia uma iluminação acanhada, porém bastante para garantir sensação de segurança aos transeuntes noturnos, o que ficou amplamente demonstrado durante a semana escura que se seguiu à Festa da Luz. Mas não era possível, por exemplo, ler jornal junto a um dos postes de iluminação sem forçar os olhos. Sapos rondavam esses postes, à espera dos incautos mosquitos animados pela luz, como no poema "Noite morta", de Manuel Bandeira, lembrou Mateus, só para se exibir à prima. A luz gerada era suficiente, no máximo, para se brincar de roda, no caso de meninas, ou de pega-pega, no caso de meninos. Também era legal às pampas, disse Mateus, dispor cadeiras junto a um poste de iluminação para conversar e contar histórias de assombração.

— Quem mais gosta dessas lâmpadas dos postes são os insetos voadores — acrescentou Mateus, e cantarolou versos da música de Adoniran Barbosa, forçando o sotaque do compositor e humorista de rádio: — "As mariposa quando chega o frio, fica dando vorta em vorta da lâmpida pra se esquentá".

— Nossa, Mateus. Você sempre tem alguma referência de poesia, de música — elogiou Teresa.

— É a escola, e o rádio — disse ele, se fazendo de modesto.

— E onde as pessoas namoram, se encontram, passeiam? — perguntou Teresa.

— Namoro começa no *footing*. Aqui o pessoal fala "fúti". Passa para cá, olha; passa para lá, olha de novo. Um amigo dele ou uma amiga dela leva um recado. Os dois começam andando juntos no *footing*, todo mundo vendo e comentando, aprovando e reprovando — ele riu. — Depois de um ou dois fins de semana, o par vai dar voltas no largo. Sem pegar na mão. Quando pega na mão, já pode se sentar num banco. Em noite de muito movimento, um casal costuma se sentar numa ponta do banco e outro na outra ponta. Ainda nada de pôr a mão no ombro. Só depois, quando o noivado é oficial, pode andar de braço dado, antes não. O melhor lugar é o cinema, no escurinho, onde dá para dar uns beijinhos. Se a família da moça ou do cara não quer o namoro, tem que ser tudo escondido. No cinema, uma amiga guarda o lugar ao lado do namorado e, quando apaga a luz, elas trocam de lugar. O namoro às vezes começa na escola.

— E os bailes?

— Tem os de formatura, com orquestra que vem de longe, e as brincadeiras dançantes, feitas nas casas, com discos. Vou organizar uma em casa para o pessoal conhecer você.

— Vou adorar.

Voltavam para casa. Mateus estava embevecido com a missão de mostrar a cidade a Teresa e exibi-la diante da cidade. A linda mulher a seu lado não era pouca coisa. Não era para seu bico nem ele sentia atração por ela, era outro tipo de sentimento, de prazer e orgulho de ser parente dela, ter o mesmo sangue. Ele não sabia explicar. Era como se ela fosse uma irmã. Vai ver que era namorada do Alex e estavam escondendo. Não sentiria ciúmes, se fosse verdade. De repente se deu conta de que estavam a três passos da cadeira de dona Nena.

— Não vai me apresentar a moça, Mateus? — a voz da vizinha o despertou.

Ele quase caiu para trás de susto.

— Oi, dona Nena. Teresa é minha prima.

— Prazer, dona Nena.

— E de onde saiu esta moça tão linda?

— Obrigada pelo elogio. Sou sobrinha de tia Madalena. Sempre vivi na capital, mas nasci aqui.

— Não estou lembrada. Será?

— É uma longa história. Depois posso contar para a senhora, se a senhora quiser, é claro. Agora estamos sendo esperados.

— Vamos marcar um café aqui em casa e você vai me contar tudo. Quem não quer conhecer melhor uma pessoa tão bonita e fina, além de tudo prima do Mateus, meu amigo querido.

— Claro, vamos, sim.

— Já conheceu meu filho José?

— Acabei de chegar. Depois a senhora me apresenta?

— Com o maior prazer. Você vai gostar dele.

— Combinado. Agora temos que ir, já estamos atrasados.

— Mateus, você vai embora sem nem me dizer um tchau?

— Tchau, dona Nena. Até mais.

— Até mais ver, dona Nena — despediu-se Teresa.

— Você é muito bonita, menina. Me lembra alguém que eu conheço.

Mateus foi puxando Teresa. Aquela técnica de dona Nena para segurar as pessoas ele conhecia bem. *Alguém que eu conheço... ah, que mulher mais rançosa*, pensou, enquanto empurrava Teresa com uma das mãos e acenava tchau para dona Nena com a outra.

Quando entraram em casa, Mateus disse:

— Acabou de conhecer o lado escuro da cidade.

23.

Jantaram sem Alex, que continuava ausente. A conversa durante o jantar e depois dele foi longa e entremeada de momentos de emoção e espanto. Madalena nem quis que se lavasse a louça, e juntou tudo na pia para que as revelações e surpresas não fossem interrompidas.

— Amanhã cedo a Lindinha põe tudo em ordem.

Lindinha era a garota contratada para ajudar Madalena desde a chegada de Alex.

Quem mais tinha a contar era Teresa. Foi criada como filha legítima de Américo e Isabel, a irmã de Madalena, tendo sabido só recentemente da existência de parentes e da sua cidade natal, que não constava de sua certidão de nascimento. Nunca suspeitou que tivesse parentes no interior, fossem biológicos ou por adoção.

— Sua família biológica ainda vive aqui, querida — disse Madalena. — Seu tio mais novo é amigo do Mateus.

Dona Madalena falou um pouco sobre a família de Amaro e de sua morte mal explicada.

— Zito é legal às pampas — disse Mateus. — Agora está gamado por um broto japonês, a Yoko. Mas ele gosta de uma fuzarca, não sei se o namoro com a irmã do Japinha vai para a frente.

— Pena que não vou conhecer meu pai e minha mãe carnais.

— Mas seus avós estão vivos, e você tem, além do Zito, seu tio Murilo e suas duas tias, Elvira e Clara, as duas casadas há pouco tempo. Murilo continua solteiro. Vai conhecê-los todos.

— Não vejo a hora.

Teresa contou que cresceu num lar de amor e conforto. O pai se dera bem nos negócios e acabou sendo um homem rico. Morreu num acidente numa de suas fábricas.

— Eu já era mocinha. Desde então a doença de minha mãe foi piorando e ela passou muitos anos na cama. Tínhamos as enfermeiras para cuidar dela, mas eu passava horas ao seu lado, todo dia, estudava ao lado dela, caminhava com ela para que tomasse sol. Ela falava, mas já não mostrava alegria. Sentia muita falta de meu pai. Um dia ela me disse que sentia que sua hora estava chegando — Teresa continuou a falar, mas as lágrimas estragavam sua maquiagem — e tinha muito para me contar, pediu perdão várias vezes por ter me escondido durante toda a minha vida o que eu logo saberia. Imagina, eu a amava tanto, não tinha nada que precisasse perdoar. Isso faz menos de um ano e foi o anúncio da minha nova história, que está recomeçando aqui com vocês. Antes de minha mãe morrer, ela me pediu para vir para cá e pedir a vocês que a perdoassem por ter praticamente apagado vocês da nossa vida.

Madalena se limitava a chorar. Artur fumava um cigarro atrás do outro.

— E o Alex? — perguntou Mateus. — Como ele entra nessa história? Acho estranho ele morar com a gente esse tempo todo, ficar nosso amigo e nunca falar de você, mesmo sabendo que você também viria para cá. Sempre se correspondendo por carta, e a gente sem saber. Agora que sabemos, estou me sentindo enganado por ele. E ele até sumiu. Não está aqui para receber você e dar explicações.

— Teresa, querida, não vou tirar a razão do Mateus — reforçou Artur.

— Desculpe, desculpem, desculpem — disse Teresa, beijando os tios e o primo. — Na verdade eu queria fazer a surpresa de chegar assim, de supetão, depois de ter mandado a carta. Não queria que vocês formassem uma ideia de mim a partir do que o Alex poderia dizer. Eu também estava temerosa, não sabia como seria recebida. Não sabia deste carinho todo. Se vocês se magoaram por Alex ter se calado, a culpa foi minha.

— Foi a surpresa, querida, os ânimos ficam assim — disse dona Madalena. — Mas não tem importância, o bom é que agora você está aqui. Mas fale um pouco de sua ligação com o Alex.

— Meu maior amigo, meu colega de faculdade, não temos segredos entre nós. Tivemos um namoro rápido no começo, mas logo descobrimos que nossos sentimentos eram mais de amigos que de namorados. Ele também perdeu gente querida ao longo da vida, a gente se entendia, isto é, a gente se entende bem, até hoje. Ele também tem a história dele, mas é ele quem vai contar. Vamos ter bastante tempo para pôr tudo às claras.

Teresa contou muita coisa de sua vida e de seus pais. Os tios e Mateus fizeram muitas perguntas. Emoções afloravam a todo instante.

— Mateus, você me perdoa, perdoa o Alex? — pediu Teresa.

— Vou ver — disse Mateus, mas sua cara já estava amigável.

Teresa pediu licença, foi até o quarto e voltou com pequenos pacotes.

— O que tem aí nesses pacotes? — perguntou Mateus.

— Rapaz curioso! Presentinhos para vocês, é claro.

234

— Ganhar presente é coisa que adoro às pampas — disse Mateus.

— Olhem, essas lembrancinhas eu trouxe na frasqueira. Depois tenho outras coisas, mas estão na mala que ainda não abri. Vamos começar com as lembrancinhas.

Mateus ganhou um bonito estojo forrado de veludo azul com dois frascos: uma colônia e uma loção pós-barba.

— É para quando você precisar fazer a barba — ela riu, disfarçando a ironia.

— Ele já faz — disse Artur. — Gosta de alisar a cara com a Gillette.

— Ah, vô. Passa a mão aqui no meu queixo, minha barba tá espetando.

Ele abriu o estojo e disse:

— Vou ficar com o cheiro do Alex. Ele usa este perfume Spice.

— Quer trocar? — perguntou Teresa.

— De jeito nenhum. Ele é que vai ficar tiririca. Não vai mais ser o único que deixa um cheiro de cravo quando passa. Não estou nem aí para ele. — Beijou a prima, agradecendo.

Artur ganhou um isqueiro Ronson, importado, com tampa de ouro, o sonho de todos os fumantes. O presente o deixou de boca aberta.

— Para titia mandei fazer esses brincos combinando com este broche, que era de minha mãe e que ela me pediu para entregar para a senhora, tia Madá.

O broche era de esmeraldas e brilhantes, como os brincos. Joias de grande valor, lindíssimas.

Para variar, Madalena chorou. Pelos presentes e pela lembrança da irmã.

Mateus quis resolver uma dúvida.

— Como você sabia que eu existia, que morava aqui com meus avós, e como soube me reconhecer quando me viu?

— Alex me escreveu longas cartas.

— Claro, nem sei por que perguntei. Safado, escondeu da gente.

Depois dos muitos comentários sobre o que cada um ganhara, combinaram que logo levariam Teresa para conhecer os parentes biológicos paternos.

— Dona Cleonice não está nada bem, mas vai ficar feliz com o surgimento inesperado e milagroso de uma neta, sobretudo tão linda. Acho que você é a única neta deles.

Ao se recolherem para dormir, Alex ainda não tinha voltado. *Deve estar com alguma putinha nova na casa da Graúna*, pensou Mateus. *Se é mesmo meu tio, devia ter me levado junto. O tio de um órfão tem que fazer o que é obrigação do pai*, pensou, agora sem muita convicção: nenhum dos pais de seus amigos tinha levado o filho na zona, até onde ele sabia. *Vai ver que arranjou um broto numa cidade vizinha e não me contou, o filho da puta.*

— Estou cansada das vinte horas de viagem de trem e ônibus, mas estou tão feliz, tia Madá. Acho que vou para a cama — foi se despedindo Teresa. — Pena não ter encontrado o Alex hoje. Adorei conhecer vocês, um tesouro que era meu e eu não sabia: tia Madá, tio Artur, o priminho, não, o primão... Mateus, nunca imaginei que você já fosse mais alto do que eu!

Quanto tró-ló-ló!, pensou Mateus, e sorriu para se mostrar simpático.

— Amanhã nos vemos todos — disse Madá. — Alex deve estar cuidando de seus afazeres.

"Se escondendo, isso sim", gostaria de dizer Mateus, que disse apenas:

— Boa noite a todos. Vou para a cama. Amanhã, nada de levantar cedo, é domingo.

236

— Boa noite — disse Teresa.

— Boa noite — disseram Madalena e Artur.

No quarto, Mateus fechou as venezianas e abriu as vidraças para que entrasse um arzinho refrescante. Como costumava fazer quando mexia na janela, esticou o pescoço para olhar o que acontecia na rua. O Chevrolet fora guardado na garagem, não estava à vista. De repente, Mateus quase caiu para trás. O assassino de Izildinha, o Borboleta, que, segundo a versão do Bel, fugira para não mais voltar, estava de novo na cidade. Não só, estava entrando na casa de dona Nena naquele exato momento. Ele viu quando Meu Zé fechou a porta assim que o matador passou por ela. *Mais uma doidice acontecendo? Vou fechar é tudo: o capeta anda à solta na cidade*, pensou. Fechou também as vidraças, chutou longe as Sete Vidas que tinha nos pés e pulou na cama. Dormiu com a roupa que vestia. Havia dias não lembrava da gaiola nem pensava nos seus cheiros.

Mateus e Teresa, no terceiro sono, não ouviram quando Alex chegou, empurrando a porta de mansinho e tirando os sapatos para não acordar ninguém.

Madalena e Artur estavam acordados e intrigados, metidos numa conversa que parecia não ter fim.

— Apague a luz, Artur — disse Madalena. — O homem dos segredos acabou de entrar. Será que ele tinha mesmo algo a fazer por aí ou sumiu só para dar tempo de Teresa se apresentar sem a presença dele, para os dois não ficarem constrangidos? Afinal, eram íntimos e ele nunca comentou.

— É. Tem coisa que a gente ainda não sabe.

24.

Mateus notou quando os avós saíram para a missa das dez, e sabia que levariam pelo menos uma hora e meia para voltar. A missa dominical era demorada, praticamente uma exigência social para a qual todos vestiam suas melhores roupas. No domingo, a igreja era o lugar em que a cidade inteira se apresentava em público, examinavam-se uns aos outros, cada um perscrutado de acordo com a importância de sua família no poder local, a classe social de que era parte e a profissão exercida. Mateus preferia dormir até mais tarde, aproveitar que não tinha que ir à aula. Assistiria à missa vespertina, a missa dos jovens, mais curta, com sermão rápido, que era rezada só aos domingos. Após essa missa, a saída da igreja era um ponto de encontro dos namorados, mesmo porque homens e mulheres ocupavam espaços separados dentro da igreja. Em seguida, os casais davam voltas no largo até a hora do cinema.

Em casa, Alex e Teresa continuavam em seus aposentos, o dia anterior fora agitado. Mateus acordou mais cedo do que costumava. Olhou sorrateiramente no quarto de Alex e constatou que ele ainda dormia. Retornou a seu quarto e ficou na espreita, temendo que o outro saísse sem que ele visse e demorasse a voltar para casa. Não queria adiar mais: estava pronto para enfrentar a verdade, por pior que fosse.

Ao ouvir Alex se fechar no banheiro, foi para o quarto do professor e se sentou na cama, ainda quente do sono do seu ocupante. E esperou. Parecia que estava ali havia horas quando Alex voltou, deu de cara com Mateus e nem estranhou sua presença.

— Bom dia, Mateus. Sabia que você ia querer falar comigo sobre a Teresa, que eu escondi de vocês esse tempo todo.

— Oi, Alex. Nada disso. Teresa já me contou como chegou aqui e até falou daquelas cartas que você escreveu a ela e que escondia de mim.

— Então está aqui só para descontar a minha invasão no teu quarto quando fui atrás da tinta para minha caneta?

— Não. Só vim te mostrar uma fotografia.

— Bacana, me deixe ver.

Mateus tirou do bolso a foto do lambe-lambe de seus pais com o garoto, estendeu-a para Alex, que demonstrava uma curiosidade aflita, e perguntou:

— Alex, você é meu tio?

— Ah, Mateus, você descobriu, que bom. Finalmente não preciso mais me esconder. Será que você pode me dar um abraço? — Alex falou, com os olhos cheios de lágrimas, e abriu os braços para Mateus.

Mateus estava imobilizado e seus olhos também se encheram de lágrimas. De repente se lançou nos braços do tio e ficaram um longo tempo abraçados, sem dizer nada, até que Alex quebrou o silêncio:

— Gosto de você, moleque.

— Também gosto de você.

Foram juntos à cozinha para tomar o café da manhã, e não sabiam por onde começar a conversa.

— Por que não me contou quando chegou, Alex? Ou vou ter que te chamar de tio Alex? Eu acho esquisito "tio Alex".

— Somos o Mateus e o Alex e assim vamos continuar.

— Então, Alex, por que...

— Eu não sabia onde estava me metendo, não sabia nada de vocês e tinha medo. Mas foi bom assim, porque, agora que chegou a hora da verdade, tanto eu como você já temos um sentimento forte e bom entre nós dois, que não foi imposto por uma relação de parentesco, uma ligação de sangue. Acho que, antes de sermos declaradamente tio e sobrinho, conseguimos construir uma relação bacana.

— Meu coração ainda não está na batida normal, mas também me sinto contente e aliviado, Alex. Desde que dona Nena comentou que nós dois temos o mesmo olhar, eu não parei de me olhar no espelho, desejando que ela estivesse certa, mesmo sabendo que esse comentário dela era carregado de maldade.

— E desde quando você desconfiou?

— Desde ontem. Mas fui com a tua cara desde que você chegou na escola.

— Apesar de eu não ter levado você na casa da Graúna.

— É, isso você ainda está me devendo. Agora sua obrigação de me levar lá aumentou. Somos parentes de sangue.

— Mas não de putaria!

Os dois riram da história, que virava e mexia voltava à baila. Foi nesse momento que os avós chegaram da missa, e Teresa veio para a cozinha, já desperta e pronta para começar o dia. Os cinco foram se instalando em torno da mesa, Madalena foi para o fogão fazer mais um bule de café e renovou a jarra de leite e a cesta de pães, trouxe mais queijo e lavou mais frutas. Depois juntou-se aos outros à mesa. Tinham o que comer e sobre o que conversar.

Alex contou que era irmão de Antonieta, mas que tiveram raros contatos desde que ela saíra da casa dos pais, assim que se formou professora normalista. Era uma mulher difícil. A família soube do seu casamento com Lucas somente quando ela apareceu para dizer que estava se mudando com o marido para o interior. Depois mandou uma carta com o endereço daqui. "Não quero que pensem que não tenho onde morar", escreveu.

— A segunda carta veio quando Mateus nasceu — continuou Alex. — Meus pais e eu quisemos vir para uma visita, mas Nieta foi adiando, adiando, dizendo que não tinha condições de nos receber e que nos avisaria quando chegasse o momento certo.

— Mas sua mãe veio mesmo assim — disse Madalena. — Eu a conheci, uma mulher bonita, educada, a dona Ester; ficou cerca de uma semana na cidade. Almoçou um dia aqui conosco, com Lucas e Nieta. Mateus era um bebezinho mantido no carrinho. Nieta não me deixou pegar você no colo, Mateus, o que me chateou demais. Artur quis levar sua mãe, Alex, para um passeio de carro pela região, mas Antonieta não deixou. Ela não queria intimidades, nada de laços estreitos entre as duas famílias, foi o que imaginamos na época.

— Minha mãe já esperava pelas reações de Nieta, e se preparou para contornar a barreira que ela erguia. Durante a manhã, com Nieta na escola, andava pelas ruas e tentava fazer amizades. Ela queria ter alguém na cidade que pudesse nos manter informados sobre a saúde e qualquer problema em relação ao neto, à filha e ao genro, mas não queria envolver vocês numa possível briga com Nieta, que poderia acusá-los de se intrometerem indevidamente. Sabia que a filha não perdoaria.

— Eu dei nosso endereço por escrito para Ester, mas ela nunca escreveu — disse Madalena.

— Por isso que acabei de dizer. Mas minha mãe fez amizade com dona Marieta, a senhora que opera a central telefônica, para quem mandava um presentinho de vez em quando. E dona Marieta do Telefone telefonava para a minha mãe e contava como iam as coisas por aqui. Foi assim que soubemos da morte de Nieta e Lucas.

— Que tristeza, saber por telefone e da boca de uma pessoa praticamente desconhecida — lamentou Madalena. — Mandamos uma carta e a carta voltou.

— Meus pais tinham mudado de endereço, deve ter sido por isso — disse Alex.

— Imediatamente dona Ester comunicou a tragédia ao Alex — disse Teresa —, que contou para mim. Conversamos e concordamos que ele deveria vir, sem se identificar, para saber melhor o que acontecera.

— Foi questão de tempo, até eu conseguir minha transferência para cá. E felizmente tudo concorreu para que eu ficasse hospedado com vocês.

— Não pense que foi por acaso ou pelos seus belos olhos e seu palavreado inteligente que o recebemos como inquilino — disse Madalena. — Mas depois te contaremos essa história em que na verdade o enganado foi você. — Madalena riu. — Agora continue, por favor.

— Bom, dona Marieta do Telefone contou que a morte foi por envenenamento acidental e que "só com a intervenção direta de Deus", nas palavras dela, o garoto tinha sido poupado. Disse que o delegado Bel encerrara o processo como acidente doméstico, mas que havia muitos comentários desencontrados.

— Foram dias terríveis, os piores de minha vida — falou Artur, resumindo os fatos a seguir.

Antes de continuar, porém, puxou sua cadeira para junto do Mateus, o abraçou e limpou com um lenço as lágrimas que escorriam dos olhos do garoto.

Contou que a morte foi provocada pela ingestão de arsênico.

Bel andou sondando o comércio e descobriu que, dias antes, Nieta tinha comprado um pacote de meio quilo do veneno, muito usado na agricultura. Comprou na venda do seu Nicola, que fica ao lado da escola em que era professora.

— Segundo Nicola — prosseguiu Artur —, ela queria comprar apenas um pouco, uma colher de sopa, no máximo, mas as vendas pequenas não oferecem esses produtos a granel. Num armazém você pode comprar esse veneno por quilo, quanto quiser; não numa venda, que só tem pacotinhos fechados e rotulados. Eu associei o dia da compra do arsênico com a véspera da morte do canarinho do Mateus, passarinho que Nieta odiava, e estou convencido que foi para se livrar do bichinho que o veneno foi adquirido. Se é verdade, só uma quantidade mínima do veneno teria sido usada naquele dia. O que foi feito do resto? Foi guardado.

— Eu vi o pacote na despensa, perto dos mantimentos, pelo rótulo vi que era veneno. Vi quando fui pegar um punhado de amendoim para torrar — disse Mateus, num grande esforço para não chorar. — Estava na prateleira do lado do saco de farinha. Falei para o meu pai que eu desconfiava que meu canarinho tinha sido envenenado pela minha mãe, ou a mando dela, mas ele procurou me convencer que não, de jeito nenhum. O veneno tinha sido comprado para acabar com alguma praga, disso ele tinha certeza, podia pôr a mão no fogo. Eu disse: "Pergunte para ela, então", e ele ficou nervoso e me respondeu que eu não passava de um pirralho atrevido, desconfiando dos próprios pais. Ele ficou zangado. E disse que ia jogar fora o pacote de veneno, que estava aberto e era perigoso. — Mateus se calou e enfiou a cara no ombro do avô.

— Então aconteceu… — disse Alex, que tinha o rosto branco como papel e segurava a mão de Teresa sobre a mesa.

Sem perceber, Madalena abria com os dedos um buraco na manga do vestido de *chiffon* estampado, que vestira para a missa.

243

Artur continuou:

— Era domingo, nosso time jogava depois do almoço e eu tinha convidado Lucas e Mateus para ouvirmos juntos a transmissão da partida pelo rádio. Nieta disse que ficaria em casa descansando, pois detestava futebol. Faltavam poucos minutos para o início do jogo, e os dois não chegavam. Atravessei a rua e fui chamá-los. Primeiro gritei do portão e, sem ter resposta, entrei pelos fundos. Meu filho e minha nora estavam caídos na cozinha, comida esparramada, pratos quebrados, um horror, e me desesperei com os piores pensamentos. Mas onde estava Mateus? Deixei os dois desacordados ali no chão e saí feito louco pela casa procurando meu neto.

Artur parou de falar e esperou que Mateus se acalmasse. Ninguém ali parecia ter condições de confortar ninguém, mas todos se esforçavam, mesmo Mateus, que disse:

— Vai, vô. Eu aguento.

— Então. Encontrei este menino no quarto dele, de pé entre a cama e a porta. Estava catatônico, não se movia, não falava, não tinha nenhuma reação. Eu consegui forçá-lo a se deitar na cama e esperar por mim, porque precisava voltar à cozinha. No chão, ao lado da cama, havia um prato de nhoque, intocado. Entre o quarto de Mateus e a cozinha, eu me sentei no chão, no meio do longo corredor, sem força nas pernas para continuar andando, e comecei a berrar por socorro. Deve ter sido horrível, porque Madalena entrou apavorada, e nosso vizinho Osvaldo, o dono da máquina de beneficiar café, entrou atrás dela. Osvaldo foi buscar o doutor Marcelo, que mora a uma quadra daqui, e chegou em minutos. Nosso filho e nossa nora estavam mortos. Nosso neto estava em choque. Osvaldo foi buscar o Bel, que substituía o doutor Mariano.

— Mas nunca se soube o que de fato aconteceu, não é, seu Artur? — disse Alex.

— Bom, foi comprovado que o nhoque estava envenenado e nosso indecente falso delegado, que nunca passou de uma pústula interesseira, optou pelo caminho mais fácil.

Mateus balançava a cabeça, num gesto contínuo de não, não, não...

— Calma, querido — Artur procurou tranquilizá-lo —, Alex tem o direito de saber o que sabemos. Então, dois dias depois, Bel veio aqui em casa com sua brilhante conclusão: se Mateus não comeu a comida envenenada, ele deveria ser o envenenador, por isso não respondia a nenhuma pergunta. Ainda me disse que, por ser menor de idade, Mateus seria bem tratado, não iria para uma prisão. Ele encerraria o processo com essa conclusão. Por mais de uma hora procurei mostrar a ele a falta total de provas e evidências para lançar uma acusação que acabaria com a vida do meu neto. Finalmente Bel disse que, em nome da nossa amizade, olhem só o filho do cão, em nome da nossa amizade, ele estaria disposto a concluir que Nieta misturou veneno na farinha acidentalmente, que ninguém era culpado. Era consequência dessa mania do interior de pôr na mesma prateleira da despensa desde arroz e feijão até açúcar, farinha e veneno em pó. Já tinha acontecido outras vezes, em outros lugares.

Artur acendeu um Luiz xv, deu uma longa tragada e continuou:

— A culpada era a cidade, com sua falta de bons hábitos de higiene. Agora, eis o detalhe: Bel estava fazendo isso pela nossa antiga amizade, mas estava se arriscando e achava justo receber uma compensação, ter um fundo de reserva para uma emergência. Se seus superiores não concordassem com suas conclusões, ele se complicaria, e ele também tinha uma família para sustentar. Teria que tapar a boca dos superiores, ele disse. Bel ficou em silêncio enquanto fui desfiando as compensações que eu e Madá poderíamos oferecer a ele, que estava se "arriscando" pela nossa família. Faríamos qualquer coisa para salvar nosso neto da má-fé criminosa do delegado fajuto. Falei de um dinheiro que tínhamos no banco, ele quieto; de um terreno numa boa rua, ele quieto; da casa na pracinha da capela de São Bento, ele quieto; do sítio no córrego do Bambu, ele quieto. Quando lá na frente eu citei a fazenda Vista Bela, que herdamos da família de Madá, o Bel se levantou, me deu a mão e disse: "Lamento profundamente o triste acidente. Uma infeliz distração numa despensa confusa". Uma semana depois fomos ao cartório lavrar a escritura da fazenda.

— Mas é monstruoso — protestou Alex.

— Perdemos a fazenda, que no futuro pertenceria ao Mateus. A autoridade policial sossegou, mas a cidade ainda queria um culpado, e demorou um tempo de muita tristeza até que Mateus fosse deixado em paz pelos olhares e cochichos maldosos.

— Mateus, acho que agora entendo melhor o significado da gaiola para você — disse Alex.

— Posso falar, vô? — perguntou Mateus, secando o rosto com a barra da camiseta e pigarreando para limpar a garganta.

— Claro, se você achar que pode, e se for bom para você.

Mateus falou:

— Naquele dia em que perdi meus pais, meu pai saiu cedo de casa e voltou logo, feliz da vida. Estava vindo da casa de seu Chico, e o filho mais novo dele, o Tiãozinho, que cria canarinhos, tinha mostrado a ele uma nova ninhada. Um dos filhotes seria meu, assim que comesse sozinho e voasse no viveiro. Ele tinha encomendado: o mais bonito e mais forte já era meu. "Chega de tristeza, meu filho, logo seu canarinho vai voltar e cantar de novo", palavras dele que nunca esqueci. Palavras que minha mãe ouviu também. A briga começou e ela disse que o novo passarinho teria o mesmo fim que o outro. "Você matou meu canarinho, mãe?", eu quis saber. De repente eu não queria mais um passarinho novo, tinha medo. Eu tinha visto o pacote de ve-

246

neno na despensa, estava confuso. Meu pai não entendia minha recusa, não aguentava mais ser contrariado, disse que eu era um mal-agradecido. "Não suporto mais este inferno", gritava minha mãe; "Não tolero mais essa vida desgraçada", gritava meu pai. Na hora do almoço, nos sentamos sem vontade à mesa, em torno da travessa de nhoque que minha mãe fizera; eu a vi indo várias vezes à despensa com a caneca na mão buscar um pouquinho mais de farinha para acertar o ponto. Seu semblante era de dor. Agora Mateus falava como se todas as emoções o houvessem abandonado.

— Meu pai me mandou levantar da mesa e ir para meu quarto, que ele levaria meu prato. Eu fui e me sentei na cama. Ele veio atrás com meu prato de nhoque, mas não me deu o prato na mão. Pôs o prato no chão, me disse para deitar na cama e para comer a comida só depois que esfriasse, quando estivesse bem fria. "Coma a comida fria", ele repetiu, porque aquele era o castigo pelo meu comportamento desrespeitoso. E saiu, fechando a porta do quarto atrás dele, sem olhar para mim. Eu nem fome tinha, não me importei. Fiquei na cama meio atordoado, acho que dormi. Só me lembro quando minha avó entrou no meu quarto gritando.

— Por que nunca contou isso a ninguém? — perguntou Madalena, desconsolada.

Artur balançava a cabeça, não querendo acreditar no que ouvia. Mateus respondeu:

— Nunca consegui, vovó. Sempre me senti culpado, sempre achei que eu causei a morte de meu pai e minha mãe.

— Mateus, você está errado ao pensar assim, você não pode se culpar — disse Alex; e dirigindo-se a todos: — Vim para cá para descobrir quem tinha matado minha irmã. Agora sei que não foi ninguém pessoalmente. Foi a relação conturbada de um casal que, não sabemos por que caminhos, provocou seu próprio aniquilamento.

— Minha mãe — Mateus contou, agora com lágrimas escorrendo — costumava me dar comida fria como castigo. Ela dizia que era o castigo mais leve que antigamente os senhores aplicavam a seus escravos, que eu devia agradecer. Por teimosia eu não comia, jogava fora. Preferia passar fome.

Essa revelação foi seguida pelas palavras de Alex:

— Tenha sido uma obra do acaso, ou uma interferência consciente de seu pai, foi esse castigo que salvou sua vida, Mateus. Pare de chorar, querido. O que importa é que hoje você está vivo, aqui com a gente. Você atravessou, praticamente sozinho, um mar tormentoso, chegou vivo ao outro lado, tenho orgulho de ser seu tio.

Alex contou que se mantinha em contato com seus pais por carta e que em breve Mateus estaria com os avós maternos.

Aos poucos o ar foi se desanuviando. Mateus comentou:

— Bem que a dona Nilce do correio me disse que você não sai de lá, postando e retirando correspondência. Disse que até o cachorro dela, que passa o dia dormindo ao lado do guichê, já conhece o ronco do seu Fusca e que, quando você está chegando, ele começa a abanar o rabo. Antes de você dar as caras, ela sabe que você vai entrar.

— Pombas, até os cachorros?

— E os gatos também. Sabe que essa história do Miau ter se mudado da cristaleira para a tua cama me deixou enciumado?

— Liga, não. O gato adora você, Mateus, só não suporta seu cheiro.

Depois, corações acalmados, Alex perguntou:
— Ainda tenho uma dúvida, seu Artur.

— Esta é a hora.

— Dona Madalena disse que vocês sabiam que eu era irmão da Nieta quando me aceitaram como hóspede. Como souberam? No que foi que me traí?

— Estava na cara, Alex. Os olhos do Mateus, o jeito de olhar. A semelhança com Nieta. Família, meu caro, teu sangue te traiu — explicou Madalena.

— Hum.

— Também sabemos investigar — disse Artur.

O almoço aconteceu em clima tristonho, compensado, contudo, por um sentimento comum de libertação de segredos ruins, alguns cruéis e destrutivos. Depois, Mateus e Alex conversavam no laboratório, enquanto continuavam com os testes, que pareciam não ter fim.

— Mateus, fiz algo pelo que você vai me recriminar antes de saber a razão por que agi assim. Por isso vou começar contando primeiro o motivo.

— Esquisito, hein.

— Eu quero saber mais sobre as ações criminosas desse delegado-substituto. Tenho a impressão, agora quase uma certeza, de que ele usa a favor de si os crimes que deveria investigar.

— Querendo tirar proveito, como fez com a fazenda do meu avô, que ele roubou?

— Exatamente. Ele age para sair favorecido, acreditando que sairá impune. Temos que nos juntar. Tudo o que foi conversado hoje aqui nesta casa deve ser mantido entre nós. Falei com seus avós e Teresa e eles concordam. Deixa o Bel acreditar que todos os relatórios mentirosos que ele dita e assina estão valendo.

— Também acho.

— Então temos de descobrir outras fraudes do falso delegado, além de outras coisas.

— Isso aí.

— Você me disse que o tal do Borboleta reapareceu e que veio procurar Meu Zé.

— Foi.

— E me contaram que o Borboleta matou a ex-namorada por ciúme e que se deixou prender e depois fugiu. E você me disse que Bel deu o caso por encerrado. Pergunto: a moça chamada Izildinha morreu por ter traído o amor do Borboleta ou mais uma vez Bel está inventando uma razão que o favoreça? Afinal, ele deu o caso por encerrado: o crime foi passional e o assassino desapareceu.

— Isso mesmo. Você acha que não foi isso?

— Não foi. Eles nunca namoraram, nunca foram amantes nem nada parecido.

— Como você sabe, se nem estava aqui na época? Quem contou para você?

— Agora dependo de sua calma e compreensão. Só fui lá para conversar exatamente sobre essa questão.

— Fala, cara. Com quem você descobriu que Izildinha e Borboleta nunca namoraram?

— Com a Maria.

— Qual Maria? — Mateus já se mostrava desconfiado da resposta.

— A Maria Graúna.

— Puta que pariu! Você foi lá escondido de mim?

— Sabia que você ia estrilar. Mas não entendeu ainda que não fui atrás de putaria? Fui sozinho com a intenção de levar a mulher no bico, na conversa, não para a cama, dá para sacar?

— Está bem, vou te dar um crédito. Pode falar.

— Fui à casa da Graúna fora do horário de funcionamento

250

do... estabelecimento, digamos. As garotas dormiam, mas a Graúna me recebeu, simpática, e me fez sentar na sala. Ela sabia que eu era professor da escola...

— Aqui tudo se sabe.

— ... e disse que ficava honrada com minha visita. Gostou de ter um homem ali para conversar, acho que ninguém vai lá para isso. E ela é boa de conversa.

— Quem vai lá não quer conversa mole.

— Pois. Conversa vai, conversa vem, lamentei que uma amiga dela, a Izildinha, que eu não tive o prazer de conhecer, tinha sido assassinada pelo ex-namorado, que continuava apaixonado por ela e não queria que ela fizesse parte do grupo das garotas da Graúna.

— Ela caiu?

— Direitinho. Primeiro deu uma boa gargalhada, depois disse que os dois nunca namoraram coisa nenhuma, nem a Izildinha queria saber de se deitar com homem por dinheiro. Foi um assassinato de negócios.

— Entregou.

— Os dois trabalhavam juntos, ela vendia umas coisinhas para as meninas se animarem, a vida é dura, não tem hora para dormir e descansar direito, essas coisas.

— E Izildinha não estava mais a fim de rachar os lucros com o Borboleta.

— E Borboleta matou a rebelde e teve a cobertura total do Bel, que tratou de fazer seu teatrinho, dá para concluir.

— Com certeza, porque os dois têm sociedade nos negócios. Também tem o Meu Zé. Vi o Bel entrando de noitão na casa dele, quando eu saía para as minhas mijadas na rua, no tempo do penico.

— Que história é essa?

— Eu gostava de mijar lá fora e ficava sentado na porta olhando a rua com a minha marca do infinito. Depois perdi o costume. Bobagem, depois eu conto. Mas, mudando um pouco de assunto, tem certeza que você não é um agente da polícia disfarçado, hein, meu tio?

— Não há mais segredos entre nós.

— Nem sobre a casa da Graúna?

— Principalmente. Mas sabe que eu penso que sua insistência no tema Graúna é só para me azucrinar?

— Vai ver que é.

— Então, Mateus, olho no trio.

— Você está incluindo o Meu Zé no trio?

— Você é que incluiu.

— Acho que sim.

— Precisamos deixar de implicar com a dona Nena — propôs Alex — e nos aproximar mais daquela cadeira debaixo da sete-copas.

— Depois a gente vem em casa e vomita.

— Se for preciso.

— Que tal aumentar nossa equipe? Acho que a Teresa pode ajudar. Ela é o tipo de visgo especial para pegar esse passarinho.

— Essa gente é mais perigosa do que aparenta — disse Alex. — Precisamos tomar cuidado. Mas vou dar um toque na Teresa.

— Legal. Mudando de assunto, me empresta aquele seu alicate?

— Pode pegar. Naquela gaveta ali. E bico calado.

— Deixe comigo.

Mateus abriu a gaveta, pegou o alicate e foi saindo.

— Depois devolvo, tio.

— Tudo bem, sobrinho.

Trancado no quarto, Mateus cortou com o alicate a mola que mantinha fechada a portinhola da gaiola. Não satisfeito, cortou as dobradiças e tirou fora a portinhola de vez. A gaiola agora estava sempre aberta. Esperou que a casa ficasse no escuro e no silêncio, e saiu do quarto com a gaiola, clareando seus passos com sua minilanterna, também presente de Teresa. No terreno dos fundos pendurou a gaiola no abacateiro e voltou para casa. Na varanda, entrou no laboratório e guardou o alicate na gaveta; tirou a camiseta com cheiro de suor e lágrimas e a deixou no tanque de lavar roupa. No quarto, tirou os sapatos, as meias e as calças, abriu o frasco da colônia Spice, molhou ali a ponta do dedo e a esfregou atrás das orelhas. Se enfiou sob o lençol e dormiu.

25.

Naquela manhã Mateus teve uma das aulas com Alex. Precisou se esforçar para não o chamar de tio na frente dos colegas. Pareceu-lhe que Alex também se sentia incomodado com a presença dele como um aluno a mais. Era ruim alimentar esse segredo bobo, mas não romperia o acordo de manter escondido o parentesco. Se soubesse da relação entre os dois, Bel poderia desconfiar que Alex não estava na cidade por conta dos azares de um concurso público. Aquela era a cidade em que sua irmã morrera em circunstâncias suspeitas, e o professor poderia pôr em dúvida as conclusões da autoridade policial.

Depois do almoço, dona Madalena pediu a Mateus que fosse com Teresa ao armazém do seu Chico. Ela desfiara as meias de *nylon* que trouxera e precisava de novas. Aproveitando a caminhada, Mateus podia trazer um litro de óleo de algodão e um carretel de linha branca número 20. Ah, e também meio quilo de macarrão ave-maria para pôr na sopa. Era bom levar uma sacola, e não podia esquecer a caderneta, nem o litro vazio para trazer o óleo. Teresa calçou suas sandálias de salto de vidro e

254

Mateus se animou com a atenção que chamariam na rua. Ele até vestiu uma camiseta nova que ganhara da prima.

Assim que saíram à calçada, Teresa perguntou:

— Vamos passar em quantas lojas?

— Só no seu Chico.

— E lá tem tudo o que vamos comprar? São coisas tão diferentes.

— Lá vende de tudo, é um armazém de secos e molhados. Mateus explicou que as famílias da roça compravam fiado o ano inteiro, marcando os gastos na caderneta, e só pagavam depois da colheita de café, que acontecia uma vez por ano. Então um armazém tem de ter tudo que a família precisa.

— Mas tudo o quê, por exemplo? — quis saber Teresa.

Mateus desfiou uma quase infindável lista de produtos oferecidos pelo armazém de secos e molhados, e só parou quando chegaram lá.

— Na parte de alimentação se pode comprar arroz, feijão, café, sal, açúcar, óleo de cozinha, banha de porco, vinagre, pimenta-do-reino em grãos, sardinha prensada a granel e sardinha em lata Coqueiro, bacalhau salgado, farinha de trigo, de mandioca e de milho, fubá, Maizena, milho branco para canjica e amarelo para as galinhas, também sal grosso para o gado, sem faltar alpiste, que eu comprava para meu passarinho, queijo parmesão para ralar, macarrão a granel e em pacote, que pode ser espaguete, talharim, esses dois de pacote, e os que vendem por quilo: o ave-maria, o padre-nosso, o rigatoni, conchinha, fusilli, estrelinha, tudo em saco grande, compra quanto quer, pesa na balança. Ah, não pode faltar extrato de tomate para o molho de macarrão. Vovó prefere o Elefante. Palmito, ervilhas, presuntada e salsicha, só tem em lata. Para bolo, chocolate e fermento Royal. Para beber com leite, tem lata de Toddy em pó, é bom, hein! Batata, cebola e alho, com certeza, a granel. Tem biscoitos Piraquê salgados e doces, ameixa seca e coco ralado para fazer manjar e outras sobremesas, e, muito importante, leite condensado para fazer pudim, além de muitas variedades de doces enlatados. Se o produto não vem enlatado, é vendido a granel, vai de acordo com a vontade do freguês. É só pedir e o balconista põe na balança e pergunta: "Tá bom, ou quer mais?". Eu adoro marmelada Cica. Goiabada, minha avó faz em casa.

Lembrando de outros tipos de mercadoria à venda, Mateus enumerou o que havia na parte das bebidas: pinga, vermute branco e tinto, vinho branco, tinto e clarete, cerveja Antarctica e cerveja Brahma. E cerveja preta Malzbier, muito boa para mulher amamentando, segundo diziam. Contou que, às vezes, seus amigos e ele compravam um garrafão de cinco litros de Sangue de Boi e iam à represa beber até entortar o bico, e depois... aquela bronca em casa. Falou dos refrigerantes da fábrica local, soda limonada, água tônica, xarope de groselha, que eu adoro. Mas alertou que Coca-Cola e Crush só havia nos bares, pois não eram artigos de primeira necessidade, então não tinha. Mas tinha conhaque São João da Barra e os de outras marcas, o aperitivo FQF e os licores de menta e de cacau. Disse que licor de cacau com sorvete de ameixa da sorveteria do Eliseu era de lascar. E que, perto do fim do ano, vendiam sidra e champanhe, castanha portuguesa e nozes. Os armazéns de secos e molhados também vendiam cigarros, fumo de corda, querosene para lampiões, lamparinas e isqueiro, pedra de binga e, é claro, fósforos. Nem podiam faltar velas, os próprios lampiões e lamparinas e lâmpadas elétricas também, evidentemente.

A seguir, Mateus desfilou uma lista do setor de vestuário:

— Tecidos, tem de tudo, desde morim Ave Maria, para fazer roupa de cama e de baixo, a qualquer tipo de tecido de várias qualidades vendido a metro para costurar vestidos, calças, camisas, e cortes para ternos. Claro que tem chapéus de feltro e de palhi-

256

nha e palhetas de abas largas para trabalhar ao sol, na roça; calçados, botinas, alpargatas, agora também as de lona e borracha, como esta minha Sete Vidas. E meias, é claro, as de *nylon* e de algodão para homens, que agora estou sem, e as meias de *nylon* e de seda para as mulheres, que nós vamos comprar já, já para você. Também tem véu para a igreja e para a noiva. Se você não trouxe, vai precisar de um véu branco para ir à missa. Se quiser, no seu Chico também pode comprar sombrinha, guarda-chuva, gravatas e cintos de couro, bem bonitos, e carteiras. Eles vendem inclusive colchas de algodão e cobertores. Travesseiro não tem: as mulheres fazem com paina ou penas.

— E deve ter a linha que tia Madá pediu.

— Pois é claro, o setor de armarinhos tem todo o sortimento das linhas para costurar, bordar e fazer crochê e tricô. Lá podemos encontrar fios de lã, agulhas de costura de mão e agulhas para máquina, agulhas de tricô e de crochê, e dedais para não espetar o dedo, bastidores, alfinetes, colchetes de gancho e de pressão, botões, elásticos, zíperes, tesouras também, barbante e cola. Sabe o que é passamanaria? Eu não sabia, tem aos montes.

— Acho que não falta mais nada mesmo.

— Claro que falta. O pessoal da roça, e da cidade também, compra enxada, foice, machado, enxadão, facão, rastelo, lona para cobrir a colheita, e até arado. Também tem tela de arame para galinheiro, pregos, arame liso e arame farpado, grampos de cerca, baldes e bacias. Corda, evidentemente, de sisal, de várias grossuras. Para acabar com as pragas, os formicidas. O BHC, que vende por quilo, tem um cheiro horrível. Tem outros venenos e até os usados para matar mosquito e pernilongo dentro de casa, principalmente Detefon para pôr na bomba Flit e pulverizar no ar.

Mateus mostrou a Teresa que estavam chegando e foi completando sua relação. De vez em quando ele prestava atenção no olhar de Teresa para ver se ela não estava enfastiada com o catálogo que ele desfiava. Dona Nena vivia falando sobre essa história de conferir o olhar do outro. Aparentemente ela não estava chateada, até parecia se divertir. Por isso, prosseguiu:

— Para a casa são vendidos garfos, facas, colheres, espumadeiras, panelas, caldeirões, tachos, frigideiras, tigelas, pratos, travessas, canecas, jarras, leiteiras, bules, peneiras, chaleiras, e mancebos para coar café. Também tem torradores e moinhos de café e máquinas de moer carne. Ia me esquecendo dos ferros de passar roupa. Seu Chico vende os elétricos e os a brasa, porque o povo da roça não tem eletricidade. Até rádio eles vendem. Vendem e instalam as antenas e tudo. Na parte de presentes tem louça fina, como os jogos de porcelana de jantar, chá e café da Real e até copos de cristal, bibelôs e faqueiros. Vixe, tanta coisa bonita! E eu estava esquecendo de incluir umas coisas importantes, segundo minha avó: sabonetes e pastas de dente, brilhantina Glostora e óleo Bourbon para o cabelo. E lâminas Gillette, sabão em pedaços, esponja de aço, vermelhão e cera Parquetina de passar no chão, desinfetante Qboa e álcool, os produtos de limpeza e higiene pessoal. Quem prefere sabão feito em casa com os restos do porco pode comprar soda cáustica e breu.

— Lá também vende produtos de papelaria? Preciso comprar papel de carta, mas pode ficar para depois — disse Teresa.

— Isso tem em casa. Não precisa comprar. Só para lembrar, o que não tem no armazém são as coisas de papelaria, como papel, lápis, caderno, caneta, as coisas da escola, livros e brinquedos para as crianças e os enfeites de casa e material para festas, revistinhas, isso tudo você só vai achar nos bazares: o do seu Fath, o do Nenê e o do seu Adal. Seu Fath é libanês e vende cordas para violão; ele também é músico. Lá eu também compro gibi! Adoro. Remédio, pintura de mulher e perfume, só nas farmácias. E tem as vendas pequenas, onde se acha de tudo para um quebra-galho, mas não tudo que se encontra nos dois armazéns de secos e molhados da cidade. As paçoquinhas, os doces de abóbora e os doces de leite em pedaços mais gostosos são os das vendas, porque são feitos na cidade por donas de casa que precisam ganhar um extra. Os doces dos armazéns são industrializados e vêm de fora, eu gosto.

— Espere um pouco. Como você sabe tudo que tem no estoque deles? — perguntou Teresa. — Parece que você passa o dia inteiro lá comprando de tudo.

— Não. É que no ano passado me contrataram três dias para trabalhar no balanço anual. Eles fecham a loja e contam tudo o que tem dentro. Para ajudar, chamam uns estudantes. Tudo desce das prateleiras e sobe de novo. Todos os botões são separados e contados, todas as peças de tecido são desenroladas e medidas. Entendeu?

— Que trabalheira! Mas a sua memória é fantástica, Mateus.

— É, isso eu tenho de bom, mas acho que é só — ele riu.

— Não acredito, está se fazendo de modesto. Mas ainda tem outros negócios na cidade? Tem restaurantes?

— Restaurante não tem, mas tem os bares que fazem lanches, e tem a chácara do pai do Japinha, que vende verdura. Também tem o peixeiro, que vem de fora uma ou duas vezes por mês e vai de casa em casa.

— Roupa feita?

— Não tem, mas temos ótimos alfaiates e costureiras. E as camiseiras.

Teresa chamou a atenção de Mateus, apontando:

— Olhe, estamos passando por um açougue. Tem tiras de toicinho e linguiça penduradas.

— Isso mesmo. E na praça você vai ver uma firma de fora. Dizem que tem lojas no país inteiro, que só vendem tecidos a metro: as Casas Pernambucanas, única loja onde não adianta pechinchar para baixar o preço de nada. Lá o preço é fixo. E não vende fiado. Até o gerente veio de fora, mas se casou com uma moça bonitona daqui.

— E se eu quiser construir uma casa?

— Sério? Seu Chico vende material de construção, menos madeiramento, tijolos e telhas, que são fornecidos pela serraria e olarias locais. Também não vende arreios nem joias, mas temos estabelecimentos para isso: duas selarias e uma joalheria bacana. As sorveterias, você precisa conhecer. Preste atenção que meu avô vai mandar você na sorveteria do Eliseu, de que eu já falei, e ele vai dizer: "Recomendo o de ameixa".

— E as padarias? — perguntou Teresa.

— É claro que tem padarias. Várias. Vendem pães, doces e outras coisas de comer.

— Você falou de tanta coisa à venda que esqueci o que viemos comprar — disse Teresa, entrando por uma das portas do armazém e atraindo todos os olhares, os de cobiça e os de inveja.

— Meias finas para você, e linha, óleo e macarrão para minha avó. Vim repetindo mentalmente para não esquecer — disse Mateus.

— Você está brincando comigo!

— Sério — ele disse.

— Olha, aquele rapaz vai nos atender. Vem — chamou Teresa, andando ao longo do balcão com seus sapatinhos de Cinderela.

Ao chegarem em casa, Zito conversava com dona Madalena enquanto esperava por Mateus. Teresa ficou feliz em rever Zito, que já conhecera na casa dele, quando foi se encontrar com sua família biológica. Teresa achou graça de seu jovem tio ruivo ficar ainda mais vermelho quando lhe deu dois beijinhos no rosto, rubor que Zito se esforçou para esconder.

Mateus achou o amigo mais quieto, meio estranho. Logo imaginou que alguma coisa não corria bem, mas felizmente isso não se mostrou verdadeiro. Reparando melhor, Zito parecia mais bem cuidado, cabelo curto bem ajeitado na cabeça, os pelos do rosto devidamente raspados, nada da roupa amarfanhada que Zito costumava usar. Faltava, contudo, o sorriso sempre exposto na cara, o ar de malandro e o olhar inquieto. Devia ser resultado do namoro com Yoko: *quem diria, esse putanheiro namorando sério?*

— Vamos bater um papo no meu quarto. Vou te mostrar os presentes que Teresa me trouxe.

Zito contou que o namoro estava firme, razão por que ele andava meio sumido. Qualquer horinha livre, dava um jeito de ficar perto da namorada, o que não era fácil.

— Acredita que o Japa não dá folga, na maior marcação? Parece que a irmã dele é de ouro e que eu sou o ladrão querendo roubar. Já mandei ele tomar no cu, mas acho que isso só atrapalhou. Ele me mandou tomar no cu de volta e pedir bis, acredita? Aquela camaradagem da gente parece que nunca existiu.

— Existiu de certo modo — disse Mateus. — Japinha sempre deu um jeito de escapar, tanto que o Turquinho dizia que ele tinha vergonha do pinto pequeno.

— É verdade, mas estou falando em coleguismo, amizade, não nas porcarias que a gente já fez juntos.

— Aí concordo. O Japa não vai te ajudar. Ele segue o que o pai manda, e o pai não quer nenhuma das duas filhas namorando brasileiro. E como vocês se encontram?

— Onde der, até na fila da leiteria!

— Mas isso é de lascar! — Mateus caiu na gargalhada. — Na fila do leite...

— Não ria, não, meu chapa. É fogo na roupa.

— E a prima lá do sítio?

— Esquece. Sou um rapaz sério agora. Parei com a fuzarca.

— Eu que saí perdendo — reclamou Mateus.

— Não, amigo. Nem ia adiantar eu querer levar você lá. O troncho do meu irmão agora é o dono daquele pedaço. Só ele vai naquele sítio e nem me deixa ir com ele, quanto mais ir sozinho.

— O Murilo tá metendo com a *nossa* prima?

— Acho que está.

— Mas que cachorro. Bom, mas você está em outra e está feliz. Isso é que importa. Putaria é sopa, difícil é encontrar o amor.

— Nossa, Mateus. Não precisava tanto.

— Precisava, sim, faço questão de homenagear um caso de amor verdadeiro — disse Mateus, fazendo uma careta. — Me fala do namoro.

— Firmou mesmo na Festa da Luz, quando estourou toda aquela porra e veio o breu. Ficamos umas três horas juntos no jardim, e o Japinha só procurando, nós dois escondidos atrás de uma moita. Bom demais, mas tudo muito respeitoso.

— Vindo de você, não sei o que significa "respeitoso".

— Vou te dar um resumo que diz tudo: a Yoko nunca pôs a mão no meu pau, nem por cima da calça. Nunca me deixou dar um beijo de língua. Estou sempre na pior. Mas é ela que eu quero, só ela.

— Entendi. Quem te viu e quem te vê. E o que a Yoko diz dessa marcação da família dela?

— Ela não se conforma. Acha uma puta injustiça. Ela diz: "Ah, você é um rapaz tão bom, mas para minha mãe e meu pai não vale nada". A família quer um marido japonês para ela. Vai arranjar onde, tem jeito? Só se mandar buscar fora. Japoneses, aqui, só eles. Mesmo que tivesse mil, é de mim que ela gosta e é comigo que ela quer dormir todas as noites da nossa vida, ela me diz. Depois do casamento, claro.

— Situação meio sem saída.

— Vamos ver. Yoko chora, diz que é difícil viver em dois mundos separados.

— É mais ou menos isso mesmo.

Mateus imaginou como seria se todas as garotas da cidade estivessem proibidas para ele, como se ele tivesse uma doença contagiosa. O coitado do Zito devia se sentir um leproso. Disse ao amigo:

— Mas na tua casa tudo bem? Eles gostam da Yoko?

— Nada. Falam que japonês não é de confiança. Que eles são trabalhadores e inteligentes, sim, mas são traiçoeiros. Minhas irmãs dizem que a casa deles fede, puta mentira. Elas é que fedem, as duas bruacas. Eu só escuto esse monte de bobagens. Meu pai diz que quer neto alto, branco e de olhos abertos, não essas titicas com dois risquinhos no lugar dos olhos e com essa pele cor de bosta de cachorro doente.

— Caralho. Ele pega pesado à beça.

— Estou pensando em sair de casa, o que você acha?

— Acho que você tem que resistir e montar um plano. Tente arranjar um trabalho fora da família, vai olhando para a frente, se organizando. Ela também, vai se preparando, discretamente. Tem que ter emprego e lugar para ficar, pelo menos um quarto e cozinha. Junta dinheiro e, quando chegar a hora, vocês fogem. Depois que passarem uma noite juntos na mesma cama, as famílias não podem fazer mais nada e acabam concordando. Ninguém quer a filha deflorada e solteira. E até obrigam os fujões a se casarem no civil. Depois se casam na igreja, sem festa e sem vestido de noiva, é claro, mas isso não faz falta. Se o noivo se mostrar meio arrependido e não quiser casar, o pai da noiva vem com garrucha e delegado. Não é assim que funciona?

— Mas Yoko quer casar na igreja, de véu e grinalda, eles são católicos. Ela não aceita fugir comigo sem a aprovação das duas famílias. Diz que não seríamos felizes, e tudo o que ela quer da vida é ser muito, muito feliz comigo.

— Aí já é mais difícil, mas você sair de casa agora sem ter para onde ir é bobagem. Só vai complicar.

— Pior que você tem razão.

— E vai controlando a vontade na punheta — falou Mateus, fazendo com a mão uma imitação do movimento.

— Não acho mais graça em descabelar o palhaço — respondeu Zito, desanimado.

— Nossa! A coisa é séria.

Dona Madalena trouxe uma tigela de pipoca e dois copos de soda limonada, e os amigos, mastigando, passaram a comentar as últimas da cidade e da turma. A novidade corrente era a chegada da Teresa, e Zito quis saber tudo que ainda não sabia sobre sua sobrinha.

Enquanto os amigos conversavam no quarto, dona Madalena convidava Teresa para irem juntas à inauguração de uma tal de *boutique*.

— Que, afinal, não sei o que é.

— *Boutique*, tia Madá? É um estabelecimento pequeno, que vende artigos finos, peças de vestuário, bijuterias, objetos importados. Coisas que agradam aos olhos. O contrário de um armazém de secos e molhados, pelo que vi com Mateus quando fomos ao seu Chico. É a primeira *boutique* daqui?

— Sim, completa novidade para nós, mas acho que vi em alguma revista, coisa chique, né? É da Sílvia, a mulher do gerente das Pernambucanas. Vai ter até coquetel de inauguração. Ele é de fora e deve ter trazido essa ideia. Viu que aqui não tinha…

— Não vamos perder. Quem sabe eu não acho uns brincos

de conchinhas do mar para mim e uma bolsa de pele de onça supimpa para a senhora?

— Ah, não vamos gastar dinheiro em coisas inúteis.

— Mas é para isso que uma *boutique* serve, tia Madá: gastar dinheiro em coisas de que não estamos precisando, objetos bonitos, porém.

— Ah, é? Pois então vamos pelo menos apreciar.

26.

Quando Teresa ia à *boutique* Sílvia's, que era realmente uma maravilha para os olhos, não tinha hora para voltar. E naquele dia queria ir até lá para conferir possíveis novidades. Também queria passar numa costureira recomendada pela tia. Estava se ajustando ao cotidiano da cidade. No entanto, não chegou nem à *boutique* nem à costureira. Saiu de casa e, ao atravessar a rua, foi abordada por dona Nena, que desejava lhe apresentar o filho. Muito oportuno: ela ainda não tinha conhecido o falado Meu Zé. Dona Nena a fez entrar em sua casa e sentar-se na sala de visitas; retirou-se para a cozinha e voltou com um café.

— Meu Zé acabou de se levantar, trabalhou a noite toda. Durante o dia vão muitos clientes ao escritório, e também os desocupados de sempre, que nem clientes são, e ele não pode se concentrar no trabalho. O serviço vai se acumulando e ele tem que trabalhar à noite, muitas vezes até de madrugada — explicou dona Nena, enquanto se sentava na poltrona em frente a Teresa, que bebericava o café, que já perdera o sabor e o aroma. E prosseguiu: — Ele já tomou seu banho e seu café e está terminando de se vestir. Já avisei que você está aqui. Ele já vem.

Por cerca de meia hora, a mulher ficou contando vantagens sobre o rapaz. Teresa assentia e achava graça daquela dedicação absoluta da mãe. Fazia perguntas discretas sobre o trabalho do filho dela, seus amigos e do que ele gostava mais.

Foi quando Meu Zé entrou na sala, recendendo a água-de--colônia 4711. Terno de linho marrom, gravata de seda listradinha, cabelo esculpido à base de Gumex e, arrematando a caprichada figura, o sorriso que podia competir com o de Burt Lancaster: ficaria bem nas telas dos cinemas. Arrumadinho e emproado, dava para ser confundido com um Gregory Peck dos trópicos nos seus trinta e poucos anos. Se Alex precisava sondar o que esse moço andava aprontando, ela bem que poderia dar uma mãozinha, não seria uma tarefa desagradável.

O interesse de Meu Zé por Teresa foi imediato, e ele tratou de se livrar da mãe e ficar a sós com a moça das sandálias de vidro, as quais notou logo de cara. Disse que estava de saída, mas que fazia questão de levá-la de carro a seu destino.

— Eu sei que tudo aqui é perto e que faz bem andar, mas a gente pode se conhecer melhor conversando no caminho, e eu, infelizmente, tenho que sair de carro. Vem comigo.

— Aceito a carona com o maior prazer. Estou curiosa para conhecer seu Impala por dentro. Por fora é uma maravilha.

— Eu só gosto do que é bonito por fora e por dentro — ele replicou. — Por isso dou valor à alma da pessoa, à interioridade. Mal a conheço, mas já consigo antever sua beleza interior combinando perfeitamente com a aparência ímpar que a natureza lhe concedeu. Beleza da qual você cuida muito bem, devo confessar.

"Essa é manjada demais, rapaz", Teresa gostaria de dizer.

No carro, Meu Zé perguntou se Teresa tinha compromisso com hora marcada. Se não, poderiam ir conversar numa sombra

267

gostosa, na margem da represa. O mais divertido seria correr pelas estradas, os vidros do Impala baixados, o vento na cara, mas com aquelas estradas poeirentas não dava. Foram conversar na represa. Apenas uns moleques nadavam no reservatório municipal, pulavam na água a partir da plataforma de mergulho, boiavam com câmaras de ar, davam caldos uns nos outros. Do porta-malas Meu Zé tirou uma toalha para que se sentassem sobre ela no chão gramado. *Rapaz prevenido; será que tem uma garrafa de vinho branco gelado?* Gelado não estava, mas ele veio com uma garrafa de vinho e dois copos.

No primeiro encontro conversaram mais de uma hora. Teresa conduzia a conversa de modo que Meu Zé falasse mais das coisas dele e da cidade. Ele adorava falar dele. Mais ele falava, mais corda ela dava.

— Meu Zé não é nenhum bicho-papão — disse mais tarde Teresa a Alex. — Me pareceu um menino bonito, mimado, e talvez meio assexuado, eu diria. Não botou a mão em mim, não tentou nada, embora verbalmente ficasse me lambendo.

— Cuidado, a qualquer momento ele vai atacar. Não é o Don Juan da cidade?

— Don Juan de uma cidade onde as moças se casam virgens!

— Nem todas. Há muitos casos de casamentos apressados, algumas mães solteiras, escondidas pelas famílias, é claro; e mulheres casadas malfaladas. Umas poucas separadas e raras desquitadas, duas categorias aqui tratadas como pestilentas e perigosas para a família e a sociedade. Mulher desquitada não é convidada à casa de ninguém. Porém, escondido ou mal disfarçado, tem muito sexo fora do casamento, e não me refiro ao sexo com as prostitutas. As meninas de família aprendem, no namoro, habilidades que preservam a virgindade, não a castidade. Sexo anal incluído, acredita? A cidade não é essa pudicícia que pretende mostrar, entendeu?

— A ideia é boa, mas a palavra é horrorosa. Pudicícia, pudica... Alex, você está especialista nos amores clandestinos.

— Ah, lembrou do filme *Amores clandestinos*?

— Claro. Assisti pouco antes de vir para cá. Mas como você sabe tanto sobre a cidade?

— Some umas trinta horas de conversa com diferentes pessoas e vai saber o que todo mundo sabe, faz de conta que nunca aconteceu, mas não deixa de comentar à boca pequena. Agora que ficou amiga da dona Nena, vai ser convocada por ela especialmente para ser atualizada e atualizá-la na boataria.

— Eu já devo estar malfalada.

— Claro, agora você é a nova namorada do Meu Zé, um prato cheio por si só, se não esparramarem também a desconfiança de que é minha amante, simultaneamente. Sei pelos meninos que vêm aqui em casa, os amigos do Mateus, que há muita curiosidade a meu respeito. Agora, você, sendo mulher, vestida como mostram as revistas, andando sozinha para lá e para cá, deve estar na boca do povo.

Teresa passou a se encontrar com Meu Zé quase diariamente. Ele vinha buscá-la na porta, passeava com ela de carro pelas vizinhanças, a levava ao cinema. Toda semana Meu Zé sumia por dois ou três dias: viajava a trabalho, às vezes levando Caio com ele. Nessas ausências, dona Conceição reclamava que o filho estava perdendo aula, dona Nena se queixava de saudades, e Teresa dava graças aos céus pela folga.

A cada novo encontro, menos amistosa dona Nena se revelava. Achava que o namoro, que no início incentivara, como sempre fazia, acabou tomando um rumo que não lhe agradava nem um pouco. Meu Zé não contava nada do que se passava entre os dois! Dona Nena também mudou: já não convidava Teresa para entrar, nem puxava conversa. *Essa sirigaita não vai me roubar meu Zé.* Jamais permitiria.

Teresa estava convencida de que Meu Zé gostava de se exibir com uma mulher bonita em público, se mostrando, porém, pouco empenhado numa conquista sexual. Era o que a deixava mais tranquila.

— O prazer dele é falar, Alex. Uma sexualidade pela fala, o prazer sexual alcançado no jorro das palavras, me entende? Eu avancei o sinal por minha conta, queria saber como ele reagia. Ele não toma a iniciativa, mas se deixa envolver. Não consegue dar a partida, ou não tem esse impulso natural, e acho que se ressente do seu membro quase infantil, que combinaria com Peter Pan, não com o garanhão que imaginam que ele seja. E que não vi fora das calças, juro. Sou uma mulher honesta, você me conhece.

— Hum...

— Estou sendo simplista demais?

— Talvez. E sobre o que ele fala tanto?

— Da mãe.

— Imaginava.

— Não, você não imagina. Ele fala mal da mãe, muito mal. Que fica em cima dele controlando tudo o que ele faz, que morre de ciúmes, implica com as namoradas. Disse que quer ir embora e deixar a mãe aqui. Que ela não dorme enquanto ele não chega, mexe nas coisas dele, lê qualquer papel que encontra entre seus pertences, examina a carteira. Se ele deixar, a mãe dá banho nele, enxuga os cabelos, faz a barba, corta suas unhas. E reclama que ele não liga para ela, que é um ingrato, um filho que não merece a mãe dedicada que tem.

— Acho aceitável que não fale a você, a mulher que quer conquistar, sobre seus negócios sujos, o carteado, as dívidas e a

270

origem do dinheiro que sustenta os luxos que exibe. Acho que esse fulaninho não passa de um bandido. Mateus tem observado movimentos suspeitos naquela casa. Seus tios Madalena e Artur pensam a mesma coisa dele. Seu Artur acredita piamente que Meu Zé tem os dois pés no crime. Dona Madalena não chega a tanto, mas acha que ele não vale nada. Atrás da bela estampa tem um farsante perigoso. Ele precisa esconder esse seu lado escuro, mas não consegue completamente. O mundo de que ele fala não se ajusta àquele em que ele vive. Então, quem é Meu Zé?

— Ele é um santo. Sua vida é o escritório, o trabalho. A mesma história que a mãe dele conta, ele contou para mim: passa as noites pondo o serviço em dia. Perguntei se não gostava de um joguinho de cartas para se distrair e ele respondeu que às vezes sim, já mudando de assunto.

— E sobre dinheiro?

— Perguntei, fazendo a mulher interessada mas com bastante tato, se ele estava satisfeito com sua situação econômica. "O que meu pai me deixou e toco para a frente com meu trabalho me basta, para mim e para minha futura família", foi a resposta dele, juro. Não sei se mente para mim ou para si mesmo.

— E o macho insaciável, o conquistador que coleciona mulher bonita, o Meu Zé de que o povo fala, cadê? Não aparece quando você descreve sua relação pessoal com ele. Que não combina com o que sabemos dele.

— Não sei se Meu Zé sabe quem é, Alex.

— Esse cara é doente.

Num momento em que Teresa estava fora, cuidando da avó Cleonice, Artur contou a Madalena, Alex e Mateus o que acabara de descobrir sobre o carteado que funcionava nos fundos do bar do Bira. Depois contaria à sobrinha com mais jeito. Não queria que ela se sentisse ainda mais humilhada pelas falcatruas do namorado, mesmo tratando-se de um falso namoro. Começou dizendo:

— Sabemos que Meu Zé joga cartas todas as noites e costuma perder, o que fez dele um grande devedor, pois não tem como pagar as quantias que perde. Isso mudou: Meu Zé não deve mais nada a ninguém.

— A sorte virou e ele está ganhando? — perguntou Madalena, impressionada.

— Nada. Vou contar a história inteira. Fui tomar uma cerveja com meu afilhado Bira.

— Nosso afilhado — disse Madá.

— Isso — consertou Artur.

— É o dono do bar que tem um salão nos fundos onde o pessoal joga carteado a dinheiro — explicou Mateus a Alex.

— Eu sei, um cassino clandestino — disse Alex.

— Não chega a tanto, mas corre muito dinheiro ali — disse Artur.

— Eu trabalhei dois meses no bar do Bira, mas minha avó me fez largar — disse Mateus.

— Porque do bar você passou a servir também nos fundos, onde funciona a jogatina. Fui lá e dei um esculacho no Bira. Nosso afilhado enfiando nosso neto naquele antro, onde já se viu? — justificou Madalena.

— Então, eu queria saber se o Bira costumava molhar a mão do Bel para livrar a jogatina de aborrecimentos com a polícia — contou Artur. — Claro que fui falando com jeitinho, enquanto bebíamos juntos. O Bira disse que o Bel era gente fina, mas que tinha que garantir a proteção dos que estavam acima dele. Ele tinha que contribuir, "é claro". Sempre a mesma história.

— Manjada à beça — disse Mateus.

— Eu disse que lamentava que o Bira tivesse que se submeter ao esquema, e ele disse que era o único jeito de manter seus negócios, que, no final, lhe rendiam pouco mas que permitiam sustentar a família e prestar um serviço à cidade. "Senão, padrinho, quem gosta de jogar vai jogar do mesmo jeito numa cidade vizinha", ele se justificou e eu disse que entendia.

— E sobre o Meu Zé, como foi a conversa? — perguntou Alex.

— Eu disse: "Pena que os perdedores acabam muito endividados, como no caso do Meu Zé, que é meu vizinho e conheço desde criança. Sei que tem uma grande dívida de jogo, coitado". Citei o caso do Meu Zé como um exemplo apenas, como se não estivesse de fato interessado em saber especificamente sobre ele. Sabem o que Bira me disse? Que Meu Zé ainda perde muito, mas não deve mais nada a ninguém. Que felizmente o escritório rende cada vez mais, e ele pode perfeitamente pagar o que perde. As dívidas antigas também já foram pagas. Não deve nada a ninguém. Ele me disse que Meu Zé podia usar os lucros do escritório para um monte de outras coisas, mas se prefere gastar o dinheiro dele com o baralho, que é sua distração preferida, a escolha é dele.

— Esse dinheiro que ele joga pela janela não sai do escritório, certo? — falou Madalena.

— Mas é claro que não.

Teresa se deu bem com seu tio Zito, sincero, despachado, atrevido.

— Pelo amor de Deus, não me chame de tio que eu brocho.

— Mas que audácia do moleque. Olha o respeito!

O avô Valério lhe parecia carrancudo e de pouca conversa. Não escondia, contudo, o orgulho pela neta que, de repente, surgiu do nada. Talvez não soubesse como ser carinhoso. Um pouco dessa secura passara ao filho Murilo, diferente do Zito, o caçula. Com qual dos dois terá se parecido seu pai, morto tão tragicamente? Pelo que tia Madá contava, Amaro era um moço amargurado, que bebeu muito e se trancou em si mesmo, abandonando a vida justo quando tinha deixado a bebida e parecia se reconciliar com o mundo.

A visita à casa dos avós paternos entrou na rotina de Teresa. Diariamente passava algum tempo com a avó Cleonice, que deixava a cama para dar alguns passos, amparada pela neta, em cujo rosto se via como num espelho de sua juventude, antes que o trabalho na roça, o marido intransigente e os cinco filhos consumissem sua beleza.

— Zito, me conte essa história do namoro com a japonezinha, achei tão lindo.

— Você vai conhecer Yoko e vai gostar dela. Quando, não sei, ela precisa dar uma escapada. A família agora a mantém trancada, não quer o namoro, só porque não tenho os olhos puxados, pode?

— Vi um filme tão bonito do Marlon Brando chamado *Sayonara*. Não passou aqui ainda? Vocês têm que ver quando passar. É sobre o amor entre um soldado americano e uma dançarina japonesa, e se passa no Japão, no período em que os Estados Unidos ocuparam o país depois da Segunda Guerra Mundial. Também mostra outros casais mistos. O filme, tão triste às vezes, nos deixa ver como é complicado aceitar as diferenças raciais. Você e a Yoko vivem hoje esse velho problema, a dificuldade que temos de nos juntar a quem tem origem diferente da nossa.

— Lasqueira.

— Um amor tão bonito, eu torço por vocês.

Para Madalena, algo não ia bem. Precisava tomar uma decisão que a desagradava. Artur preferia que ela resolvesse os assuntos da casa. Ele tinha seus próprios encargos nos negócios e sustento da família. Ela detestava incomodar o marido com aqui-

274

lo que estava sob sua responsabilidade, mas neste caso queria a opinião dele.

— Estou pensando em mandar a Marinês embora.

— Eu achava que você gostava dela.

— Gosto demais. Ela é boa no que faz, não abre a boca para nada. Mas ela passou a dormir na casa da dona Nena, que acha que não tem mais idade para passar a noite sozinha. Com o filho fora até quase amanhecer...

— Esse filho... E agora, esse rabicho dele com a Teresa, esse namoro de que eu não gosto nada, pode acabar numa boa encrenca.

— Teresa sabe se cuidar. Mas o que fazer com a Marinês?

— Ela já trabalhava lá. O que mudou que está preocupando você?

— Confiança. Desde que passou a pousar lá, ela fica muito tempo naquela casa, pode ir se apegando, se afeiçoando. Tenho medo do leva e traz. Ela é quieta até demais, mas quem é que sabe? Nossa relação com aquela casa está cada vez mais complicada.

— Vai vendo como ela age e decida. Aqui dentro é você quem manda.

— Situação chata, não é?

27.

Mateus entrou empurrando um Zito completamente atordoado, que tropeçava nos próprios pés. *É a Cleonice*, pensou dona Madalena. A mãe do Zito vinha piorando, a doença-ruim não dava trégua. Mas Madalena estava enganada. Mateus socou o amigo numa cadeira e gaguejou:

— É a Yoko. Ela se matou.

— Que brincadeira de mau gosto é essa? — falou seu Artur.

— Não é brincadeira, vô. A Yoko tomou formicida Tatu. Está morta.

Dona Madalena fez o sinal da cruz:

— Minha santa Maria Madalena.

— O que a gente faz? — perguntou Mateus, sem se dirigir especificamente a ninguém.

O avô se recusava a acreditar:

— Primeiro vamos confirmar…

— Não, não tem nada para confirmar — disse Mateus. — A gente estava na quadra jogando e a notícia chegou lá. Zito saiu correndo, eu fui atrás, e fomos chegando perto da casa do japonês

276

sem saber o que fazer. Logo vimos que tinha um montão de gente na entrada da chácara. Aí o Turquinho veio ao nosso encontro, gritando: "Vão embora daqui. Vão embora". Nós estancamos no lugar. Turquinho chegou na gente e me disse: "Leva o Zito daqui, Mateus, ou então vai ter mais morte". E contou o que sabia, pouca coisa, mas com certeza Yoko estava morta. Zito corria perigo, já comentavam o namoro deles, que diziam ter começado brabo na Festa da Luz.

— Então é verdade? Que notícia mais triste — disse Teresa, abaixando-se e abraçando Zito, seu jovem, animado e farrista tio, largado na cadeira como se fosse um boneco de ventríloquo aposentado, a cara apalermada, as lágrimas escorrendo e encharcando o peito da camisa azul da Seleção de futebol do Brasil campeão do mundo.

Ele e Mateus estavam de calção, camisa da Seleção e Keds, que usavam no jogo de bola na quadra da escola quando souberam da notícia.

Madalena pôs a chaleira no fogo, enquanto Marinês, a mando dela, corria para o quintal cortar um feixe de erva-cidreira para fazer um chá. "Precisamos acalmar os meninos."

Em seguida chegou Alex e, com ele, Henrique. Tinham se encontrado no portão. Não demorou nada e Heitor apareceu também, junto com Caio. "Puta que pariu, como é que o Zito está?", um falou, e outro: "Ô mano véio, que desgraceira".

— As aulas da tarde foram suspensas, a escola está em total alvoroço, notícia ruim chega como um raio, se espalha feito a peste — disse Alex. — Yoko não apareceu na escola e a Ireninha pediu para a inspetora de alunos, a Maria de Fátima, dar um pulo na casa dela. Ela não era de faltar e hoje devia apresentar um trabalho. Fátima voltou com a notícia, a classe dela entrou em polvorosa. A notícia logo se espalhou, ninguém teve condições de continuar com as aulas. — E olhando para Zito, ainda encolhido na cadeira: — Como está esse rapaz?

Zito olhou para o professor e não disse nada.

— Ele está passado, ainda não dá para conversar, não é, Zito? — disse dona Madalena, fazendo com que ele tomasse uns goles do chá.

Caio mostrava sinais de impaciência. Alex percebeu e perguntou a ele:

— Você, que chegou depois de nós, tem alguma informação mais precisa, alguma coisa nova para nos contar, Caio?

— Tenho. É ruim.

— Pior ainda? Impossível — disse seu Artur. — Fale logo, está aumentando o nervosismo de todos.

Caio falou:

— Vim da casa da Yoko, onde está uma tristeza de dar medo. O delegado Bel está lá, mas seu José se recusa a deixar os médicos daqui entrarem na casa para examinar o... Ele tem uma espingarda e diz que mata o médico brasileiro que puser a mão na filha dele. Não deixa o Bel chegar perto, ameaça atirar. Estão tentando convencer o Bel a chamar um médico japonês, conhecido da família, da confiança deles, que trabalha num hospital da comarca. Bel mandou o cabo telefonar na delegacia para o hospital para saber se o médico pode vir. Saí antes de ele voltar.

— Como você conseguiu entrar? — perguntou Alex a Caio.

— Eu já estava lá! — Todos se olharam. — Fui levar uma guia de imposto que seu José tinha que pagar, o escritório preencheu a guia, porque eles não sabiam como fazer. Fiquei mais um minutinho conversando com o Japinha no quarto dele enquanto ele se trocava para ir para a quadra encontrar a turma.

— O Dirceu estava mesmo para chegar, estranhamos que ele estava demorando e começamos sem ele — disse Mateus. — Continue, Caio.

278

— Então ouvimos um grito de muita dor no quarto ao lado. Era a mãe deles chorando e falando alto. Daí o pai e a irmãzinha, ou o irmão, não sei direito, começaram a gritar também. Fiquei desesperado, não sabia o que estava acontecendo, porque eles falavam em japonês. Japinha me mandou ficar no quarto e correu para ver. Para mim, demorou uma hora, mas acho que foi questão de minuto, aquele desespero...

Caio interrompeu a narrativa, nervoso, os olhos cheios de água. Dona Madalena o socorreu com o chá de erva-cidreira e um lenço com que secou seu rosto. Mateus abraçou o amigo, os outros o cercaram. Ele foi se acalmando. Ninguém disse nada nem forçou nada. Mais tranquilo, continuou:

— Japinha voltou ao quarto completamente transformado. Os olhos cheios de tristeza e ódio. Sem lágrimas, mas com um brilho assustador. Ele disse para mim: "Acabou tudo. Minha irmã Yoko se matou, tomou veneno. Foi por causa do Zito, eu cansei de avisar. Vou matar o Zito, olho por olho, dente por dente. Meu pai me mandou lavar a nossa honra. Eu vou fazer". Eu quis abraçar o Japa, mas ele não deixou, me mandou embora. Eu estava de bicicleta e fui para a quadra, sabia que a turma estaria lá. A quadra estava vazia, fui à casa do Zito, ele não estava lá também. Não falei nada do que estava acontecendo, dali continuei procurando nos lugares onde ele poderia estar. Aqui na rua, dona Nena quase se enfiou na frente da minha bicicleta, me cercou, me puxou, nunca pensei que a velha fosse tão ligeira. Ela queria saber se eu sabia por que a japonezinha tinha se matado, quem contou foram as meninas aqui da máquina de benefício, que voltavam apressadas da escola antes do horário, ela me disse. Mas eu falei que não sabia nada além do que as meninas contaram para ela, me livrei com um safanão e empurrei a bicicleta para cá. O Zito tem que se esconder, tem que fugir.

O tumulto e o desespero que tomaram conta da varanda foram aos poucos contidos por Artur, que gritava pedindo:

— Calma, gente, vamos pensar. Um de cada vez. Por favor. Silêncio, pelo amor de Deus...

Henrique conseguiu falar e ser ouvido:

— Eu não disse que numa guerra o Japinha atiraria na gente?

— Disse? Quando?

— Quando o Turco falou daquela vergonha do Japa e o Mateus disse que, se o Japão tivesse ganhado a guerra, agora a gente seria escravos dele. Mas que achava que atirar na gente, quer dizer, em nós, que somos os amigos dele, o Japa não atirava.

— Tá bom, você disse — retrucou Mateus —, mas aqui não é uma guerra.

— É como se fosse — disse Caio. — É uma vingança em nome da honra. Já vimos em filmes de guerra os pilotos japoneses se jogando com o avião carregado de explosivos em cima dos americanos, sabendo que iam morrer junto, só pelo amor ao imperador deles...

— Os camicases — disse Alex, preocupado.

— Os camicases, isso mesmo, lembrou certo, professor — continuou Caio. — E acha que o Japinha não é capaz de matar pelo amor à família dele? Se o pai mandou ele matar o brasileiro que fez mal para a filha, a coitadinha que se puniu com a morte por acreditar ter sujado o nome da família, acha que ele não vai se vingar de quem fez mal para ela?

— Quem podia imaginar que acabaria desse jeito? — disse Heitor.

Um olhava para o outro, a explicação fazia sentido, menos para Zito, que se levantou num átimo para dizer:

— Mas eu não fiz mal para Yoko, eu amava ela, isso é fazer mal?

— Por amor às vezes acabamos por fazer o que não devemos — disse Teresa. — Ela não comentou nada com você a respeito da possibilidade de estar grávida?

— Nunca. De que jeito? Eu nunca toquei nela assim. Yoko morreu pura. Inteira. Juro pela alma da minha mãe, que está na cama morrendo.

— Bom, isso agora não importa — disse Artur. — Se o médico japonês concordar em fazer o exame, vamos ficar sabendo. Até lá, temos que impedir mais uma tragédia. Vamos esconder o Zito. Eu e o Alex cuidamos disso, e os demais aqui presentes não podem saber o que vamos fazer, porque assim, mesmo pressionados, não poderão revelar para onde Zito foi levado. Madalena e Teresa, vocês vão já para a casa do Valério contar essa história sem as loucuras que por aí devem estar inventando, vão deixar a família calma e dizer que nós estamos cuidando da segurança do Zito. Que ele vai passar uns dias fora, escondido sob nossa proteção, até a poeira baixar. Alex, Teresa pode ir com seu carro? Tenho roupa limpa lá aonde vamos, dá para o Zito usar de quebra-galho. Vou pegar já uma escova de dentes nova, comprei um monte. Mateus fica aqui tomando conta da casa. Se o Dirceu vier à procura do Zito, dê um jeito de acalmá-lo, segure ele aqui o mais que puder, fale que o Zito é inocente nesta triste história, e os outros vão para suas casas, mas, pelo amor de Deus, sejam discretos, tratem de fechar a boca, não é hora de alardear nada. Passem longe de dona Nena!

O grupo reunido na varanda começou a se desfazer de acordo com as ordens de Artur, que, antes que Caio saísse, o chamou de lado para dizer:

— Caio, vou precisar de um favor. Diga a sua mãe se ela pode vir aqui em casa hoje à noite e trazer as conchinhas. Temos que recorrer a tudo quanto é santo. A morte está esperta demais para cima da gente, meu filho.

* * *

O médico japonês constatou que Yoko morreu virgem. O bilhete deixado por ela facilitou a vida do delegado-substituto, que não precisou perder tempo com uma investigação. O bilhete não tinha assinatura, parecia incompleto e não mencionava o motivo do suicídio. A letra, entretanto, era dela. Dizia só isto: "Amo meu pai, minha mãe, meus irmãos. A Deus e a quem faço sofrer peço perdão". Para o Bel era o suficiente.

Na noite avançada, dias depois, seu Artur trouxe Zito do sítio. Um primo dele que estava chegando o levaria para mais longe. Todos na casa já dormiam, mas Zito quis acordar Mateus para se despedir. Mateus, não querendo dizer tchau com sono, passou uma água no rosto e em seguida os dois se sentaram na cama, com meia folha da janela aberta por causa do calor suarento. No silêncio que rondava as ruas, dava para ouvir que pelo menos os grilos estavam acordados, cantando, cantando. E, nos córregos que cruzavam as saídas da cidade, as rãs também. Era um silêncio mentiroso.

Zito estava mais ou menos recuperado, mas o mais acertado agora era ir morar com uns parentes noutra cidade, "família serve para essas coisas". Tinha que ir logo, evitar mais complicação: a virgindade comprovada de Yoko não trouxe o perdão ao coração do irmão. Zito não queria o amigo sujando as mãos de sangue por causa dele. Na verdade ele tinha medo, mas não era coisa que um homem pudesse confessar. Disse que aproveitava para ir embora de uma vez, achar um canto certo e se estabelecer.

— Meu irmão e minhas irmãs estão todos lascados — justificou Zito —, minha mãe está morrendo, meu pai botou casa para uma puta, que eu sei. Eu, nem se fala, perdi a Yoko, perdi tudo. O que tenho aqui sobrando?

No meio da despedida, virou a conversa pelo avesso:

— Chega de lamentação, melhor levantar a cabeça; as duas.— Riu largado, voltando a ser o Zito brincalhão, o sacana: — Isso aí, Mateus, cabeça de bagre, antes de teu avô me esconder no sítio, nem deu tempo de comentar. Ouvi dizer que você tá se enrolando com a Sandra, o brotinho da padaria São José! Finalmente ela conseguiu te pegar, gostei de saber. Estava para acontecer desde aquela vez no cinema, quando você só queria era ver o filme, lembra? Pelo menos foi o que o Heitor contou para a turma, tirando um sarro. Gozado, com meu namoro eu quase não tinha mais tempo para falar com meus amigos, olha como o tal do amor isola a gente do mundo. Você, firme com a Sandra...

— Mas quem foi que falou? Estamos só na base do "vamos conversar".

— Mas tem uns pegas no cinema, umas agarradas de lascar o cano?

— Sentamos na frente, para ver o filme.

— Continua cabaço e devagar? Ô Mateus!

— Acha que eu já não tinha dado um jeito de te contar? Continuo como Deus me pôs no mundo — disse, imitando cara de choro.

— História fraca essa, hein. Tá me escondendo.

— Juro!

— Mesmo? Um dia isso se resolve; não precisa ficar encucado. Posso só dar um conselho?

— Fale.

— Na hora que dá aquele fogo, não vai girar o pião ao contrário e dar a bundinha para o Alex, só porque ele está disponível na porta ao lado.

— Não inventa, tá? Além do quê, ele é meu tio! Te contei que o Alex é *meu tio*.

— E daí? Proibido é mais gostoso. Cuidado, viu, seu bostinha.

— Quem ouve você falar acha que está diante do maioral da sacanagem. Olhe-se no espelho, seu pinguela troncho, aí todo entortado de tristeza e se fingindo de contente.

— Tem que manter o moral, né?

— Você vai mesmo embora, dizer adeus para tudo que você ainda tem aqui?

— Nada de adeus, dá azar. Vim te dizer um "até breve".

— Até breve, então, se cuida.

— Tchau, *bello* — Zito disse, e foi saindo pela janela mesmo. O primo tinha acabado de estacionar o carro em frente à casa. Mateus encostou a janela e voltou a dormir.

Em poucos dias deixou de existir abastecimento de verduras e legumes na cidade. Com o corpo da filha ainda sobre a mesa, seu José, o japonês, cavou um buraco nos fundos da chácara e enterrou os frascos, latas e sacos de veneno que mantinham a horta livre das pragas. Sem o formicida Tatu e os outros venenos, a plantação foi rapidamente devastada pelas formigas e lagartas.

Quando a família se mudou para um município mais escondido nos fundões do interior, caminhões Fenemê de uma nova empresa traziam todos os dias o sortimento de tomate, alface, pepino, abobrinha e outros alimentos vegetais. Os japoneses que vieram mais tarde para a cidade, com seus tratores e máquinas agrícolas, tinham por objetivo um negócio de maior monta: plantar arroz. Com eleições à vista, o prefeito inaugurou o Mercado Municipal. Ninguém mais se lembrava da chácara do japonês, nem da garota virgem que não quis escolher entre o amor pela família e o amor ao namorado.

Para que pudessem levar Yoko com eles, teriam que esperar o transcurso de três anos, um tempo que eles não tinham. O delegado-substituto poderia autorizar a antecipação do traslado dos restos mortais, mas, segundo ele, isso não dependia apenas da sua boa vontade, era a lei. Alegou que, infelizmente, precisaria dispor de recursos para poder contar com a boa vontade de funcionários zelosos. Massao, que renegara o apelido Japinha e assumira o lugar do pai à frente da família, concordou em levantar a quantia sugerida para tentar superar as dificuldades burocráticas. Na despedida, o abraço agradecido recebido por Mateus não foi o de um garoto japonês fracote e tímido, foi o de um novo guerreiro disposto à luta, como aquela que ele e Mateus viram juntos no filme *Os sete samurais*, exibido na tela quadrada do Santa Clara, pouco antes de o cinema velho fechar para sempre. "Vamos, Mateus, a história se passa na terra de onde minha gente veio."

Os parentes de Yoko partiram numa caminhonete alugada, levando consigo apenas a roupa do corpo e o caixão com os restos daquela que sustentou, intocada, a honra da família. Japinha ficou na cidade, nas histórias que depois contaram.

28.

Logo cedo a cidade parecia um forno. Ficar na sala de aula foi um sufoco. Os ventiladores produziam mais barulho que vento, e o pessoal usava os cadernos para se abanar. Em casa, depois da escola, Mateus ficou sem camisa e descalço e, enquanto não chegava a hora do almoço, se enfiou no laboratório, onde, com uma cara de frustração, Alex concluía um teste químico a que submetera uma raspa da tela. Mateus nem quis perguntar nada, sentou-se e ficou olhando o tio trabalhar. No laboratório o clima estava agradável, com o possante ventilador que Alex comprara ligado no máximo. Mateus pegou um dos livros sobre Ticiano, e olhava as fotos, imaginando se a tela do cofre era ou não parte daquela obra e quais seriam as consequências num caso ou no outro. Dona Madalena tinha deixado o almoço quase pronto e saíra com Teresa. As duas viviam na *boutique* da Silvinha. Teresa era bem gastadeira, pensou Mateus, devia ser rica. Artur saíra cedo para a roça e devia estar chegando para o almoço. Nada de interessante acontecia naquela cidade. Se pelo menos o Zito estivesse de volta, eles bem que podiam ir tomar um banho na cascatinha e dar umas com a prima. Cair na gandaia. Mas o Murilo não ia deixar, o mocorongo intrometido.

Foi o Turco quem trouxe a notícia:

— O Borboleta voltou e tentou matar o Bel a punhaladas, no hotel Catanzaro. Aí o Bel se defendeu e matou o Borboleta com um tiro.

— O que o Borboleta estava fazendo no hotel do próprio delegado-substituto? Um cara foragido da polícia, acusado do assassinato da ex-amante? Se enfiar na toca do leão a troco do quê? Não cola — disse Mateus, surpreso com o rápido desenrolar dos acontecimentos: mal tinham sacado o conluio criminoso daqueles três, e eles já começavam uma guerra interna?

— Eu não sei, não. Achei uma ideia de jerico invadir o hotel — disse Turquinho. — Está cheio de gente lá na frente do Catanzaro querendo saber mais. Vim te chamar, vamos?

Mateus olhou para Alex, que assentiu discretamente. Mateus vestiu uma camisa de linha, bem arejada, calçou seu par de Keds de cano alto, e os dois seguiram para a praça. Foram parados por dona Nena, que quase implorou:

— Na volta vocês vêm me contar tudo?

— Então a senhora já sabe? — disse Mateus, dando corda.

— Do seu Borboleta? Caio veio correndo contar para o meu Zé. Ele pegou o Impala e saiu feito louco, não sei aonde foi. Me deixou assustada.

— Assustada por quê? O homem morto era conhecido da senhora?

— Claro que não, só de vista. Uma vez ele veio aqui em casa atrás do meu Zé, devia ser assunto do escritório, e eu disse que meu Zé não estava. Ele estava tomando banho, mas eu queria o bandido bem longe daqui, um assassino procurado. Por isso menti, Deus há de me perdoar.

Continua mentindo até agora, pensou Mateus.

— Se soubermos de alguma coisa, contamos para a senhora na volta. E, se a senhora descobrir algo interessante, conta para nós.

— Combinado, meus meninos. Prestem atenção nas conversas: a voz do povo é a voz de Deus.

Na praça o que se sabia não era muito mais. A história só crescia em fantasia. Uma funcionária contara que Bel e Borboleta rolaram pelo corredor do hotel numa luta corpo a corpo, e que o bandido só não saiu vencedor porque o pastor-alemão do Bel mordeu o pulso dele, da mão que segurava o punhal, cuja ponta estava a dois dedos de varar o coração do homem da lei.

— Que cão é esse? — quis saber alguém que ouvia atentamente a narrativa. — O Bel detesta cachorro, não tem nenhum, nem aceita que levem cão para o hotel, seja funcionário, seja hóspede.

— Ah, isso já não sei — desculpou-se a funcionária falastrona, que voltou apressada para o Catanzaro.

Nesse instante Mateus viu que dona Aparecida saíra pelo portão de serviço do hotel e se dirigia à igreja, seguindo por um caminho que se desviava da multidão. Desde a morte do padre ela voltara a trabalhar no estabelecimento do delegado-substituto. Mateus deu tchau ao Turquinho e foi atrás dela. Alcançou a mulher no adro da igreja, onde não se via vivalma. *Melhor assim*, pensou, e se aproximou já comentando:

— Bom dia, dona Aparecida. Quase tivemos uma tragédia dobrada hoje, hein.

— Oi, Mateus, é você? Por Deus não perdemos o querido Bel.

— Mas o que aquele bandido desqualificado foi fazer no hotel? — disse Mateus, tentando ganhar sua confiança.

— Bel me contou que ele entrou de madrugada e foi para o quarto que ocupava antes de matar a pobre Izildinha. Parece que escondia um dinheiro lá, num buraco no chão, debaixo da cama, sabe, e voltou para buscar.

— Mas a arrumadeira nunca descobriu o buraco?

— Bem escondido, filho. Debaixo de um taco do piso. Eles são espertos.

— Espertos e perigosos! E como o Bel conseguiu detê-lo? Devia estar todo mundo dormindo.

— Todos, menos eu.

— A senhora, dona Aparecida? A senhora viu quando ele entrou?

— Vi, sim, estava na cozinha tomando um remédio para esta minha dor no peito e vi um vulto. Não sabia quem era, mas, se estava entrando no escuro, boa coisa não era. Sem dar na vista, chamei o Bel. E o Bel foi ver o que estava acontecendo.

— E ele tentou matar o Bel?

— Com uma faca, como da vez em que matou Izildinha, só que o Bel estava prevenido, estava com o revólver. Quando o Borboleta foi para cima dele, ele atirou.

— Bel chegou a ser ferido?

— Graças a Deus, nem um arranhão. Mas com o bandido foi um tiro só. O doutor Marcelo já veio atestar a morte por arma de fogo, foi legítima defesa.

— E o que o Borboleta tinha guardado no buraco sob a cama?

— Dinheiro, bastante. Bel já confiscou.

— A senhora precisa de ajuda aqui na igreja? Posso avisar a minha avó.

— Não, querido, deixe dona Madalena em paz. Só vim rezar pela alma do defunto. Alguém precisa fazer isso enquanto a cidade não recebe um padre novo.

— É, sim. Então até mais.

— Até mais, Mateus.

De volta, Mateus relatou tim-tim por tim-tim tudo o que viu, ouviu e falou. Agora todos estavam reunidos no laboratório, e Alex oferecia suas suposições sobre os fatos.

— É de supor que Borboleta queria dinheiro e estava chantageando os comparsas. Bel, provavelmente, montou uma armadilha, fez o esconderijo com dinheiro no quarto onde o outro tinha se hospedado, produzindo um falso motivo, combinou um encontro com ele, acertando deixar a porta aberta etc. Quando Borboleta entrou no quarto, Bel o matou e completou a cena. Deve ter posto uma faca pontuda e afiada na mão do morto. Podemos nos perguntar se não foi inocência em demasia do Borboleta se pôr na mira do Bel. Bem, nós sabemos o quanto Bel pode ser dissimulado e enganador. Daria um bom ator e melhor diretor de teatro. Talvez não se tratasse de pagamento de chantagem, mas de uma simples reunião de sócios para discutir negócios de maior vulto. Sim, acho essa ideia melhor, uma reunião num lugar seguro, tarde da noite. Meu Zé supostamente também estaria lá, e talvez outros que não sabemos quem são. Borboleta confiava no Bel, que permitiu que ele fugisse da cadeia. Nos últimos tempos o cara pode ter se tornado figura incômoda, sem saber que não era mais necessário. Só o fato de ele andar por aqui, mesmo que nas sombras da noite, já representava um perigo para a quadrilha. Nunca deve ter imaginado que estava indo para o matadouro.

— E Aparecida nesse jogo todo? — quis saber Madalena.

— Só fez o papel do cão fiel — disse Alex. — Deu a versão do dono.

— Cadela fiel — emendou Mateus. — Lembram da morte do padre? Duvido que não foi ela que arrumou a igreja com aquele monte de velas, toalha chique no altar e tudo. Se não fez, ajudou. Ela é igrejeira, vivia atrás do padre, mas quem manda nela é o Bel.

— Pode ser.

— E onde estará o Meu Zé? — perguntou Artur.

— Vindo para cá, parei para relatar à dona Nena a versão da luta com o cão mordendo a mão do assassino, contada pela funcionária na praça, não a versão da dona Aparecida. Dona Nena me perguntou se eu vi o filho dela ou então o carro dele estacionado no largo. Eu disse que não, e não vi mesmo. Ainda hoje vão enterrar o morto, e aí Meu Zé reaparece belo e formoso, posso apostar.

— Seja o que for que tenha de fato acontecido, o que interessa é que a existência de uma associação para o crime que envolve o coração da polícia está plenamente comprovada — disse Alex, se levantando. — A certeza da impunidade é a fraqueza deles. Vamos em frente.

— Agora não — disse Madalena, brincando. — Vamos almoçar. Frango com polenta, receita da minha *nonna*, e merengue com sorvete de ameixa do Eliseu. Artur, pega três garrafas de vinho tinto, italiano.

— Ou *duas* garrafas? Nem domingo é — disse um surpreso Artur.

— Não, três, porque hoje Mateus bebe vinho com a gente.

— Igual à minha avó não tem!

O vinho provocou uma grande moleza, tornando obrigatória meia horinha de sesta. Alex foi se deitar numa das camas do quarto do Mateus, assim podiam conversar com a janela aberta e um olho vigilante no portão de dona Nena. A janela não mostrou nada que valesse, mas o vento fresco que ela deixava entrar era bem-vindo.

— O doutor Marcelo está sempre presente, a caneta sempre livrando a cara do delegado-substituto — disse Alex.

— Devia pedir transferência da Secretaria da Saúde para a

Secretaria da Segurança Pública — disse Mateus. — Eu odeio esse cara.

— Com toda a razão.

— Você sabia que tem umas senhoras que dizem que ele é um péssimo pediatra? Quem tem dinheiro leva o filho para consultar um médico em outra cidade.

— De onde será que ele veio?

— De longe, de outro estado. Não percebeu como ele fala arrastado?

— Nunca falei com ele.

— Dizem que ele só receita para as crianças o mesmo remédio, o xarope Poliplex Infantil — disse Mateus.

— É um fortificante, mal não faz.

— Mas também não resolve, se a criança tiver uma doença que vitamina não cura.

— É verdade. Você tem ideia de como o doutor Marcelo veio parar aqui?

— Não faço a mínima, mas minha avó deve saber. Vou ver se ela já se levantou.

Dona Madalena estava lidando na cozinha com Lindinha, a arrumadeira. Deixaram a moça com a louça e foram se sentar no laboratório.

— Eu me lembro quando o doutor Marcelo chegou. Mateus era pequeno, mas logo de cara Nieta não confiou nele. Preferia um pediatra de fora. Eu pessoalmente fui umas duas ou três vezes no consultório dele acompanhando uma comadre com seu filho — disse Madalena a Alex.

— Viu algum diploma na parede ou outra informação sobre a faculdade em que ele se formou?

— Nunca. Ele foi nomeado pelo governador, chegou e tomou posse, é tudo que sei. Depois trouxe a mulher, e aqui nasceram seus dois filhos.

— Precisamos descobrir de que toca ele saiu — disse Alex —, mas não vamos perguntar a ele nem a ninguém daqui. Tenho sérias desconfianças de que se trata de um impostor.

— Valei-me, minha santa Maria Madalena. Seria criminoso.

— Tenho um amigo que é médico e faz parte da diretoria do Conselho Federal de Medicina — lembrou Alex. — Vou pedir para ele verificar se esse doutor Marcelo tem registro na ordem, onde se formou etc. Mas por carta vai demorar. Tenho de telefonar.

— Não dá para telefonar, Alex. Todo mundo vai ficar sabendo que você está fuçando na vida do doutor. A telefonista ouve tudo o que se fala e dificilmente se cala — disse Mateus. — Mas tenho um plano.

— Se for viável...

— Vamos ao Parque das Águas. Pertinho, uns vinte quilômetros daqui.

— Já fomos lá, esqueceu? Na cidade, não nas termas — disse Alex.

— É mesmo — disse Mateus. — Desta vez a gente vai na sauna, toma um vapor bacana, deixa o carro no estacionamento do balneário, eu espero sem dar na vista e você vai a pé até o centro telefônico, é perto. Você entra, faz a ficha e pede a ligação. Na ficha põe um nome falso e escreve o endereço de qualquer hotel de lá: faz de conta que está fazendo tratamento de águas. Se disser que mora aqui, a telefonista vai ficar na escuta e depois vai perguntar de você para a Marieta do Telefone, e já viu, né? É a fofoca interurbana! Com esses cuidados, você conversa com seu amigo sem problema.

— Grande, Mateus. Estou me sentindo o personagem do James Stewart no *Janela indiscreta*, do Hitchcock.

— Para maior semelhança com o filme, você devia quebrar a perna — disse Mateus. — E ter uma namorada como a Grace Kelly.

— Com uma perna quebrada eu não iria a lugar nenhum — disse Alex. — E com a Grace Kelly, eu nem mesmo ia querer sair de casa. Bom, hoje eu só tive aula no período da manhã. Podemos ir agora.

— Quer ir conosco, vó? Tem a ala das mulheres.

— Minha cozinha já é uma sauna. Por que eu vou pagar para passar calor?

— Preciso levar um calção para o vapor? — perguntou Alex.

— Claro que não. Pensa que está no fim do mundo? Aqui é como na Finlândia: sauna, todo mundo faz pelado.

— Finlândia, hein? Quem diria.

29.

Marinês entrava discretamente pelos fundos, recolhia as roupas sujas e se instalava no tanque. Naquele dia não cantou "Chalana", o que fez dona Madalena pensar que alguma coisa estava errada. Será que o seu Lourenço, o pai da lavadeira, dono do maior açougue da cidade, voltara a insistir que ela devia deixar o serviço doméstico em casa alheia e ajudar o pai e os quatro irmãos a cuidar do negócio da família? Marinês tinha um talento especial para o tempero das linguiças e o ponto do sabão de cinzas, de que Madalena se valia quando matava porco. Mas não era nada disso. Marinês esperou que sua patroa, o marido, o professor e a moça que veio de longe se juntassem no laboratório. Fechou a torneira e se postou na porta. Os quatro, lá dentro, estranharam. Ela disse, com sua voz que a maioria só conhecia de a ouvir cantar:

— Caio vai morrer. Vão matar ele.

— Quem vai o quê? — assustou-se dona Madalena, levantando-se e encarando a portadora do anúncio incompreensível. — De onde você tirou uma coisa dessas, minha filha?

— Estava sem dormir, às vezes demoro. Do meu quartinho

na dona Nena escuto tudo, tenho bom ouvido. Eles falaram que o Caio ficou perigoso, que têm que matar ele.

— Eles quem? — inquiriu Artur.

— Os que vão lá falar com o Meu Zé, não conheço, nunca vi cara, só escuto.

— Eles falavam do Caio filho de dona Conceição, que trabalha com Meu Zé e é amigo do Mateus, amigo aqui da casa? — perguntou Madalena.

— Tem outro? — Marinês respondeu; ajeitou o avental, pediu licença com um gesto e voltou ao tanque.

— Alex, pega a chave do Fusca, vamos buscar o Caio e tirar esta história a limpo. Vocês esperem aqui — disse Artur.

— Ele deve estar no escritório agora.

— Vamos trazer ele para cá. Não deixem o Mateus sair, ele está no quarto. Melhor contar para ele o que está acontecendo.

Passaram pelo escritório e através da porta de vidro viram Caio sentado à sua mesa, mexendo em papéis. Numa segunda volta no quarteirão, Alex parou o carro bem na frente do escritório e esperou. Quando Caio olhou, fez com a mão para ele sair. Antes de qualquer pergunta ou cumprimento, Alex abriu a porta do Fusca, inclinou-se com seu encosto para a frente e fez sinal para Caio entrar atrás. Alex olhou para os lados: aparentemente não estavam sendo observados.

— Abaixe aí atrás para ninguém te ver. Vamos lá para casa e te contamos o porquê disso. Fique calmo e quieto aí. Já chegamos.

O Ford de Artur estava estacionado na rua, e os portões da entrada de carros estavam abertos. Ao passar por dona Nena, Alex acenou com um sorriso e em seguida embicou o Fusca na garagem, parando nos fundos, bem junto à varanda. Aparentemente nem dona Nena nem ninguém notou nada de estranho. Mas Caio estava pálido. Foi recebido por Mateus, que se juntara às mulheres.

Contaram para Caio sobre o aviso de Marinês.

— Parece que querem se livrar de você. Só pode ser coisa braba. Nós vamos te dar proteção, como fizemos com o Zito — disse Artur, com a mão no ombro de Caio, buscando acalmá-lo. — Mas você tem que se abrir para sabermos como agir.

Caio esfregava as mãos, mas não dizia nada.

— Caio, a gente quer ajudar — disse Mateus. — Ajude a gente a ajudar você. Vamos lá, por que querem se livrar de você?

— Por que querem se livrar de você? — repetiu Artur.

Caio gaguejou:

— Eu não sei.

— Sabe, sim. Já vi você com o guarda-chuva do Meu Zé, sei que você andou vendendo umas coisinhas.

Mateus falou duro com o amigo, tentando não se entregar diante de todos, ele que já confessara ao tio ter comprado Pervitin mas sem dizer que tinha comprado do Caio. Agora, é claro que o tio, que besta não era, tinha ligado uma coisa à outra. Caio estava numa situação difícil, não dava para esconder.

— Mas eu só faço as entregas que ele manda, é meu patrão.

— Mas ganha um extra? — perguntou Alex.

— Junto para fazer o cursinho vestibular, pagar escola e a pensão lá fora, mas minha mãe não sabe, ninguém lá em casa sabe, pelo amor de Deus.

— Por enquanto não vão saber — disse Artur. — Acontece que esse servicinho ficou perigoso. Você se meteu num rolo com bandidos, meu filho. Mas vamos tirar você desse enrosco.

— Ontem eu pedi demissão do escritório.

— Mesmo? — disse Mateus. — O que que deu em você?

— Comecei a não gostar mais de mim, me achei feio fazendo o que fazia.

— Tudo será consertado, você vai se achar um pão de novo — disse Teresa.

— Você pediu demissão, e aí? — retomou Mateus.

— Aí que Meu Zé respondeu que não, de jeito nenhum. Desculpem os palavrões, dona Madalena, dona Teresa. Meu Zé disse exatamente isto: "Querendo tirar o cu da reta, seu pretinho nojento? Se eu cair, você cai junto. Fecha a porra da matraca e continua a fazer o que eu mando. Vai ser melhor para você e aquela macacada que você chama de família".

— Minha santa Maria Madalena.

— Pombas!

— Estou perdido, não é, seu Artur?

— Vamos dar um jeito, mas você sabe de muita coisa que não sabemos, você tem que nos ajudar. Vai terminar tudo bem — o acalmou Artur.

— Comece pelo guarda-chuva. O que você e Meu Zé carregam dentro dele? — disse Mateus.

— Ah, remédios vendidos sem receita, droga, dinheiro das vendas. Mas em geral a gente leva no bolso mesmo. Tem quem vai no escritório pegar comigo, bem disfarçado diante dos outros funcionários.

— Participou de reunião?

— Não, eu só entrego para um ou outro e recebo, mas não participo de mais nada.

— Não é bem assim. Você sabe como essas coisas chegam à cidade? — disse Artur.

— No começo quem trazia era o Borboleta, ouvi uma conversa, mas não tenho certeza. Depois Meu Zé começou a buscar fora. Vez ou outra me levou junto nessas viagens. Agora acho que era só para me comprometer e fechar minha boca. Eu ficava no quarto do hotel, não via nada, só os pacotes que tinha que ajudar a carregar.

— Você tem sido usado — disse Alex. — Mais alguém faz o que você faz, garotos do escritório, coroinhas, colegas da escola?

— Não sei, juro.

O interrogatório continuou por mais uma hora. Caio contou o que sabia. Bel nunca falou com ele sobre esses negócios, mas ele sabia que o delegado-substituto e Meu Zé viviam de conchavo. Não sabia direito do doutor Marcelo, mas tinha uma coisa estranha: muitas vezes ele entregava uma receita assinada pelo médico para a pessoa comprar remédio controlado na farmácia, sempre passando pela mão do Meu Zé. Não, ele também entregava umas coisas que a farmácia não vendia.

Caio jurou mil vezes sua inocência na morte do padre, e disse não entender por que Bel o acusou, justo ele, uma pessoa de confiança de Meu Zé e, assim, parte do esquema do Bel, infelizmente.

— Bel chamou a atenção sobre você porque havia um motivo, você era figura central nos comentários que envolviam o padre e os coroinhas, e porque no fim nada podia acontecer a um menor de idade. Você foi usado mais uma vez. Até ajudava a afastar possíveis suspeitas sobre os verdadeiros culpados — conjecturou Alex.

— Não sei mais nada.

— Madá, temos que avisar a família do Caio que vamos esconder o rapaz, mas não sei como ir lá sem levantar dúvidas. O Caio some e um de nós vai na casa dele, não dá na vista? — perguntou Artur.

— Não precisamos ir lá. Mais tarde dona Conceição virá aqui para combinarmos de fazer pamonhas.

— Ótimo.

Quando o milho estava verde, Artur trazia um saco de espigas. As mulheres se juntavam, descascavam, debulhavam e moíam o milho para as pamonhas. Com as cascas, costuravam na Pfaff de Madalena os saquinhos, marcando um dos cantos daqueles que seriam usados para as pamonhas doces, a fim de poder diferenciá-las das salgadas. Porque as doces e as salgadas vão juntas para o tacho de água fervente. Dessa vez Madalena forneceria o milho, a gordura, o sal e o açúcar, e a lenha para o fogão. Conceição entraria com seu trabalho e a prosa para o tempo passar. Depois dividiriam as pamonhas meio a meio. Teresa dissera que ajudaria para aprender. *Hum*, respondera Madalena em pensamento, *pago uma béstia pra ver.*

— Hoje Caio dorme aqui. Janela fechada, Mateus — disse Artur. — Caio vai ficar escondido no teu quarto. Tem duas camas, vão ficar bem os dois. Comida a gente leva no quarto.

— Podem levar o ventilador do laboratório — disse Alex.

— E amanhã cedo vamos para o sítio da Roseira, onde tenho a plantação de milho que está no ponto para fazer a pamonha.

— Eu empresto roupas para o Caio levar. Pego as de tamanho maior, que vão servir nele.

— Temos escovas de dentes novas em estoque. Peguem uma para o Caio — disse Artur.

— E eu empresto uma máquina Kodak e dou um rolo de filme — disse Alex. — Para você fotografar a natureza e passar o tempo, Caio. Tenho uns livros bárbaros, se quiser levar.

— Professor, filme de fotografia é muito caro. Acho que…

— Deixa comigo. Você se distrai, e quem sabe não descobre uma nova vocação e vira um fotógrafo melhor que o Serginho? — disse Alex, animado.

— Vamos bem cedinho — determinou Artur —, o Caio no porta-malas, como foi o Zito. Com uns travesseiros para ficar confortável. Vamos levar comida para esses dias, Madá vai providenciar. Eu volto com um saco de milho verde. Quem me vir sair e me vir voltar com um saco de milho não vai desconfiar de nada.

— Quando dona Conceição sair com as cestas de pamonhas, vou dizer para ela oferecer uma doce e uma salgada para dona Nena, assim ela fica sossegada sobre a vinda da mãe do

Caio aqui em casa. Dona Conceição já estará sabendo de tudo. Poderá hoje mesmo falar para dona Nena das pamonhas de amanhã. Vai estar tudo sob controle.

— Isso, Madá.

— Não vai me trazer milho duro — disse Madalena.

— Terá as espigas mais tenras que já descascou. Aliás, o Caio vai me ajudar na colheita. Vai aprender a reconhecer uma espiga no ponto, cutucando de leve com a ponta do polegar para não machucar. Chega de trabalho de escritório e de fazer o moleque de recados, meu rapaz. Você agora vai virar um lavrador.

— Nossa! — disse Caio, com os olhos cheios de água. — Nem mereço.

Dona Madalena não estava tranquila. Disse:

— Escondemos o Caio por uns dias, e depois? Vamos fazer o quê, se nem polícia de verdade temos?

— Quem sabe não conseguimos falar com o doutor Mariano? Está de licença, mas ainda é o delegado titular.

— E dizer o quê, sem provas?

— Acho que nossos indícios merecem crédito.

— Vamos ver. Por enquanto, precisamos ganhar tempo. Depois a gente decide.

À noite Meu Zé pediu Teresa em casamento. Ele queria se casar e abandonar a cidade. Iriam embora, só os dois. A mãe nunca aprovaria, mas ele não se incomodava. Não aguentava mais. Seria bom para ela também: já não podiam viver juntos, tudo era motivo de briga. Agora ela dera para se meter até nos negócios dele, queria explicações, "já imaginou?". Do namoro, nem era bom falar.

— Infelizmente, minha mãe odeia a mulher que eu amo. Devia se orgulhar.

— As mães são ciumentas — disse Teresa, fazendo média.

— Não como a minha. E não é só ciúme. Ela não quer ninguém feliz ao seu lado. Com o meu pai foi um inferno crescente. Cada vez que ele se preparava para viajar com seu Juca para pescar, ela virava bicho. Chegou a quebrar as varas de pesca dele. Então, quando meu pai pegou malária numa das pescarias, rio grande no meio do mato, sabe, muito mosquito, ela dizia que foi merecido, castigo de Deus. Depois, quando percebeu que eu estava me dando bem na vida, a metralhadora que apontava para meu pai até a sua morte foi virada para mim.

— Vida em família é difícil.

— Será? Para ela, meu lindo carro e minha linda namorada dentro dele, nós dois passeando felizes, representam a suprema afronta. Não, chega. Vamos embora.

— Mas e os seus negócios aqui?

— Vou vender o escritório. Tenho dinheiro guardado mais que suficiente para nós dois vivermos uma vida de conforto. Minha mãe tem uma pensão do IAPC. Meu pai era aposentado como comerciário.

— Você já falou com ela sobre seus planos de mudança?

— Falei. E ela jogou em mim aquele cinzeiro de mármore que tem na mesinha da sala. Se eu não tivesse desviado, estava morto agora.

— Acho melhor irmos com calma, tentarmos reconquistar dona Nena.

— Eu sei que meu tempo acabou.

Uma hora depois, Teresa voltou para casa preocupada. Não conseguia imaginar um desfecho razoável. Teve medo do rumo e da velocidade que tomava sua relação com o filho de dona Nena. Bem que ela foi avisada pelos tios, pelo amigo Alex e até mesmo pelo primo. Achava que daria conta. Não tinha mais tanta certeza. Talvez fosse melhor ir embora.

* * *

Na manhã seguinte, Turquinho procurou Mateus. Dona Madalena suspirou aliviada: Artur já levara Caio para o esconderijo.

— Aconteceu uma coisa que não dá para acreditar — disse Turco.

— Notícia boa ou ruim? — quis saber Mateus.

— Nem ruim nem boa, mas esquisita às pampas. A família dos Agá mudou.

— Todos eles?

— Foi. Os quatro. Passei lá para ir com o Heitor buscar umas mangas no sitiozinho do meu tio. Estava combinado.

— Me lembro.

— A casa estava fechada, bati, bati, e nada. Perguntei ao vizinho, seu Robertinho. Disse que eles carregaram a mudança no Studebaker do seu Hélio de madrugada. Ele saiu para ir na casinha e viu o corre-corre casa, caminhão, casa, caminhão. Voltou para a cama sem entender nada e, quando acordou, sua mulher disse que eles tinham ido embora. Saíram na moita com o caminhão carregado, sem se despedir de ninguém.

— Nem de mim. Mas que amigos de araque, o Heitor e o Henrique. Principalmente o merdinha do Heitor, que se dizia meu melhor amigo, "eu e você somos quase irmãos", conversa pra boi dormir. Por isso que eu vi seu Hélio quando fui comprar açúcar para minha avó no armazém do seu Chico, ontem. Seu Hélio estava no balcão e seu Chico, do lado, com a máquina de somar, fechando a caderneta, e nem sequer é fim de mês. Seu Hélio não me olhou na cara. Pelo menos deixaram o fiado pago. Mas, se não deviam nada, por que será que fugiram feito ladrões?

— Vai saber.

303

30.

De manhã muito cedo num daqueles dias, o v8 do Bel desceu desgovernado, a velocidade crescente, em direção à ponte sobre o rio, na principal saída da cidade. O Ford bateu na guarda de proteção num dos lados da ponte e mergulhou. Seu condutor e único passageiro afundou no rio sem ter escapado do veículo. Alguém viu de longe e iniciou uma boataria infernal, atraindo curiosos aos montes, que vieram de carro, de bicicleta, a cavalo ou a pé, e foram se juntando na ponte avariada, olhando para baixo sem saber quem estava submerso. Até que um moleque mais abusado pulou na água e emergiu gritando:

— É o Bel! É o Bel!

— Será que morreu?

— Claro, não é peixe.

Os homens de iniciativa conseguiram cordas, correntes e uma parelha de bois para puxar o automóvel para as margens. As portas do veículo estavam travadas, e não foi fácil resgatar o corpo do delegado-substituto. O cabo, agora a maior autoridade policial viva da cidade, manteve-se próximo, fumando um cigarro Luxor atrás

304

do outro e dando ordens: "Puxa mais"; "Força, gente"; "Quebra o vidro"; "Vão buscar seu Emílio, o ferreiro". Deixando tudo isso de lado, o que contava mesmo era que Bel estava de fato morto. O delegado-substituto, o dono do hotel Catanzaro, fazendeiro, morreu em consequência de um acidente de automóvel. Não era o primeiro com morte naquele rio, naquela ponte. Anos antes, morrera afogada uma jovem solteira, da irmandade Filhas de Maria, que acompanhara uma cunhada submetida, no município vizinho, a um suspeito e por todos desaprovado procedimento para interromper a gravidez indesejada. "Castigo dos céus! Uma afronta a Nossa Senhora cometida justamente por uma de suas filhas, que participou de um pecado mortal", relembravam agora, quando o rio engolira mais um morador com carro e tudo, um morador muito importante.

— E pensar que éramos uma cidade tranquila, calma. E de repente fomos invadidos por assassinatos, suicídios, e por tentativas de morte que, felizmente, não chegaram a se concretizar — comentou Artur. — Não deixa de ser uma ironia que a morte tenha tido no delegado Bel um sócio complacente, até o momento em que ela se virou contra o próprio aliado.

— Sim, fim inglório de um homem que tratava a morte como parceira. E, como ele gostava de fazer com os outros, sua morte certamente constará das atas municipais como mais um acidente fatal — disse Alex. — Embora seu corpo tenha sido autopsiado por um patologista de fora, não acredito que isso nos levará à verdade. A cidade ainda tem muito a escamotear, esconder e negar.

Um tempo depois, Alex tentava resumir os fatos para Teresa, que não tinha acompanhado os últimos acontecimentos, ocupada que estivera à beira da cama da avó Cleonice.

305

— O doutor Marcelo nem viu o corpo sem vida do delegado-substituto. Acabava de ser informado de sua exoneração pelo governador, a bem do serviço público. Deveria responder à justiça por prática ilegal da medicina, fraude processual e falsidade ideológica. Partiu apressado com a mulher e os filhos, deixando seus móveis e outros bens para trás. Decerto encarregará alguém de vender tudo.

— Eu falei que ele só receitava Poliplex — disse Mateus. — Cantei essa pedra antes de todo mundo. O cara de pau não era médico porra nenhuma. Bati, é tômbola — se gabou Mateus, festejando.

Dona Madalena censurou o palavreado de Mateus com uma careta, e Alex continuou com seu resumo:

— O doutor Mundico se recusou a examinar o cadáver, alegando não ter habilitação em patologia. Não entendia nada de medicina forense, nem queria entender. O especialista que veio de fora atestou que não encontrou água nos pulmões do delegado-substituto, logo a morte não foi por afogamento. Ele já estava morto quando afundou no rio. Morreu golpeado na cabeça por um objeto que não produziu sangramento externo. Pode ter sido na queda, ou pouco antes, quando seu carro começou a rabear sem controle na descida. Pode ter sido um breve desmaio de origem não revelada pelos exames feitos, mas forte o suficiente para impedi-lo de guiar, segundo o especialista. Ou o Bel foi posto já sem vida no carro. De todo modo, o veículo despencou no rio levando um morto dentro.

— A cidade está sem delegado? — perguntou Teresa.

Alex disse, desanimado:

— O cabo assumiu interinamente o posto de delegado-substituto e está investigando. Eu aposto que a conclusão será a de morte acidental. O mal-estar que o falecido apresentou naqueles dias que sucederam à morte do padre pode ter se repetido, mais forte, entendem? Mal-estar que não deixou vestígios detectáveis pelo exame do legista, mas...

— O cabo vai na linha do antigo chefe? — A pergunta de Mateus era de fato uma afirmação.

— Bem — disse Alex —, o cabo assinou o primeiro documento com o título de Bel. Os dois soldados de polícia já o chamam de Bel. O Bel se foi, mas deixou uma tradição, uma dinastia.

— Podia assinar dom Bel II — disse Mateus.

Riram.

— Isso aí. E pode ficar no posto enquanto for fiel aos donos da cidade — disse Artur. — Mas quem você acha que estava interessado em acabar com o Bel, Alex?

— A vontade de se livrar do delegado-substituto era generalizada, mas quem tomou a iniciativa e teve os meios para isso é fácil imaginar. Bel estava desacreditado, já não servia — disse Alex. — Fez besteiras demais, deu explicações que o povo não engoliu. Errou até no caso da tragédia que envolveu o tio de Teresa, atribuindo à bebida aquela relação que terminou duplamente mal; e o Amaro não bebia mais! Bel virou piada na cidade. Toda a história permaneceu mal explicada. Como tinha acontecido com os nossos aqui de casa.

Alex bebeu o café servido por dona Madalena, puxou o rabo do Miau, que se esfregava preguiçosamente em suas pernas, e concluiu:

— O poder não se alimenta só da fidelidade de seus paus-mandados, precisa da confiança do povo, ou de canhão. Não ouço nenhum lamento pela morte horrível do delegado Bel.

— Eu não tenho nem um pingo de pena: mereceu e levou — confessou Mateus.

— Você acredita que a iniciativa partiu do prefeito, Alex? — perguntou Madalena.

— Quem poderia ser o mais favorecido por essa morte, além

de reunir as condições para encenar o acidente? Mas nós sabemos que ninguém vai provar nada, não agora — admitiu o professor.

— Será? — disse Madalena.

Artur interveio:

— Madá, querida, seu pai mandou nesta cidade por anos a fio. Você se esqueceu do que são capazes os donos do poder para continuarem donos do poder?

— Triste cidade — disse Madalena.

Adiante, Bel voltou a ser notícia:

— Estão dizendo que ontem à noite derramaram litros de creolina sobre a sepultura do Bel — comentou Mateus.

— Como fazemos com o chiqueiro dos porcos — disse Artur.

— Quando vivo, Bel, o Velho, preferia derramar sangue alheio. Até sobre o altar de Deus — disse Mateus.

Creolina, sangue, cada um com seu cheiro preferido, pensou Mateus, refletindo sobre seu próprio comportamento animal de marcar terreno e identidade com suor, urina e sêmen. *A gente cresce e troca o cheiro natural pelo cheiro suave e educado que os perfumistas criam a partir da natureza bruta para disfarçar que somos bichos.* Não gostou muito de pensar no assunto. Em voz alta, falou:

— Bel gostava do cheiro de sangue, gozava com a morte.

— Mateus!

— E não?

No domingo, dona Nena preparava o almoço sozinha, depois de dispensar a ajuda de Marinês, que deveria estar de folga e na casa da família. Marinês, porém, preferiu ficar em seu quartinho na casa da patroa, onde passou roupa, cerziu meias e leu pela décima vez um velho exemplar da revista *Sétimo Céu*, atenta só às figuras. Sabia de cor os diálogos curtos dos balões da fotonovela. Estava brigada com os irmãos, não queria olhar para a cara deles. Não suportou ver os filhotes de buldogues boiadeiros gritando de dor dia e noite, aquele sangue escorrendo dos tocos das orelhas e dos rabos, amarrados bem apertado com barbante antes de serem decepados com a faca afiada. Os cachorrinhos nasciam com orelhas e rabo, não tinha nada que cortar. "Vão valer muito mais deste jeito, sua tapada." Ela não queria saber.

Dona Nena preparou o molho com extrato de tomate Peixe bem temperado, pôs a mesa, a panela de água no fogo. Quando Meu Zé acordasse, era só pôr os nhoques na água fervente, questão de minutos. A massa estava leve e bonita, uma peneira cheiinha coberta com um pano de prato branquíssimo para evitar as moscas atrevidas. Tudo feito com suas próprias mãos, o nhoque de batata que Meu Zé adorava. Quase três horas da tarde e o filho ainda dormia. Sentou-se e esperou. Não tinha pressa. Hoje não levaria sua cadeira para a calçada.

Marinês não gostava de outra comida a não ser arroz com feijão e linguiça ou ovo frito, que ela comia todo dia. Em casa teria sido obrigada a comer a gororoba que a mãe fazia aos domingos: "Fiz um caldeirão de macarrão, dois pacotes de espaguete furadinho Petybon, o do pacote azul, e não sobrou nem um fio", sua mãe costumava se gabar à vizinha, dona Madalena. Para Marinês, entretanto, aquilo era lavagem para engordar porco. Nesse domingo ela se livrou da comida da mãe, dizendo que tinha que ajudar dona Nena na cozinha. Foi só esquentar as sobras de arroz e feijão e fritar o ovo. Levou o prato feito para comer em seu quartinho, sem deixar de perguntar antes: "Não quer mesmo uma ajuda, dona Nena?". Chacoalhando a mão, a patroa mandou Marinês se retirar.

Ouviu quando Meu Zé se levantou e se trancou um tempão

no banheiro. Depois, a eterna discussão. Ouvia o nome de Teresa repetidas vezes, o tom subindo, Meu Zé falando alto: "Eu vou-me embora"; "Claro que eu vou casar com ela"; "A senhora nunca vai me entender"; "Melhor não se meter nos meus negócios"; "Sei bem o passo que estou dando"; "Eu na cadeia? Tá brincando!".

Escutou, por fim, o barulho das travessas e a tentativa de reconciliação.

— Vamos comer em paz, meu filho, pelo amor de Deus.

— Tá certo, mãe. Tem queijo ralado?

— Faixa Azul! Ralei um pedação.

Depois veio o silêncio e, a seguir, o som da tragédia. Barulho de pratos quebrados, de alguém vomitando, gritos, palavras desconexas. E Marinês correu para a cozinha.

Não sabendo o que fazer, saiu em disparada em busca de socorro na casa de dona Madalena.

Madalena, Artur e Teresa se apressaram em acudir. Mateus os seguiu, contrariando as ordens da avó.

Meu Zé não tinha mais pulso, dona Nena respirava e se esforçava por falar.

— Alex, pegue o seu Fusca e vá buscar o doutor Mundico — Artur assumiu o controle. — Vá com ele, Marinês: na volta você já vai pondo o doutor a par da situação. E se o doutor estiver no sítio dele, aonde costuma ir aos domingos, tragam seu Marinho da farmácia, ou seu Oscar, o dentista.

— Padre, estamos sem — disse Madalena.

— É verdade, mas Marinês deve ir em seguida avisar o novo Bel, o cabo. O caso exige a presença da polícia.

Enquanto eles saíam apressados, os que ficaram ajeitaram o corpo inerte de Meu Zé no chão da cozinha e carregaram dona Nena para a cama. "Leve como uma pena, pobre mulher."

Dona Nena queria falar, fazer sua confissão.

— Eu precisava de um padre, mas o Bel acabou com ele. —

310

Ela começou com o ato de contrição: — "Eu, pecadora, me confesso a Deus todo-poderoso, à bem-aventurada sempre Virgem Maria, aos santos apóstolos são Pedro e são Paulo e a todos os santos...".

Dona Madalena pegou o rosário dependurado na cabeceira da cama e o pôs nas mãos da penitente.

— "... porque pequei, por minha culpa, minha culpa, minha máxima culpa."

— Amém — dona Madalena completou a reza, e emendou: — Agora tente se acalmar, dona Nena, o médico está chegando.

— Meu marido nunca se livrou da malária. Eu não aguentava mais ver seu sofrimento. Eu tinha que tomar cuidado com a dose de cloroquina que Rafael tomava, o coração podia não aguentar. Foi a saída para o nosso martírio. Uma dose maior trouxe a paz de que ele precisava. Depois disso, pensava que meu filho e eu seríamos felizes nesta casa, me enganei.

Fechou os olhos por um instante e voltou a falar, com dificuldade crescente. Sua vida e a do filho não tinham mais razão de ser. Ele seria preso, ela sabia; fez de tudo para que ele desistisse dos negócios com o Bel e com aquele maldito Borboleta. Ela não ia deixar o filho na mão da sanha policial, ainda mais agora, que o doutor Mariano decerto ia voltar. E o filhinho na cadeia seria violado, como aconteceu com Amaro. A vida dele, a vida dela, destruídas.

— Ele não tinha noção do perigo, foi afundando mais e mais. Fiz minha parte, até tentei afastar o pretinho da Conceição para ver se meu Zé desacreditava do delegado-substituto e sossegava, mas o Bel não engoliu. Tudo que eu fiz foi em vão... Agora querendo se casar e partir. Para se livrar da cidade e da mãe. Deixar os pecados para trás. Ele estava perdido, nenhuma mulher...

Dona Madalena apoiava sua cabeça e lhe secava o suor da

testa. Dona Nena disse que sabia de tudo e sofria. Meu Zé não escondia nada dela, era bom filho. As coisas começaram a degringolar quando Xereta, o palhaço do circo, empurrou Hermes, que estava apaixonado pela mulher desse palhaço, a Rutinha, e planejava fugir com ela. O marido desconfiava. Na luta, Hermes bateu a cabeça na quina de um baú e morreu na hora.

— Meu Zé viu tudo e foi obrigado a ajudar o Xereta a jogar o corpo no poço e calar a boca. Ele me contou. Ou o palhaço denunciaria meu Zé por vender aos artistas o que era proibido, para isso ele estava lá naquela hora, para vender... E também teve a história daquele bandido. Izildinha fazia ameaças. Meu Zé teve que concordar com Bel que Borboleta tinha que acabar com a moça. Meu Zé me contou também, me contava tudo, e eu compreendi. Por pura ingenuidade, meu Zé caiu nas mãos do maldito Bel.

Meu Zé contou à mãe para que ela o confortasse. No sofá da sala, o filho se deitava com a cabeça no seu colo e falava, e ela passava a mão na cabeça dele e o compreendia e o animava. Depois era só discussão e desentendimento.

— Meu Zé podia ter sido feliz com a mãe que tinha. E o dinheiro que guardou. Agora ele queria se casar com a Teresa... Você não tem culpa de nada, moça, mas eu não podia deixar, ele seria infeliz.

— Acalme-se, dona Nena. Depois a senhora fala, o médico está chegando.

Ela não ouvia nem via ninguém.

— Meu filho era um menino grande. Tinha a mim, para que outra? — Ela precisava livrar o filho da desilusão do casamento, da prisão, do desassossego. — Meu Zé tão indefeso, tão bobinho. Nem sabia direito o que fazer com uma mulher na cama. Eu tinha que livrar o menino da desonra. Mas e eu? Fazer o quê da minha vida sem meu Zé?

Foi tudo. Dona Nena morreu.

31.

Os dias se passaram e a cidade se aquietou, talvez se sentisse mais limpa, passada a limpo. Mateus fechou as notas e ajudava os colegas. Eles eram oito, Mateus e seus amigos próximos. Agora restavam na cidade Caio, Turco e ele. Giba nem chegou ao período dos exames finais, sua família se mudou de novo. Mateus treinava loucamente para se apresentar com o violão na festa de encerramento do ano letivo. Queria cantar e tocar "Desafinado", do jeito que João Gilberto cantava e tocava no disco, mas a professora que organizava a apresentação achou que não iam gostar e podiam até vaiar, acreditando que ele não tocava nada. "Harmonia moderna exige ouvidos bem-educados", costumava ela dizer.

Mateus discutia o impasse com os avós e o tio sentados na varanda. Marinês se virou do tanque e disse:

— Pode apresentar duas músicas?

— Posso, por quê?

— Você canta essa esquisita aí. Depois canta uma que todo mundo gosta, e eu canto junto.

— Nunca pensei nisso. Que música?

Marinês sorriu, o que não era do seu feitio, e disse:

— "Chalana".

Dona Aparecida entrou exatamente nesse ponto e dona Madalena a levou para dentro. Trazia novidades pelas quais Madalena não esperava. Dona Aparecida veio lhe dizer que estava deixando a presidência da irmandade do Sagrado Coração, e a cidade também.

— Meu filho sempre insiste para eu morar com eles. Agora eu vou, acho melhor, dona Madalena, vou me mudar, começar de novo.

— Recomeçar na nossa idade? Não é melhor ficar com a gente?

— Perdi meu lugar entre vocês.

— A senhora vai deixar uma filha aqui.

— Ela não precisa da mãe, sempre foi livre. Agora que me tornei uma velha dependente, não vou querer me intrometer e atrapalhar a vida dela.

— Nós estaremos aqui para receber a senhora de volta, dona Aparecida, se sentir que quer voltar.

— Deus a abençoe. Cuide da irmandade do Sagrado Coração por mim.

A visita de dona Aparecida despertou curiosidade e, quando voltaram a se reunir, quiseram saber mais sobre ela.

— Mas por que ela ajudou tanto o Bel? — perguntou Alex. — Por algum motivo além do fato de ter trabalhado para ele no hotel quase a vida toda?

— Ele foi mais que um patrão querido, foi o pai de suas duas netas, as filhas de Maria Graúna, Elizabete e Margarete, às quais ela se refere como "minhas princesas". Ela as criou até que foram para o internato católico com bolsas de estudo conseguidas pelo Bel. Depois veio a faculdade e se formaram, sempre com o suporte financeiro do pai. Aparecida era grata ao Bel por ter proporcionado um rumo honesto à vida das filhas de Maria Graúna. Ele nunca negou a paternidade, mas tampouco a afirmou publicamente ou deu seu sobrenome às meninas. Queria as filhas longe de sua família legítima. Sem o amparo dele, tudo teria sido mais difícil para Aparecida e suas netas, se não impossível.

— Por que eu nunca soube disso? — perguntou Mateus.

— Aconteceu faz muito tempo. Ninguém se lembra nem comenta mais. E você nunca me perguntou nada sobre a Aparecida, nem eu sabia que seria de algum interesse para você.

— Por que as filhas depois de formadas e empregadas não tiraram a mãe da... da profissão dela? — perguntou Teresa.

— É a vida dela, totalmente independente, a vida de que ela gosta. Se considera uma mulher e empresária bem-sucedida — disse Artur.

Madalena olhou feio para ele, que emendou:

— Eu acho, não sei direito, nem me interessa.

Mateus olhou para Alex como quem cobra alguma coisa. O assunto Graúna voltava à baila mais uma vez. Os dois pensaram ao mesmo tempo a mesma coisa e juntos caíram na risada. Os demais olharam para eles com o espanto característico de quem não estava entendendo onde estava a graça.

Aproveitando que estavam todos em casa e conversando, Alex disse que tinha uma notícia para dar.

— Lamento muitíssimo, mas todos os testes que fiz mostram que a pintura guardada no cofre não tem mais que duzentos anos, nem os pigmentos nem a própria tela que recebeu a pintura. Não pode ter sido pintada por Ticiano ou outro artista de seu tempo.

315

O que temos é uma suposta cópia de um original de quatro séculos do qual não encontrei nenhum registro, se é que ele existiu. Pode ser um original recente, de uns duzentos anos, sem autor conhecido.

— Ficamos pobres de novo — reclamou Mateus.

— Nós não somos pobres. Trabalhando, sempre pudemos viver bem — disse Artur. — Temos nossas propriedades. Bel praticamente nos roubou a fazenda grande na base de uma chantagem imunda, mas os bens de família reencontrados agora graças ao Alex nos deixam em excelente situação.

— Esperem — interrompeu Alex. — A tela tem seu valor, mesmo não sendo o que imaginávamos. Qualquer galeria, ou até um museu, vai se interessar por uma pintura de dois séculos de idade que tem as características de uma obra renascentista. Claro que o valor não vai deixar ninguém milionário como imaginávamos... Por outro lado, em vez de ser vendido, o quadro pode ir para a parede da sala da frente, é uma grande obra.

— Ah, não. Ainda sinto um arrepio quando olho para ele — disse Madá, fazendo cara de medo.

— Tanto dinheiro gasto com o laboratório e tantas horas de trabalho seu, examinando a tela — lamentou Teresa.

— O laboratório estava destinado desde o começo a ser doado para a escola, especialmente os equipamentos. Meu trabalho foi útil demais: estudei e pratiquei o suficiente para agora fazer uma tese de doutorado e tentar a carreira universitária. Nada foi perdido — contemporizou Alex. — O que lamento é a decepção que causei.

— O sonho do quadro milionário foi para o brejo — se lamuriou Mateus. — Fazer o quê? Se não tinha que ser...

— Talvez não — se animou Madalena, levantando-se da cadeira. — Será que as descobertas acabaram? Às vezes, quando penso em toda essa história da tela que encontramos no cofre, me volta à mente o dia em que meu pai faleceu. Me incomoda pensar na contradição das suas últimas palavras.

— Ele falou que tinha alguma coisa no cofre e que um anjo já vinha buscá-lo, não foi isso? — disse Mateus.

— Foi isso mesmo, ótima memória, meu neto. Mas aí é que está. Isso foi o que eu ouvi ou pensei que ouvi.

— Não estou entendendo, Madá — disse Artur, encarando a mulher.

— Da primeira parte não tenho dúvida. Alex chegou, abriu o cofre, e encontramos o colar, as moedas e a tela lá dentro. Tivemos quase uma certeza de que a tela era o que aparentava ser. Se hoje Alex tivesse dito que a pintura era mesmo de Ticiano, eu nunca mais pensaria no assunto. Mas não foi assim que aconteceu.

— Ainda não estou entendendo — disse Artur.

— De repente, uma verdade decepcionante pode despertar uma dúvida que por muito tempo permaneceu adormecida.

— E que dúvida é essa?

— Me refiro à segunda parte das últimas palavras do meu pai. Explico: meu pai não foi um homem religioso. Assistia à missa dominical como obrigação de político. Foi prefeito por vários mandatos. Era até amigo pessoal do cônego, mas nunca foi um crente. Por que acreditaria, na hora da morte, que um anjo o levaria? Me parece muito contraditório.

— Muitos se convertem no leito de morte.

— Não, ele estava tranquilo com sua crença, ou descrença. O cônego, amigo dele até sua última hora, estava no quarto, sentado numa cadeira do outro lado da cama, e meu pai nem se lembrou dele quando falou do anjo, não olhou para ele, não fez nenhum sinal. Um convertido não teria pedido a extrema-unção, ou uma bênção, um gesto do sacerdote? Eu, religiosa que sou, pus a palavra "anjo", que ele mal pronunciou, num contexto religioso meu. Ele podia estar falando de outro anjo, nada relacionado a sua morte iminente, nem a ser levado para a outra vida. Acho que interpretei errado. O anjo poderia bem ser outro anjo.

— Você está pensando no anjo da sala de jantar?

— Acho que sim.

— Vamos olhar, assim você tira essas elucubrações da sua cabecinha — disse Artur. — Não custa nada. Vamos pegar umas ferramentas.

Os cinco foram para a sala de jantar se atropelando. Mateus e Alex arrastaram o bufê que ficava abaixo do quadro, subiram em cadeiras e tiraram o anjo da parede, passando o quadro para Teresa e Artur, que o depositaram na mesa. Era pesado, reclamaram. Depois de um rápido exame, Alex se pronunciou:

— A tela do anjo é uma reprodução comercial, nada a ver. Mas tem mais. O quadro também tem uma moldura, e parece que aí é que teremos alguma surpresa.

Em seguida, com um estilete e uma lupa, Alex começou a examinar a larga moldura dourada da tela do anjo. Raspou minúsculas porções de diferentes lugares da moldura, com o cuidado de não provocar nenhum dano, e foi separando cada raspa num recipiente diferente. Demorou, e os demais estavam muito impacientes. Quando terminou, chamou o grupo:

— Vamos ao laboratório. Tenho como verificar que substâncias são essas.

Foram quase correndo ao laboratório, onde a aflição da espera só aumentou, até que veio o veredicto.

— A moldura do anjo, larga e floreada à moda antiga, como era de esperar, é entalhada em madeira comum, mole, fácil de trabalhar, com acabamento em gesso e recoberta por uma finíssima folha de ouro, para fazer o tal do folheado a ouro, como vemos em palácios, igrejas e imagens sacras. Isso não tem valor comercial significativo. Raspar tudo para tirar o ouro usado só vai destruir a beleza da moldura.

O "oh!" geral foi de decepção.

— Mas — disse Alex — este friso interno de uns dois centímetros de largura, com estas ranhuras decorativas em baixo relevo, e que percorre os quatro lados da moldura, friso em que a tela se encaixa, é uma barra sólida de ouro puro. Já posso dizer com certeza. Encaixada na madeira folheada e exposta à vista de quem quer que olhe para o quadro. A velha esperteza: mostrar para esconder.

— Vale tanto quanto a tela do cofre, se ela fosse verdadeira? — perguntou Artur.

— Penso que não tanto, mas mesmo assim é muito dinheiro.

A comemoração foi tamanha que Artur chegou a beijar Alex.

— Que sorte que o Alex veio cair bem aqui na nossa casa. E pensar que a vovó não queria dar pensão para ele... — disse Mateus.

— A história não é bem essa — defendeu-se Madalena.

— Isso agora não interessa — disse Artur. — O que vamos fazer em seguida?

Alex respondeu, alisando a moldura do anjo:

— O doutor Salvatore, italiano radicado no Brasil, que foi meu professor na faculdade, além de ser sócio de uma galeria de artes, é dono de um antiquário e um respeitado colecionador de moedas antigas. Acho que devíamos ir à capital e consultá-lo sobre o valor das moedas e da tela. Também levamos as raspas da moldura e umas fotos dela, que posso tirar agora com minha câmera; e mando revelar o filme ao chegarmos à capital. No mínimo, o doutor Salvatore pode nos encaminhar a outros especialistas.

— Você ainda tem dúvida sobre o friso de ouro da moldura? — Artur perguntou a Alex.

— Não sobre isso. É ouro mesmo.

— Madá, arrume minha mala — disse Artur.

* * *

Ninguém dormiu naquela noite. No dia seguinte, Alex e Artur viajaram para a capital, levando a tela de duzentos anos encontrada no cofre, raspas da moldura e algumas das moedas também do cofre. Na capital, o professor Salvatore fez sua própria avaliação, embasbacado com os achados, e os ajudou na condução de pesquisas e negociações, que envolveram consultas a diferentes especialistas, visitas a galerias de arte, museus, casas de leilão e colecionadores de artes, com troca de telegramas com outros países, uma trabalheira só. A autoria da tela continuou um mistério. As moedas provaram ser autênticas.

Voltaram a tempo de ver Mateus ser aplaudido pelo "Desafinado" e ovacionado de pé pela "Chalana", esta em dupla com Marinês, a voz revelação do ano.

32.

A noite era de festa, véspera de Ano-Novo. Madalena reuniu os amigos, amigos dos amigos, parentes dos amigos, as namoradas, os namorados. Quem não tivesse aonde ir era bem-vindo. "Seremos só nós, bem informal." Os convidados foram chegando depois das nove horas.

Madalena vestia um *tailleur* de linho verde-claro escolhido para combinar com o broche e os brincos de esmeraldas, presentes de Teresa. Dona Conceição não se aguentava de feliz com o vestido que ela mesma tinha costurado com o corte de seda azul-clara, presente de dona Madalena no Natal. E com o colar de pérolas de uma volta que Madalena fez questão de lhe emprestar para usar na ocasião.

Artur parecia pouco à vontade em seu terno de tropical inglês cinza-claro, e tratou de se livrar da gravata e depois do paletó assim que Madá lhe deu sinal verde, mas em nenhum momento largou seus cigarros Hollywood com filtro nem seu isqueiro Ronson. Logo logo, arregaçou as mangas da camisa de tricoline e, por alguma razão que desconhecia, se sentia tão confiante e esperançoso como no dia em que, pela primeira vez, pôs os pés naquela cidade de que nem mesmo o nome sabia.

Conceição viera com a família inteira, Caio de camiseta branca justa, com mangas bem curtas, realçando os bíceps desenvolvidos pelas insistentes braçadas na represa, calças de brim azul-índigo, com zíper, apertadas, e tênis Rainha com meias brancas. Era, mais ou menos, o padrão que Mateus e os outros rapazes seguiam, embora a maioria preferisse modelos mais folgados e menos exibidos. Logo no começo da festa, Mateus se sentiu incomodado pelos sapatos novos que usava e os trocou por um par de tênis importados que o avô lhe trouxera da capital: roxos, amarrados com cadarços brancos largos.

As garotas vestiam saias rodadas, abaixo dos joelhos e de cintura fina, enaltecida pelo xote de Luiz Gonzaga com as palavras: "cintura de menina, cintura de pilão, vem cá, cintura fina, vem cá, meu coração". Algumas preferiam calças compridas; as mais ousadas, calças cigarretes. Modelos copiados das revistas *Manchete*, *O Cruzeiro* e, especialmente, *A Cigarra*, e dos figurinos, é claro, recebidos pelo correio sob encomenda das costureiras.

Alex fez bonito com seu *blazer* azul-royal, calças bege e mocassins de couro cru. O Rolex de ouro, às vezes aparecendo sob o punho da camisa, fora presente de Madalena no Natal.

Teresa preferiu um vestido leve, branco, com um cinto largo de tecido drapeado vermelho-escuro, o vestido ousadamente à altura dos joelhos, lançando moda. Usava salto agulha, mas todos que chegavam olhavam para seus pés e se certificavam que não, ela não estava com seus sapatinhos de vidro, com uma flor dentro de cada salto. Com uma ou outra mão, Teresa distraidamente tocava, às vezes, o colar de rubis que fora de sua avó e que agora iluminava como chama viva seu colo mostrado pelo decote atrevido.

As meninas tinham o cabelo esculpido com cachos entrelaçados, birotes e anéis, verdadeiras obras de arte, esculturais, com laquê caseiro à vontade. Os garotos exibiam seus topetes à Elvis Presley mantidos de pé com brilhantina, sempre ajeitados no espelho com as palmas das mãos ao passarem pela cristaleira da sala de jantar.

A maior parte das casas das famílias da cidade em melhores posições sociais estava em festa, mas a beleza e a alegria juntadas na casa de Madalena não tinham competidor à altura. Era o que ela achava, não sem razão. Contando com a presença de tanta gente bonita, caprichara nos pormenores, na comida e na bebida, com boa dose de parcimônia para não passar por *nouveau riche*.

Dos oito garotos da turma dos tempos do canarinho da gaiola de arame, os três remanescentes na cidade estavam na festa de Madá: Mateus, o dono da casa, praticamente se despedindo para seguir os estudos na capital; Caio, com os pais e os irmãos; e Turquinho, que trouxe suas irmãs Cristina e Célia.

Por volta das onze horas, a vitrola tocava a versão brasileira de "Diana", na voz de Carlos Gonzaga: "Não te esqueças, meu amor, que quem mais te amou fui eu. Sempre foi o teu calor que minha alma aqueceu. E num sonho para dois viveremos a cantar, a cantar o amor…". Uns pares dançavam agarradinhos, outros, exibindo passos soltos ensaiados, cada um como preferia, agora era assim.

Artur desligou o som, ouviu protestos, acalmou os dançarinos interrompidos, chamou todos à sala da frente e falou:

— Desculpem ter tirado a música, logo recomeçaremos.

Caio pediu para falar um instante. Há coisas que todos nós precisamos saber, que a cidade precisa saber antes que este ano acabe. Fatos que ele sabe e quer contar.

— Conta tudo, Caião — gritou alguém.

Caio falou:

— Dizem que somos uma cidade má, porque matamos um

padre, padre que também era mau, porque abusava de garotos, que eram maus. Garotos maus porque suas famílias não os criaram direito, porque as famílias são más. Tudo errado. Eu quero contar a história verdadeira. Quando alguém escrever a história da cidade, não será preciso esconder certos pecados que, de fato, não foram cometidos. E terá que apontar outros.

Dona Madalena cochichou no ouvido de dona Conceição:

— Rapaz bom de fala.

Dona Conceição cochichou de volta:

— Acho que ele passou dias treinando.

— Falam que o padre se aproveitava dos coroinhas. O padre nunca tocou em nenhum de nós. Ele não gostava de sexo, ou talvez gostasse à sua maneira. Gostava da nossa companhia, sim. Um de nós dormia com ele no mesmo quarto, sem nenhum toque, nenhuma intimidade. Às vezes ele chamava os sete para passarmos a noite juntos, e nós adorávamos. Juntávamos os colchões no chão do quarto dele, bebíamos vinho, e a conversa corria até tarde. Às vezes, na perua Rural Willys da paróquia, íamos todos ao Parque das Águas passar a tarde do sábado. Ficávamos nus na sauna, como os demais banhistas, e era divertido, porque uns ficavam com vergonha e outros se exibiam. Trocávamos massagens e brincadeiras inocentes, mas isso era tudo. Nunca aconteceu nada de lascivo.

— O que que é "lascivo"?

— Sem-vergonhice, seu cabeça de bagre. Fala, Caio.

— Às vezes o padre, tarde da noite, recebia visitas na casa paroquial, que se trancavam com ele no escritório. Gente importante da cidade. Quanto a nós, era dona Aparecida, que cuidava da casa e do padre, quem distribuía nossa mesada. O valor da mesada dependia das tarefas de cada um na semana, um incentivo diferenciado para melhorarmos, era a explicação do padre. Eu e o Henrique éramos os mais dedicados e competitivos, então ganhávamos mais atenção. Não era só pelo dinheiro, mas por orgulho, por vaidade. Nossa responsabilidade variava, mas o respeito do padre por nós era sempre o mesmo, independentemente do lugar no cerimonial, da aparência e da constituição física de cada um. Em matéria de sexo, o padre era um santo. Eu o considerava um santo. Até o dia em que descobri qual era de fato seu defeito: ele não mexia com os garotos, mas roubava a paróquia.

— Nossa! — disse alguém.

— Eita, lasqueira — disse outro.

Caio esperou o zum-zum-zum passar e prosseguiu:

— Um dia, um carro da diocese trouxe uma carta do bispo: o padre seria transferido imediatamente para outra paróquia. Tinha algumas horas para se preparar. Dona Aparecida leu a carta e correu contar ao seu antigo patrão, o delegado-substituto. O padre me encarregou de ajudá-lo a juntar o que ele levaria, preparar a mudança. Eu e o Henrique. O padre tinha muito dinheiro guardado no cofre, que depois entendi que era dinheiro da paróquia. Ele disse que o dinheiro era dele, era ele quem ganhava. Tinha as joias recebidas nas semanas das doações a Nossa Senhora, o dinheiro do leilão anual do gado doado aos santos, a renda da quermesse do padroeiro, os lucros da fazenda da paróquia. Uma riqueza acumulada ano após ano, que, naquela noite, foi estocada em muitas malas. Também sei que, quando o padre calculava a parcela a enviar ao bispo, ocultava a maior parte dos ganhos. "Se sua reverendíssima ao menos desse as caras...", dizia o vigário.

— Enganou você e a cidade inteira — comentou alguém.

— E o bispo! Bem feito.

— Eu achava que era tudo dele. O que que eu sabia sobre a administração da Igreja, sobre o dinheiro dos padres? Nada. Mas eu entendi tudo quando ele embalou a custódia de ouro, não a comum, usada no dia a dia. Entendi quando ele guardou a custódia holandesa numa mala para levar também. A custódia holandesa era usada exclusivamente para conduzir a hóstia consagrada na procissão de Corpus Christi, e não pertencia ao padre, eu sabia. Foi presente do povo holandês à paróquia, como homenagem aos nossos cônegos vindos da Holanda, que cuidaram da igreja durante anos e anos, um depois do outro. Além do valor religioso, um tesouro de valor incalculável em ouro, pedras preciosas e trabalho artístico. Ele ia levar para ele. Foi a gota que fez transbordar o copo, a custódia abriu minha mente: tudo que ele estava juntando para levar, malas e malas, era tudo da paróquia, era tudo da cidade, era tudo nosso. Meu ídolo estava nos roubando. E só não levaria também o cálice do Jubileu, presente da cidade à igreja, imaginei, porque o cálice era usado todo dia nas missas e sua falta seria notada de imediato. O padre agia sorrateiramente.

— O que é "sorrateiramente"?

— Vai pastar, seu burro!

— Xi!

Caio fez uma pausa, percebeu que todos o acompanhavam com atenção e foi em frente:

— No fim, o ladrão foi roubado. Não levou nada nem sequer fugiu. Foi morto por uma pancada na cabeça, ao se abaixar para fechar uma das malas, enquanto discutia com Bel, o velho aliado, o velho protetor, que, sabendo que o padre seria transferido, estava de olho nele e o surpreendeu antes da fuga milionária. Ficou com tudo, ou com quase tudo. Se teve que repartir com outros, não sei.

Era uma história nova, que ninguém imaginava. Cochichos de repulsa e revolta faziam fundo para as palavras de Caio. Ele continuou:

— Mas a morte não bastava, o motivo devia ser alterado. Roubo era pouco. Um pecado imperdoável devia explicar o fim merecido do vigário, pecados da carne que se sucediam, uma vergonha para a qual a cidade, constrangida, não pediria investigação nem devolução de nada. A morte devia assumir a cara de uma sentença decidida e executada pelo povo por supostos pecados inefáveis cometidos pelo padre durante anos. Nada que parecesse aplicação de pena pela subtração da propriedade dos paroquianos, por furto, por crime banal. A castração falava por si, confirmava suspeitas que corriam. Anulação do sexo pelo crime do sexo. Punia o padre pela traição de seus votos e abuso sexual de menores inocentes. O padre teria morrido por causa de sua devassidão, num ato de vingança da cidade que ele violentou, ao violentar os coroinhas, era o que todos deviam pensar.

— Pecado contra o Espírito Santo, pecado que clama aos céus vingança, não tem perdão — lembrou Isaura, uma catequista das manhãs de domingo, que ajudava a preparar as crianças para a primeira comunhão.

— Isso mesmo. Ajudei a montar esse cenário para não morrer também, tive medo das ameaças a mim e à minha família. Optei pelo silêncio dos covardes. Aliás, na confusão, Henrique conseguiu sumir com a mala que continha a custódia holandesa. Não sei que fim deu nela. Tudo o mais foi levado pelas mãos que tiraram a vida do padre e fizeram a encenação das suas partes oferecidas no cálice sobre o altar de Deus. Mãos que não deixaram sequer um cruzeiro para comprar vela para o defunto. Sobre a custódia holandesa, talvez um dia o Henrique volte e nos ponha a par de seu paradeiro.

— E os outros coroinhas? — quis saber seu Artur. — Qual era a posição deles?

— Eu estava lá por devoção ao padre, mas sei de quem era coroinha por interesse, ou por necessidade, para ter dinheiro no bolso, comida boa na mesa, vinho de qualidade no copo, um colchão macio para dormir, atenção dos outros para se dar valor. O padre dizia que cada um tem uma beleza interior que compensa seus defeitos: as razões por que cada um estava ali não o incomodavam.

— Na Festa da Luz, você estava na frente durante a missa, e atrás na inauguração — lembrou Mateus.

— Naquela tarde, o padre me comunicou que eu ia para o fim da fila. Soubera que, fora da igreja, eu andava metido em certas transações que ele não aprovava. A moral não tinha abandonado o padre completamente. Me justifiquei dizendo que trabalhava para garantir o futuro de meus estudos e fazia o que meu patrão mandava. Ele disse que eu não era obrigado a nada, que Deus me fez livre para que eu fizesse as minhas escolhas. Palavras como essas me conquistavam: eu, um garoto preto, de família de trabalhadores, descendente de escravos, livre para decidir? Por atitudes assim eu o amei como a um santo, não um ser comum. Claro que não gostei de perder meu lugar na frente. Depois tudo virou pelo avesso, minha adoração pelo padre, minha lealdade ao meu patrão. Meu mundo, como eu o imaginava, se espatifou.

Caio tinha mais o que dizer:

— Não sei o que é pior: se morrer com a fama de ter amado os meninos do jeito proibido, como a cidade pensa erradamente dele, ou morrer por roubar a igreja e despertar a cobiça dos ladrões que o invejavam, que foi a causa verdadeira de sua morte. Talvez a pior morte seja a que veste o manto da mentira. É triste pensar que os pecados mais repudiados foram jogados nas costas desse homem para que a cidade aceitasse sua morte como sendo a mais legítima. E, para tapar a vergonha a que tudo isso levava, os donos da cidade organizaram para o defunto um funeral de papa, que o espírito da cidade, por assim dizer, tratou de desfazer. Com a ajuda dos sinos da igreja, ou dos sineiros desconhecidos. Quem é que sabe?

Caio viu que Marinês trouxera para a sala um bolo com velinhas ainda não acesas e que Artur se posicionava ao lado com seu Ronson dourado na mão. Dona Madalena e Lindinha distribuíam as taças de champanhe. Caio concluiu:

— Agora vocês sabem.

Todo mundo falava ao mesmo tempo. Depois da indignação, um forte sentimento de alegria passou a tomar conta de cada um. Tantos enganos desmentidos: os jovens não estavam irremediavelmente perdidos, as famílias não eram más como se podia pensar, a cidade não era a pecadora imaginada.

Então a luz foi apagada e cantaram "Parabéns pra você". Caio soprou suas dezoito velinhas.

Quando o relógio da torre da matriz começou a badalar, eles levantaram suas taças.

— Feliz ano novo! — desejou Madá.

— Feliz 1960! — saudou Artur.

— Viva *nóis* — gritou Mateus, abraçado com Alex e Teresa.

A música recomeçou. Antes de a vitrola virar para música dançante, cantaram junto com João Dias, abraçando-se uns aos outros, a valsa de fim de ano de Nasser e Francisco Alves que soava esperançosa: "Adeus ano velho, feliz ano novo, que tudo se realize no ano que vai nascer. Muito dinheiro no bolso, saúde pra dar e vender".

Agradecimentos

Embora o contexto cultural e histórico em que se desenrola a trama deste livro seja real, o resto é inventado. Personagens e situações foram criados pela imaginação e gosto do autor. O local onde tudo se passa nunca existiu. Ninguém pode se reconhecer ou ser reconhecido no livro, que precisou contar com a ajuda de muitos para ser escrito. Frederico Casonato Martins, Marina Garcia, Renan William dos Santos, Camila Crumo, Leandro Damasceno Leal, Luiz Jácomo e Marcos Fernando Prandi leram o que fui escrevendo e me ajudaram nos momentos de maior dificuldade, não sem enfrentar minha teimosia. Não pude manter sem distorcer o saber que os especialistas Daniel Hideo Kato, Geraldo Antônio Fantin, Paula Coelho Magalhães de Lima, Renato Sérgio de Lima, Rogério Damasceno Leal, Rodrigo Garcia Manoel e Júlio César Biggi dividiram comigo, pelo que tento me desculpar em nome da suposta necessidade da ficção de mudar os fatos a seu favor. Heloisa Jahn, que editou vários dos meus livros, de quem sou sempre devedor, mais uma vez me ofereceu suas amigas e competentes lições de como escrever direito, que nem sempre segui. Luara França, editora deste livro, o publisher Otavio Marques da Costa, Márcia Copola, Lucila Lombardi, Marina Munhoz, Tomoe Moroizumi, Giovanna Caleiro, Marina Saraiva e vários outros profissionais da Companhia das Letras transformaram em livro meus originais digitados. Raul Loureiro é o autor da capa, dando continuidade a uma parceria que iniciamos há mais de vinte anos. Edilene Barbosa da Silva, a Lena, manteve-me confortável e bem alimentado no isolamento domiciliar pandêmico da Covid-19, uma vez que o livro, em sua primeira versão completa, foi escrito entre 16 de setembro e 28 de novembro de 2020. Minha gata Mi esteve presente em todos os momentos, tendo me deixado, perto de completar seus vinte e cinco anos de idade, apenas quando o livro já estava finalmente escrito. A todos, meu obrigado de coração.

ESTA OBRA FOI COMPOSTA EM ELECTRA PELO ESTÚDIO O.L.M./ FLAVIO PERALTA E IMPRESSA EM OFSETE PELA GRÁFICA BARTIRA SOBRE PAPEL PÓLEN SOFT DA SUZANO S.A. PARA A EDITORA SCHWARCZ EM FEVEREIRO DE 2022

A marca FSC® é a garantia de que a madeira utilizada na fabricação do papel deste livro provém de florestas que foram gerenciadas de maneira ambientalmente correta, socialmente justa e economicamente viável, além de outras fontes de origem controlada.